KAMIEŃ W SERCU

KATARZYNA LEŻEŃSKA

Prószyński i S-ka

Wszystkie cytaty z twórczości Edwarda Stachury pochodzą z wydania:
E. Stachura, „Poezja i proza", t. 1–5, Czytelnik 1984

Projekt okładki
Katarzyna Fontańska

Fotografia na okładce
Corbis

Redakcja
Dominika Cieśla-Szymańska

Redakcja techniczna
Anna Troszczyńska

Korekta
Barbara Pigłowska-Stawowa

Łamanie
Monika Lefler

ISBN 978-83-7469-666-1

Warszawa 2008

Wydawca
Prószyński i S-ka SA
02-651 Warszawa, ul. Garażowa 7
www.proszynski.pl

Druk i oprawa
ABEDIK S.A.
61-311 Poznań, ul. Ługańska 1

„Nie jest za późno”

maj 2001

1

Ludzie! Jak można nosić takie buty?

Patrzyłem na kobietę z miejsca 25E po drugiej stronie przejścia. Metr pięćdziesiąt w kapeluszu i półmetrowe buty na obcasach, ze szpicem, którym można borować w zębach. Czy w tym w ogóle da się chodzić? A może to buty siedmiomilowe?

Gdzie moje okulary? Która godzina?

Potrząsnąłem pustą butelką po ginie. Chcę spać. Nie mogę spać. Siedzi tam. Ona. W purpurowej mini, obcisłej bluzce z lycry i w butach z bajki. Ręce złożyła w małdrzyk. Jej twarz spała.

Nie wiem, jak ja to wszystko zobaczyłem bez okularów. Chyba się upiłem.

Ciekawe, jak jej na imię? Jaki ma głos? Jedzie do chłopaka? Męża? Nie, nie męża. Pewnie była w Chicago na robotach. A może na studiach? Przemknął mi przez głowę cały plan na życie: przytuleni staruszkowie – ja i panienka z 25E. Trzymam ją za rękę, ona mnie…

Ding-dong!

– W związku z przelotem w obszarze turbulencji prosimy wszystkich trzeźwych pasażerów o zapięcie pasów.

Po angielsku już nie powtórzyła.

Leciałem do Polski, wiedząc, że nie powinienem tego robić. Wszystko przemawiało przeciwko – nowa praca, przeprowadzka, stan konta. Powinienem był zostać w San Jose i zająć się serio rozwalonym życiem. Ale ciągnęło mnie. Wiedziałem, że muszę, że stanie się „coś". Nie wiem, co.

Patrzyłem na te buty, fantazjując o szpicu, o palcach z francuskim pedikiurem, o francuskim...

Samolot podchodził do lądowania. Obudziłem się.

Ominęła mnie wilgotna chusteczka do przetarcia twarzy. Jak większość pasażerów, wyglądałem przez okno, usiłując dostrzec znajome widoki – kawałek wybrzeża, szarobure pasiaki pól i poletek, zarysy bloków, latyfundia popegeerowskie i wreszcie ten sam i nie taki sam Ursynów.

Pasażerowie nagrodzili oklaskami pilota i opatrzność. Już po wszystkim.

Byłem tu. Sam. Pierwszy raz po rozstaniu z Helen.

25E zakładała obrączkę. Patrzyła na mnie tak, jakby żałowała straconej życiowej szansy.

Taak, jeszcze przez parę minut mogłem fantazjować.

Tydzień wcześniej zabrałem ostatnie rzeczy z mojego – już nie mojego – domu przy Tiffin Road w Oakland. Helen nie wpuściła mnie do środka, sama przytaskała osiem kartonów z książkami przed drzwi, po czym zatrzasnęła je symbolicznie i patetycznie.

– Pan co, Polak?

Pogranicznik wyrwał mnie ze stuporu. Nie pamiętam, jak znalazłem się w kolejce. Spojrzałem na niego zdumiony, bo pierwszy raz ktoś tak sprawdzał moje obywatelstwo. Oficer z pagonami upstrzonymi dystynkcjami, o których nie miałem pojęcia, postukiwał moim niebieskim paszportem, patrząc wyczekująco. O co chodzi?

– Też – odparłem.

– To co mi pan tu daje? Tu jest Polska, pan Polak, trzeba okazać polski paszport. Inaczej mogę pana nie wpuścić.

I dalej patrzył, jakby czekał, co zrobię. Czy się wydrę? Czy zaskomlę?

– Proszę. – Wręczyłem dziewiczą czerwoną książeczkę.

– Żeby mi tak więcej nie robić, bo będą kłopoty. Następny!

Machnął ręką, żeby iść, bo furtka otwarta.

– Amerykanin za dychę – dodał, wiedząc, że usłyszę.

Ano za dychę. Na dodatek głupi.

W tym tygodniu powinienem był się zająć rozpakowywaniem tego, co leżało pod ścianami w nowym mieszkaniu w Redwood Shores. Powinienem był przynajmniej przejrzeć raporty sprzedaży mojego poprzednika, jego z pewnością godną podziwu segmentację klientów i pomysły na nowe usługi.

Jak można zaczynać nową pracę i po tygodniu iść na urlop?

To się musi skończyć katastrofą. A ja, po telefonie macochy i dwóch godzinach szukania w internecie tanich połączeń do Polski, znalazłem te tylko całkiem drogie – tuż przed polskim majowym długim weekendem nie było już innych biletów.

– Pan pozwoli tutaj.

Celnik wyskoczył zwinnie z jakichś zakamarków i wskazał palcem mój worek z demobilu (tak, tak – lubię te rzeczy). Trzeba było kupić walizkę. Nie byłoby problemu.

– Co pan wwozi do Polski?

– Nic specjalnego. Bieliznę, koszule, skarpetki, orzeszki piniowe, aspirynę... – wyliczałem zaskoczony.

25E przeszła obok, starannie unikając mojego spojrzenia, jakby przyłapali mnie co najmniej na przemycie narkotyków, dziecięcej pornografii i cholera wie, czego jeszcze.

– Proszę otworzyć worek.

Otworzyłem. Celnik zaczął szperać. Ja bym na jego miejscu nie grzebał w bieliźnie bez rękawiczek. Kto wie, czy i kiedy prana. Rozczarowany oddał mi worek. Usłyszałem, że jestem wolny. Tak jakbym nie był. Poszedłem dalej zielonym korytarzem. 25E zniknęła w tłumie witających. Zawsze marzyłem, by ktoś mnie oczekiwał na lotniskach, witał, rzucał się na szyję. Tak było i tym razem. Czego się spodziewałem? Że ktoś wyjedzie po mnie bryczką z Białegostoku? Czemu nie?

Taksówka. Dworzec Centralny. Bilet. Ile? To chyba za samolot? Peron. Aromat raju utraconego.

W okolicach Małkini zatęskniłem za herbatą. W Łapach spałem, trzymając za szpic na zawsze utraconą 25E.

Pojechałem taksówką do nowego mieszkania moich starych. Właśnie się przeprowadzili i była to słuszna decyzja. Zaraz po przejściu na emeryturę uciekli z ósmego piętra wielkopłytowego mrówkowca przy niegdysiejszej ulicy Podedwornego.

Dobrze zrobili, ale ja jestem sentymentalny. Wolałem ich gierkowskie mieszkanie i swój pokój ze szczeliną pomiędzy płytami. Ileż razy fachowcy ze spółdzielni ją smołowali, pakowali tam wszystko z wyjątkiem odpadów nuklearnych – zimą i tak wiało mrozem. Ale to było moje okno na świat. Na ścianie przy amerykance wypisałem maleńkimi literkami swoje imię.

Nowe, podobne wielkością mieszkanie (tym razem na dwie osoby, bo minus ja i moja siostra) było przede wszystkim parterowe i nie budziło żadnych uczuć ani wspomnień. Było trochę tak, jakbym spotkał się z ojcem i macochą w apartamencie hotelowym z kuchnią. Ale tylko do obiadu.

W połowie powitalnej pomidorowej z ryżem Danka, żona mego ojca, oświadczyła radośnie:

– Na kolację zaprosiliśmy kogoś, kogo koniecznie musisz poznać!

– Tak? – zdziwiłem się tylko trochę uprzejmie.

Może to jest ta przygoda? 25E? Rzuciłem ukradkowe spojrzenie mojej młodszej siostrze, Jolce. Pokiwała głową, ciężko wzdychając. Raczej nie.

– Pewnie nie pamiętasz młodszej córki Paprockich. – Pamiętałem. – Jest teraz lekarzem weterynarii, ma własną lecznicę, niecałe trzydzieści lat. No i panna!

Danka uśmiechnęła się z rozmarzeniem.

– Stuprocentowa dziewica – wtrącił ojciec, przerywając na chwilę siorbanie.

Przez chwilę nawet ja się rozmarzyłem.

– Sprawdzałeś? – mruknąłem, zanim zdążyłem się ugryźć w język.

Ale ojciec nie słyszał, zajęty przeżuwaniem ryżu, a minę miał taką, jakby to stuprocentowe dziewictwo panny Paprockiej młodszej nie tylko osobiście sprawdził, ale i nadwyrężył. Jolka zacisnęła usta, z trudem powstrzymując chichot, i na wszelki wypadek dolała sobie zupy. Czy powiedziałem, że pomidorowa to moja ulubiona zupa? Mogę ją jeść hektolitrami.

– Wiem, że ja nic nie rozumiem – zaczęła Danka – ale gdybyś po prostu z godnością przyjął i uszanował wybór Helen, tak jak ci mówiłam, nie byłoby całego tego...

No i wyszło, poszło, wypsnęło się.

Po co ja tu przyjechałem? Żeby znowu słuchać mniej lub bardziej wyrafinowanych aluzji do wstydu, jaki przyniosłem rodzinie swoim rozwodem. W tej rodzinie? Rozwód? Małżeństwo się kończy, kiedy jedno z małżonków umiera, a nie, gdy się komuś odwidzi.

Przyglądałem się Dance przez pusty kieliszek po wódce. Patrzyła w bok. Kryształ z czasów późnego Gierka rozmnożył ją, powywracał do góry nogami, wydłużył śmiesznie jej nos, i tak ostry jak dziób. Zastanawiałem się, czy w tej sytuacji powinienem się upić, czy wprost przeciwnie.

– Danka, co ty wygadujesz?! – nie wytrzymała moja siostra. – Rozmawiałyśmy o tym tysiąc razy. Marcin naprawdę nie miał wyboru.

Moja siostrzyczka. Wstawiła się za mną. Chyba pierwszy raz w życiu.

– Spotkam się z nią – odezwałem się pojednawczo. – Z Magdą Paprocką. To może być nawet zabawne. Ale nie dzisiaj. Nie będzie mnie na kolacji. Idę do szkoły.

– Dzisiaj? Tak od razu po przyjeździe? – skrzywiła się Danka. – Niemożliwe.

– Mówiłem, zapisuj w kalendarzu – burknął ojciec. – Po to ci go kupiłem.

– Zapisałam – odparła niepewnie.

Trudno. Sama otworzyła kopertę z zaproszeniem na jubileusz mojego liceum, przysłanym na ich stary adres, bo nikomu z organizatorów nie chciało się szukać mnie dalej.

Uśmiechnąłem się do siebie. Naprawdę przyjechałem do domu. Nic się nie zmieniło. Nie szkodzi, że siedzę przy innym stole, że Danka nie krząta się po starej ślepej klitce, tylko głośno, o wiele za głośno przestawia garnki w całkiem dużej kuchni z widokiem na ulicę Kraszewskiego. Nieważne, że to nowe miejsce. Wszystko zostało po staremu.

Kończyłem drugie danie, marząc tylko o jednym.

– Wychodzę – mruknąłem, podając Dance talerze ze stołu.

Ojciec jeszcze pracowicie jadł, łowiąc oczami niewidzialne mięso w zupie.

– A deser? – zapytała, już na amen obrażona.

– Zjem potem.

Uciekłem. Jak zwykle.

Chciałem zbiec ze schodów, zeskakując po kilka stopni na raz. Ale nie starczyło ich nawet na rozbieg.

Jak ona to powiedziała? „Gdybyś uszanował wybór Helen”...

Ależ uszanowałem! Nasze rozstanie było prostą konsekwencją jej wyboru.

Ja też musiałem wybrać i zdecydować, co dalej. Do końca życia nie zapomnę rozmowy w gabinecie terapeuty, pierwszej, na której moja żona odpowiedziała uczciwie na kilka istotnych pytań, kończąc tym definitywnie nasze małżeństwo.

Podobno prawda wyzwala, ale wtedy, kiedy Helen w końcu wydusiła ją z siebie, nie poczułem się wolny. Przytłoczyła mnie – nawet nie prawda o mojej żonie, tylko myśl, jak będzie wyglądała reszta mojego życia, jeśli zostanę przy tym, co jest.

Działo się to zaledwie w pół roku po śmierci Andrzeja Maziuka, mojego wspólnika i przyjaciela, jedynej osoby na świecie, która nigdy mnie nie zawiodła, „cierpliwego ucha" w każdej sprawie, potwora o nieziemskim intelekcie i zerowej wyporności alkoholowej.

Andrzej, Andrzej – ty durniu sentymentalny. Dlaczego nie grzmisz teraz, bohaterze?

Zabił się na jednym z najtrudniejszych zakrętów dosyć zdradzieckiej Old La Honda Road. Mało kto o niej wie, nawet w północnej Kalifornii. Jeżdżą nią motocykliści i desperaci spragnieni mocnych wrażeń. No i jeździliśmy my z Maziukiem.

Stało się to w dniu jego urodzin. Jechał na spotkanie ze mną w Half Moon Bay.

Pamiętam ten dzień w czerni i bieli, nie mam pojęcia czemu. Może dlatego, że kiedy umawiałem się z nim telefonicznie, jednocześnie obserwowałem Helen w czarnym trykocie ćwiczącą kick-boxing na tarasie.

– Andrzej, musimy pogadać – powiedziałem. Nie zauważyłem, nie usłyszałem ciszy, jaka zapadła po drugiej stronie, mówiłem dalej: – Nie o biznesie. Ostatnio masz jakby trochę mniej zleceń niż w zeszłym roku o tej porze, ale to pryszcz. Spotkajmy się w Half Moon Bay w MCoffee, powiedzmy, jutro o dziewiątej na śniadaniu. Jest jedna sprawa.

Przez okno widziałem, jak Helen zdejmuje trykot i kładzie się na zaczerwienionych z podniecenia deskach tarasu. Właściwie więc powinienem zapamiętać tę scenę na biało-czerwono. Patriotycznie. Dziwne.

– Nie, nic się nie stało – odpowiedziałem Andrzejowi, owładnięty marzeniem, by choć na chwilę stać się deską, na której leży moja żona. – Jutro zobaczysz.

Nie zobaczył. Czekając na niego w MCoffee (kiedyś ta przytulna kawiarnia z lodami na wynos nazywała się McCoffee, ale nie spodobało się to McDonaldowi), nie poczułem wibrowania telefonu. Andrzej zostawił mi wiadomość, którą nie byłem w stanie podzielić się z koronerem, policją i... jego siostrą:

„Marcin, to wszystko nie tak. Przepraszam. Może kiedyś ci wyjaśnię. Przepraszam".

Tyle po nim zostało.

I kiedy mi to wyjaśnisz, Andrzej?

Świat zawirował inaczej. Trzy miesiące później uruchomiłem procedurę upadłościową naszej firmy konsultingowej. Mówiąc „upadłościowa", mam na myśli swój własny upadek woli. Nie miałem ochoty ani pary do tego, żeby ciągnąć to w pojedynkę. Miałem żal do Maziuka. Biłem się z tym uczuciem, bo jak można mieć żal do kogoś, kto się wyniósł na tamten świat. Czy wierzyłem w tamten świat? Czy dziś w niego wierzę?

Maziuk, ty wuju bolesny! Tylko ja się domyślam, co naprawdę się wydarzyło na tym zakręcie. I po cholerę mi ta niejasna świadomość, to męczące przeczucie, które nigdy nie stanie się pewnością? Jak ja mam teraz żyć? Co mam powiedzieć twoim rodzicom? Siostrze? Co ty sobie wtedy, durniu, myślałeś? Dlaczego?

Ktoś mi powiedział, że jest praca w oddziale Toda Global Security w San Jose i jakimś cudem wylądowałem tam jako manager w dziale Risk Management. Znowu stałem się najemnikiem. Przez ciebie, Andrzej, przez ciebie.

Dużo, za dużo wtedy myślałem – nie tylko o Maziuku i jego dziwnym, pokręconym życiu, które wyprostowało się na kilka sekund spadania trzydzieści metrów w dół. Moje życie – jakkolwiek by patrzeć – wreszcie nie było pokręcone. Po latach chudych i niepewnych przyszły lata stabilne, choć nie przesadnie tłuste. Niby nie musiałem niczego sobie udowadniać ani o nic walczyć, tylko z każdym dniem czułem coraz mocniej, że – nieważne jak to brzmi – żyję życiem nie swoim.

Ale to i tak była ta lepsza połowa prawdy.

Trudno było mi się zorientować, gdzie jestem.

Kraszewskiego, zabudowana niskimi blokami o chropawych tynkach, nie zachowała nic z dawnej atmosfery – za dnia sielskiej, zakapiorskiej po zmroku – prawdziwego ducha starych Bojar. Niczego nie ułatwiała monstrualna bryła nowego kościoła, który tylko od frontu wydawał się proporcjonalny do reszty zabudowań.

Jak można wybudować ludziom coś takiego przed samymi balkonami? Czy za każdym podniesieniem muszą odrywać się od komputerów, obiadów, kłótni i padać na kolana, bo rzecz się dzieje kilka metrów od ich sypialni?

Skręciłem w Przygodną, nie wiem, czy nie ostatnią na Bojarach gruntową ulicę, niemiłosiernie wyboistą, tu i ówdzie litościwie podsypaną gruzem i chyba popiołem z pieca. Po takich czarnych bojarskich drogach straszył niegdyś Woropaj na wózku zaprzężonym w białego, chudego konia. Wszystkie okoliczne dzieciaki bały się jego długiej brody, rozwianych włosów z grubym kosmykiem przyozdobionym pierścionkami dyndającymi nad przekrwionym okiem, jego pijackich krzyków i bełkotu.

Widziałem go raz czy dwa, jak zabierał resztki z kuchni w moim przedszkolu. Tak jak wszyscy gapiłem się na te pierścionki. Raz popatrzyłem mu w oczy i zobaczyłem ciepły błysk. Zachciało mi się wtedy zostać pomocnikiem Woropaja

– stąd pewnie moja kilkuletnia fascynacja zawodem śmieciarza. Potem mi przeszło.

Nogi same zaniosły mnie na koniec Koszykowej, aż pod zjedzoną przez osiedle mieszkaniowe Skorupską, pod dom Maziuka, ściślej mówiąc, pod dom rodziców Maziuka.

Stał na swoim miejscu, krzywym płotem wyznaczając róg ulicy, z której pozostała tylko jedna strona. Ten sam dom, nadal niebieski, choć zapuszczony i upokorzony zwycięskimi blokami i pałacami o plastikowych uchylnych oknach. Wpatrywałem się w drzwi z klamką jak w starym kościele – wygiętą niby pogrzebacz. Ale nie pojawił się w nich Maziuk ze swoim nieśmiertelnym chlebakiem po masce gazowej.

Usiadłem na tych samych brudnawych schodach, na których zakończył się tamten sylwester. O północy wygłosiłem wtedy jakiś przejmujący, depresyjny toast, spełniony ruskim jabcokiem z bąbelkami. Zaraz potem, w odpowiedzi na ten toast, Maziuk wytargał z pokoju starych przedpotopową maszynę do pisania, taką z wielkim wałkiem do sprawozdań księgowych. Uroczyście spisaliśmy, to znaczy Maziuk spisał, naszą noworoczną deklarację rewolucyjno-anarchistyczną. Czytaliśmy to głośno, na baczność. Pamiętam, jak staliśmy tacy niewinni, tacy beznadziejni, hardzi i przestraszeni…

Przypomniało mi się, jak siedziałem trochę przejedzony, bez kaca, bo wódki jak na lekarstwo, gospodarz abstynent, a meliny, nawet na Bojarach, w głębokiej konspiracji. Przez pół godziny obejmowałem Daszę, która żaliła się, że musi walczyć z matką, bo za nic nie chce jej puścić na studia do Warszawy. Siedziałem, przyrastając nieubłaganie do lodowatego betonu, a w głowie tłukła mi się tylko jedna myśl: to najstraszniejszy sylwester w moim życiu.

Byłem wtedy mocno zdołowany, tym bardziej że za pięć miesięcy miałem zdawać maturę i nie miałem pojęcia, co do tej pory zafunduje mi los. Ale najstraszniejsze było to, że już szósta rano, pełno śniegu, jakieś pierwsze autobusy odzywały się jękliwie na wybojach starej ulicy Piasta i trzeba wracać do rzeczywistości. Czekał świat, w którym kobiety – ech, wtedy jeszcze dziewczyńskie dziewczyny – omijały mnie szerokim łukiem, a ja za cholerę nie wiedziałem, o co chodzi.

Siedziałem przy Daszy, obejmując ją, dotykałem kolanami jej kolan, rozmawialiśmy o przyszłości, chyba wtedy jej pierwszej powiedziałem, że chcę zdawać na socjologię w Warszawie, siedziałem jak kołek, zamiast potrząsnąć nią i wreszcie powiedzieć... No właśnie, co? Co mogłem powiedzieć tej dziewczynie ukrywającej się za wielkimi okularami? Może gdybym wtedy wiedział, że czai się za nimi taka sama samotność i niepewność...

Ale o tym dowiedziałem się dużo później. Wtedy zasłoniłem się dymem z extra mocnego.

Nie, nie rozmyślałem o tamtym sylwestrze aż tak długo. To był rozbłysk, flesz – schody, zmęczona twarz Daszy z trzema pryszczami na policzku i okularami – zaparowanymi, a może załzawionymi.

Zaraz potem trzasnęły drzwi wejściowe i na schodach ukazała się nieznana mi kobieta w podomce w jaskrawe słoneczniki i jasnej chustce zakrywającej włosy.

– A co, to już nie ma gdzie siedzieć? – zapytała z tą jedyną w swoim rodzaju nutą agresji, z jaką w tej części świata wita się nieznajomych i strudzonych pielgrzymów. – Szuka kogo?

– Dzień dobry pani – wyprostowałem się powoli. Stojąc nieruchomo na szczycie schodów, nadal nade mną górowała. Poczułem się jak czwartoklasista. – Zastałem panią Maziuk?

– Wyprowadziła się do bloków stara Maziukowa – zaterkotała, nieco uspokojona.

– Do tych tutaj? – machnąłem ręką w kierunku szarzejących wielkopłytowców na Piasta.

– Panie, aż na Zielone Wzgórza ją poniosło, gdzieś za Wrocławską ulicę, bliżej córki.

– Czyli pani jest nową właścicielką – zagaiłem radośnie i od razu uświadomiłem sobie, że kulą w płot.

– A bo co? – zjeżyła się kobieta. – Z urzędu przyszedł?

– Nie, nie, do widzenia – wymamrotałem, cofając się na chodnik pod jej czujnym spojrzeniem.

Może to i dobrze, że nie spotkałem matki swojego przyjaciela. Mała była, ale bojowa, a właściwie – jak wiele kobiet z jej pokolenia – ogólnie wkurwiona z natury. Wystarczył drobiazg, byle co, samo wejście czy wyjście, a wściekłość ulewała się z niej jak mleko z oseska, samoistnie.

Bywała męcząca, kiedy co jakiś czas uznawała, że demoralizuję Maziuka, to znaczy zawracam mu głowę byle czym, a on do wyższych celów został spłodzony. Na ogół chodziło o naszą neoromantyczną, młodopolską, młodopoetycką działalność, hm, społeczną, w którą zdarzało nam się angażować aż po świt dnia następnego.

Jazgotała wyzwiska tym swoim cieniutkim, ale przenikającym do kości sopranem bohaterskim, potrafiła naprać po pysku, jednego i drugiego, bez różnicy, ale zawsze wolałem to niż wieczną depresję mojej matki, a potem zjadliwe komentarze macochy. Wolałem te wrzaski, niezniszczalne kretonowe fartuchy i obrywanie mokrą ścierką, a, i jeszcze babkę ziemniaczaną ze skwarkami, od której dzisiaj pewnie wybuchłaby mi wątroba.

Wydawało mi się, że jestem gotowy na spotkanie z matką Andrzeja, ale właściwie odetchnąłem z ulgą.

Jeszcze zdążę dostać po mordzie, pomyślałem – wszak na sto procent zasłużyłem, skoro Maziuk ustanowił mnie wykonawcą swojego testamentu. A kogo innego miał wybrać?

Spojrzenie jego siostry, która przyleciała do Kalifornii, by zabrać ciało w zalutowanej trumnie, dało mi już przedsmak tego, co sobie o mnie myśli osierocona rodzina. Zupełnie jakbym to ja ściągnął Maziuka do Stanów po tym, jak dwukrotnie nie dostał się na aplikację adwokacką. I jeszcze osobiście wręczył mu zieloną kartę, zaledwie pięć lat później.

2

Na jedynym zdjęciu z czasów licealnych, jakiego udało mi się nie zgubić podczas przeprowadzek, stoimy całą klasą przed głównym wejściem do szkoły, stłoczeni pomiędzy dwiema z czterech białych kolumn. Wszyscy spokojnie spoglądają w obiektyw, tylko ja patrzę gdzieś w bok. Nie mam pojęcia, co takiego odciągnęło wtedy moją uwagę, ale to bez znaczenia. W końcu tak samo patrzę na większości zdjęć z dorosłego życia. Jakbym za każdym razem zadawała komuś stojącemu za kadrem to samo pytanie: co ja tutaj robię?

Jeszcze w pociągu z Olsztyna do Białegostoku zastanawiałam się, czy zawracać sobie głowę jubileuszem szkoły. Próbowałam namówić Elkę, żebyśmy na dworcu od razu przesiadły się w osobowy do Czarnej Białostockiej. Wczesnym popołudniem byłybyśmy w Bączynie, najpiękniejszym miejscu na ziemi, gdzie mąż Elki kończył właśnie remont chałupy.

W ubiegłym roku obie z moją córką uczestniczyłyśmy w wielkiej akcji odgruzowywania i odskrobywania starego siedliska z krzyżem, co chronił od wody, ognia i powietrza. Do Bączyna mogłam jeździć pod dowolnym pretekstem i o każdej porze roku, bez względu na niewygody. Tam czułam się na miejscu. I tak strasznie zazdrościłam Elce.

Gdyby nie upór Elki, która jak zwykle potrzebowała towarzystwa, by wystawić nos za drzwi, nie poszłabym na to żałosne szkolne spotkanie, mimo wyraźnego przeczucia, że tam jest dzisiaj moje miejsce. Już tyle razy rakiem wydobywałam się z malin i manowców, na jakie prowadziły mnie moje „wyraźne przeczucia", że naprawdę nie miałam powodu im ufać.

Poza tym nie lubię podróży wstecz. Za dużo stacji bolesnych po drodze. Chyba już nie przepadam za ludźmi.

Miałam zajrzeć na jubileusz tylko na godzinę, dwie. Byleby pojawić się już po przemówieniach, sztandarach i jak zwykle fałszywie odśpiewanym hymnie szkoły, co „znów rozpoczyna swój złoty wiek". Specjalnie poszłam pieszo przez Bojary, nadal niepewna, czy chcę, czy nie chcę tam dojść.

W połowie Skorupskiej napotkałam kota wylegującego się na resztce muru, a może fundamentu. Był niezbyt duży, niezbyt pręgowany, ale z uśmieszkiem w oczach. Wiedziałam, że jeśli ruszę dalej, pójdzie za mną. I poszedł. Niedaleko, wzdłuż krzywego ogrodzenia, na drugą stronę Koszykowej, pod dom pomalowany na niebiesko.

Przyprowadził mnie do miejsca, które dobrze znałam. Tu mnie witano początkowo podejrzliwie, potem jak rodzinę. Tu się czułam bezpieczna, najedzona, wygadana i nawet niezbyt samotna. To te schodki przeleciałam dwoma susami, by objawić Maziukowi i jego matce, że dostałam się na „lalki". Pamiętam, jak Andrzej pocałował mnie nieoczekiwanie, a potem, zmieszany, zakrył mi oczy ręką i kazał wyobrazić sobie moją pierwszą rolę.

Ostatni raz byłam tu w głębokiej ciąży. Matka Maziuka trzymała mnie na progu. Płakała. Nie wiedziałam dlaczego. Andrzeja nie było. Potem spotkałam go już tylko raz, w Horteksie. Przyszedł z Marcinem i jego amerykańską żoną.

– Szuka kogo? – zapytała kobieta w chustce wyglądająca przez parterowe okno ozdobione resztkami waty do uszczelniania. Tak jakby otworzyła je pierwszy raz po zimie.

– Ja? Nie. Przechodziłam tylko. To pani kot? – zapytałam, żeby o coś zapytać. To nie była matka Andrzeja.

– A bo co? – szczeknęła.

– Nic. Ładny jest – mruknęłam i zdecydowałam się naprawdę zapytać: – Czy pani Maziukowa…

– Wyprowadziła się do bloków – przerwała mi. – A pani

może z tym rudym, co tu dziś na schodach siedział i też wypytywał? Majątek jaki będą dzielić?

Uciekłam. Ale i tak się spóźniłam, jak chciałam.

Szkoła wyglądała znajomo. Pamiętałam drzewa, te same, choć dzisiaj bardziej rozrośnięte. Pamiętałam też dwie ciężkie parkowe ławki ustawione równolegle po obu stronach wejścia, których już nie było. Zamiast nich są siedziska pod oknami i wzdłuż trawnika. Niby niewielka zmiana, ale... wszystkie stoją w jednej linii, można na nich co najwyżej usiąść rzędem. Nie sposób obserwować siedzących, nie da się łapać ani rzucać ukradkowych spojrzeń. Jak tu rozmawiać? Szkoda.

Ile spotkań, zdrad, rozstań i powrotów nastąpiło na tych drewnianych, obłażących z zielonej farby ławkach stojących naprzeciw siebie, jak w przedziwnym teatrze, w którym nikt nigdy do końca nie wiedział, gdzie jest scena, a gdzie widownia.

Przesiadywałam w nieskończoność to na jednej, to na drugiej, tej z oparciem skróconym kopem jakiegoś macho, dyskutując, plotkując albo intrygując z Marcinem, Andrzejem i Elką... nie, Elka zaraz po lekcjach biegła pomagać przy gromadzie młodszego rodzeństwa. Maziuk ruszał z nami, ale zwykle szedł w dół Kościelną do biblioteki, gdzie w sobie tylko wiadomych celach godzinami czytał przedwojenne gazety. Nigdy go nie zapytałam, dlaczego to robił.

Gdzie teraz jesteś, Andrzej? Wiem tylko, że nie pojawisz się już na tej ławce.

Uciekłam. Do przodu.

Czyjaś ręka mocnym pchnięciem otworzyła drzwi wejściowe do szkoły. Nie skrzypiały. Weszłam. Buchnął gwar i refren piosenki Maanamu o powietrzu, co „przybiera kształt rzeczy dowolnych". Spojrzałam w lewo, w kierunku szatni, ale nie zobaczyłam pana Jana, niegdysiejszego woźnego o włosach niezmiennie zaczesanych w ząbek i niezmiennie wrednym charakterze. To on z jakąś dziką satysfakcją udowadniał mi, że buty na koturnie nie mogą uchodzić za kapcie. Dziś koło dyżurki kręcił się inny siwy mężczyzna. Uświadomiłam sobie, że pan Jan, nawet po najdłuższym życiu, pilnuje już co najwyżej szatni niebieskich.

Ruszyłam jak po sznurku korytarzem w prawo.

Zakamarek pod schodami, zajmowany na wyprzódki zaraz po dzwonku na przerwę i blokowany dla swoich, kryjówka po dzwonku na lekcję dla tych, którym nie starczyło sił, by na nią dotrzeć, miejsce mniej lub bardziej romantycznych schadzek i niemrawych zbiórek niemrawego szkolnego harcerstwa. Idealne na spotkanie upadłych klasowych gwiazd w średnim wieku i zdobywców świata po przejściach. Ludzi bez złudzeń. Poetów bez widowni. Czytelników bez wieszczy. Czyż nie po to organizuje się spotkania tyle lat po maturze? Żeby w cudzych oczach zobaczyć ten sam cień i strach, że to już wszystko, na co nas stać...

Elka siedziała przy oknie z widokiem na puste, szarzejące w zmierzchu boisko szkolne, otoczona co najmniej dziesiątką kobiet i mężczyzn, w których rozpoznałam swoją dawną klasę. Zjawiła się chyba mniej niż połowa składu. Reszta, jeśli nawet nie wyjechała z Białegostoku i z Polski, najwyraźniej darowała sobie wieczór w starym gronie. Może wiedzieli coś, o czym ja nie wiedziałam?

Witałam się serdecznie, ale bez przesady – nigdy nie mieliśmy sobie wiele do powiedzenia. Od początku do końca stanowiliśmy przypadkową zbieraninę, podzieloną na grupki: trzech poetów, dziewice hermetyczne, panny chętne, błazny konkretne, kujony sprytne i ja – nigdy z nikim na dobre. Nawet ze sobą.

Dlaczego wszyscy muszą się całować na powitanie? Trochę mnie to odrzucało.

– Wiesz, kto tu jest? – wyszeptała Elka, mrugając porozumiewawczo, kiedy udało mi się rozepchnąć nieco towarzystwo i usiąść koło niej.

– Wiem, kogo nie chcę spotkać – mruknęłam.

Po co ja tu przyszłam? Stare rytmy. Zamknąć się w sobie albo z książką w ubikacji i zapomnieć o całym świecie.

Starałam się nie przyglądać zbyt natarczywie Jarkowi, który jak się zdaje, dołożył wszelkich starań, by wagę piórkową zamienić na bardzo, ale to bardzo ciężką. Ani Natalii, której wieczorowy makijaż wyglądał w półmroku jak maska pośmiertna. Uśmiechnęłam się nawet do Baśki, zupełnie niepotrzebnie, bo Baśka z równie miłym uśmiechem zapytała słodko:

– Jak tam, Dasza, dobrze słyszałam, że ci się małżeństwo rozpadło?

Och, skąd ja znam to na poły współczujące, na poły lekceważące spojrzenie? Właśnie tak przyglądały mi się koleżanki z teatru. Przez parę dobrych lat. Co ja tutaj robię! Znowu to samo!

– Dobrze słyszałaś – odpowiedziałam spokojnie, patrząc jej w oczy.

Już wiedziałam, po co tu jestem. Poprawiam humor Baśce! Od połowy liceum nienawidziła mnie szczerze i bez osłonek, choć nigdy nie udało mi się dociec, co właściwie jej zrobiłam. Nie miałam pojęcia, czy wyszła za mąż i za kogo, nigdy mnie to nie interesowało, ale jedno było pewne. Przyszła tu dla tej chwili.

– I co, sama jesteś? – włączył się Jarek.

– Pytasz, jakbyś nie wiedział – prychnęła Elka.

– I tak, i nie – odparłam, żałując serdecznie, że nie stać mnie na to, by wstać i pójść sobie. – Mam czternastoletnią córkę, Polę.

– Ty? Sama? – Baśka jak zwykle nie wiedziała, kiedy skończyć. – Brzmi desperacko.

– Nie, Basiu – uśmiechnęłam się. – Jestem kandydatką na całkiem pogodną samotną staruszkę.

– W przeciwieństwie do ciebie, pomyślałam, przyglądając się jej gorzkim bruzdom wokół ust i podwójnej zmarszczce między brwiami. Co robić, Basiu, w naszym wieku dusza nieodwołalnie wychodzi na twarz i znaczy rysy prawdą, która przebije się przez najlepszy podkład. Taki czas.

– Wygląda na to, że już wyrosłam ze związków – skłamałam bezczelnie.

Tylko Elka w tym towarzystwie wiedziała, że to raczej związki mnie przerosły. Posłała mi natychmiast niewidocznego kuksańca, ale nic nie powiedziała.

– Gadanie! – odezwała się Alka. – Teraz tak ci się może wydaje. Ale za kilkanaście lat, zobaczysz. Samotność zabija skuteczniej niż nadciśnienie i miażdżyca. Wiem, co mówię.

Wiedziała. Była geriatrą. Ale ja niczego nie udawałam, ani na użytek Baśki, ani tego wieczoru.

To nie była samotność ani desperacja. Historie desperackie miałam już na szczęście za sobą, a ci, co mnie znali lepiej niż Baśka, wiedzieli, że jestem mistrzynią tego gatunku. Mistrzynią w stanie spoczynku, a raczej – od jakichś pięciu lat – w stanie utrwalonej pojedynczości – oswojonej i zadomowionej bez poczucia straty czy zawodu.

Było mi w tym stanie błogo.

Nie rozumiem, czemu po polsku mówi się „samotny" o kimś, kto jest po prostu pojedynczy – jest w tym słowie jakieś naznaczenie, a nawet ocena. Na przykład po angielsku można być „single", „alone" czy „lonely", a każde z tych słów oznacza inny rodzaj samotności. „Single" to ktoś niekoniecznie osamotniony, biedny, szukający natychmiastowego pocieszenia.

Nie potrzebowałam pocieszenia. Już nie. Widocznie nieprzypadkowo w dniu osiemnastych urodzin Marcin podarował mi „Sto lat samotności" Marqueza.

Do dziś mam tę książkę z jego dedykacją. Życzył mi szczęśliwszego niż dotąd biegu wypadków i zapowiadał, że to sprawdzi za dziewiętnaście lat.

Spóźniał się.

Ciekawe, jak teraz wygląda. Zapamiętałam go jako chłopaka, który był dla mnie wyjątkiem potwierdzającym regułę. Tę, która mówi, że niemożliwa jest przyjaźń między kobietą i mężczyzną. Dziś nie wiem, czy chciałabym to sprawdzać. Nie, chyba nie.

Przypomniały mi się nasze z Marcinem spacery wzdłuż Warszawskiej albo Alei, niekończące się odprowadzanie z jednego końca miasta na drugi i gadanie, gadanie, gadanie. Popołudniowe telefony, które moja mama odbierała z ciężkim westchnieniem, bo po śmierci jego mamy nie wypadało jej tego w żaden sposób komentować.

Działo się to w czasach, gdy koszt połączenia lokalnego nie miał żadnego związku z tym, jak długo ono trwało, ale kiedy dzwonił Marcin, wiadomo było, że już nikt się do nas dziś nie zadobije. Więc znowu długie rozmowy i moja złość, kiedy zaczynał swój ulubiony temat:

– Jestem człowiekiem, którego nie ma – mówił.

Albo:

– Jestem niewidoczny.

Nie niewidzialny, to byłoby może ciekawe, ale niewidoczny, niedostrzegalny, taki, co to się nawet nie odbija w cudzym spojrzeniu. Człowiek Nikt. To było dobre w tekstach Stachury, ale nie w prawdziwym życiu.

Co można na to odpowiedzieć? Co może powiedzieć ktoś, kto sam ma wątpliwości, czy naprawdę istnieje? Nie chciałam go słuchać, miałam dość własnych problemów, płakałam nad sobą i nad tym, jaka jestem niezrozumiana, niekochana i nikomu niepotrzebna. Czułam się wtedy straszliwie samotna – nieważne, czy to była prawda, czy tylko moje wyobrażenie. Więc złościłam się na Marcina i krzyczałam, że plecie, żeby pleść, że to bzdura, bo przecież ja go widzę, z całą pewnością istnieje i jest moim jedynym przyjacielem.

Tak było. Moja przyjaźń z Elką, niezachwiana od połowy podstawówki, wkroczyła wtedy w dziwną fazę. Pojawiło się między nami coś, co z dzisiejszej perspektywy wydaje się po prostu starannie skrywaną rywalizacją, już nie o oceny, jak dawniej, ale o... nie wiem, jak to określić... atrakcyjność, popularność. Pewnie tak, choć nawet dzisiaj trudno byłoby nam się do tego przyznać.

Jedno jest pewne – tamten czas, mimo że spędzony razem, w jednej klasie i w jednej paczce, tak naprawdę rozdzielił nas na długie lata. Zbliżyłyśmy się ponownie dopiero jako matki małych dzieci, kiedy Elka przeprowadziła się do Olsztyna, gdzie jej mąż odziedziczył mieszkanie po babci. Dopiero wtedy poczułam, że zniknął ten trudny do uchwycenia fałsz i podskórna nielojalność, jaka w liceum towarzyszyła nieodmiennie naszym czułym powitaniom i pożegnaniom.

Marcin był jedynym człowiekiem, któremu w tamtym czasie ufałam bez zastrzeżeń. Może dlatego, że był tak jak ja wiecznie zdołowany. Dopiero jako dorosła osoba uświadomiłam sobie, że w przeciwieństwie do mnie miał po temu parę powodów: choroba matki, jej śmierć, nowa żona ojca.

Nie mogłam wtedy wiedzieć, że ten ponury chłopak w zielonej stachurowskiej kurtce to jedyny facet w moim życiu, któremu naprawdę będzie chciało się słuchać tego, co mam do powiedzenia. Jedyny, przed którym będę w stanie się otworzyć – nie miłośnie i romantycznie, nie myślałam o Marcinie w taki sposób, ale właśnie w rozmowie, prawdziwej rozmowie, gdzie nie chodzi o to, kto ma rację ani kto ciekawiej opowiada, ale o to, ile z siebie chcesz pokazać, odsłonić, ujawnić...

3

Długo krążyłem po gmachu szkoły, gdzie wszystko wyglądało niemal tak samo jak naście lat temu, a jednocześnie wydawało się mniejsze, bez znaczenia, banalne.

Szkolny sklepik, do którego, zwalniany permanentnie z fizyki, taszczyłem kilogramy pączków z ciastkarni na Warszawskiej, przemianowano na Cafe Liberum Veto. Kłębił się tam teraz tłum amatorów cateringowego żarcia. W skrzydle, które za naszych czasów było w ruinie, czy raczej w permanentnym remoncie, panoszyły się teraz gabinet lekarski, parę innych pomieszczeń i dodatkowa klatka schodowa. Dawniej było to królestwo urzędujących tu nielegalnie członków kółka teatralnego i tych paru panienek, o których wtajemniczeni wiedzieli, że nie noszą majtek, żeby było szybciej na przerwach, w którymś z załomów zrujnowanych murów. Często się tu kiedyś kręciłem. I nic.

Gdybyż te porządnie odmalowane ściany mogły mówić... Na szczęście nie mogą.

Snułem się korytarzami, zerkając na dzieła plastyczne monstrualnej wielkości, które zdobiły większość ścian. Gdzieś tutaj była izba pamięci z radiostacjami kościuszkowców. Razem z Maziukiem po kryjomu rozkręcaliśmy je na części, chcąc złożyć z nich własną. Najdziwniejsze wrażenie robiły wmurowane tu i ówdzie tabliczki pamiątkowe wcześniejszych roczników maturalnych, wycięte z lastrykowych płytek stanowiących w Polsce ostatni krzyk mody cmentarnej. Szukałem znanych mi nazwisk.

W tłumie pojawiały się niejako znajome twarze. Patrzyłem na ludzi, których pamiętałem – niektórych lepiej, innych gorzej – uśmiechałem się, z kimś się nawet witałem, ale rozglądałem się za... ileż można się oszukiwać, oczywiście, że szukałem Daszy.

Schodziłem schodami od strony boiska, kiedy dobiegła mnie z dołu przemowa Alki – jak dawniej mówiła świdrującym głosem przemądrzałej dziewczynki. Spojrzałem w dół, przez poręcz... prosto w oczy Baśki Wolanin.

– Marcin! Jesteś! – zawołała, jakby mnie właśnie dostała pod choinkę.

Tylko tego mi brakowało!

Minęło kilkanaście lat od nieszczęsnego spotkania klasowego w Horteksie. Nie wiedzieć czemu, przywlokłem wtedy ze sobą Helen, obrażoną i od progu znudzoną. Przyszła też Dasza, spięta, a zarazem ostentacyjnie wyluzowana, hałaśliwa jak nigdy, w obrzydliwie krótkiej spódniczce. Uparła się, żeby usiąść w części dla palących i przez całe spotkanie kopciła jednego za drugim. Tortura!

W którymś momencie ruszyłem w stronę toalet, nie wiem po co, może powalić głową w kafelki albo zawyć do pisuaru. Baśka zastąpiła mi drogę na półpiętrze.

– Weź mnie – wyszeptała.

Naprawdę oczekiwała, że zrobię to tu i teraz, a potem lub przedtem zapłacę podwójną stawkę babci klozetowej!

Nigdy nie miała wyczucia. Nie obchodziło mnie, że przez całe liceum była we mnie rozpaczliwie zadurzona ani dlaczego postanowiła mi to wyznać właśnie przy tej okazji. Nad czym miałem się roztkliwiać? Baśka durzyła się we mnie, ja w Daszy, a Dasza... cóż, siedziała właśnie, nerwowo wygrzebując kolejnego golden americana, paplająca, oddzielona kłębami dymu. Maziuk wpatrywał się w nią z taką miną, jakby miał ją za chwilę przełożyć przez kolano i sprać na kwaśne jabłko. W końcu nawet moja żona wyczuła jakieś napięcie.

Pokutowałem za to spotkanie przez sześć tygodni. W tej materii Helen była twarda.

Czułem się wtedy fatalnie. To była moja pierwsza podróż do Polski stamtąd, z Kalifornii. Byłem zszokowany tym, jak bardzo moi starzy zmienili w ciągu zaledwie trzech lat. Jak ciasno było w ich mieszkaniu. Jakie wszystko było abstrakcyjnie tanie. Jak obca wydawała mi się Dasza. Jak bardzo chciałem czuć to, co dawniej...

– Marcin! Przyśrubowało cię do tych schodów? – usłyszałem Gryckiewicza, który wychylając się zza balustrady, pociągnął mnie za nogawkę.

Ruszyłem w dół, skręciłem pod schody, zacząłem się witać, ściskać i cmokać. Kątem oka dostrzegłem Daszę, która siedziała spokojnie, przyglądając mi się z uśmiechem.

Zeszczuplała, a może tak mi się tylko wydawało, bo nigdy nie widziałem jej z tak krótkimi włosami. Z tej odległości nie mogłem zobaczyć jej oczu, tylko światło z korytarza odbijające się w okularach. Małych owalnych okularach. To była Dasza i nie Dasza.

Wyglądała wspaniale, co mnie zaskoczyło, bo po tamtym spotkaniu w Horteksie wydawało mi się, że będzie z nią już tylko gorzej. Podszedłem bliżej. Wstała.

Tak, udało jej się wejść w dojrzałość i zachować twarz. Nos nadal lewicujący, jedynka nadal lekko wystająca, ten sam uśmiech. Wyglądała na tyle lat, ile miała. Na szczęście.

Wiem, że to brzmi śmiesznie – ale biła od niej niesamowita energia i spokój zarazem. Poczułem się jak opiłek, który widzi magnes i jedyne, co może, to wiuuu – przylgnąć.

No i przylgnąłem. Objąłem ją i przez ułamek sekundy pomyślałem, że tak mogłoby zostać.

Pachniała czymś dalekim, pożądanym. Zarzucony na ramiona wełniany ciemny szal i płaszcz z konopi odróżniał ją od rówieśniczek w garsonkach, biustowyciskaczach, plastiku opiętym jak rękawiczka (by nie sięgać po inne, mniej delikatne porównania) i w czółenkach, butach kajakach w szpic.

Dasza nosiła martensy.

– Chodźmy do bufetu – zaproponowała i dopiero teraz zorientowałem się, że całe towarzystwo pod schodami zamilkło. Baśka, i nie tylko ona, przyglądała nam się z zastanowieniem. No i dobrze.

– Kawa? – zapytałem, biorąc ją za rękę, jakby to było oczywiste, ta kawa i nasze zziębnięte dłonie. W każdym razie moja zziębnięta dłoń, bo było mi zimno jak skurczybyk, nie wiem czemu, chyba z emocji.

– Nie piję kawy – pokręciła głową.

– Ja też. Ale palisz – stwierdziłem, przyglądając się z lekkim przerażeniem tumanom dymu wypełniającym korytarz od strony bufetu.

– Nie palę – roześmiała się Dasza. – Od dwóch lat nie palę. I jestem wegetarianką – dodała, jakby było dla niej oczywiste, że zaraz o to zapytam.

Dasza nigdy nie była jedną z tych ładniutkich panienek, które przyklejały się do pierwszego z brzegu faceta. Mieliśmy ich w klasie kilka, a w roczniku pewnie kilkanaście. Wszystkie natychmiast po maturze wyszły za mąż i utknęły jak na mieliznach przy mężach-gówniarzach, a zaraz potem przy dzieciach, które pojawiły się, zanim one zdążyły dorosnąć do macierzyństwa. Resztę życia musiały poświęcić na wydobycie się z bagna, w które tak ochoczo wskoczyły. Niektóre ugrzęzły na zawsze.

Nie należała też do tych kwadratowych intelektualistek, co nie umiały sklecić jednej własnej myśli, ale – jak choćby Baśka – tokowały bez wytchnienia po kątach, przerzucając się cytatami.

Była z tych, co to nie zwracają niczyjej uwagi. Do czasu. Bo kiedy się ją raz zobaczyło – szczególnie z gitarą, śpiewającą – oczu nie można było oderwać. W każdym razie ja nie mogłem, od imprezy u Maziuka, gdzieś w połowie pierwszej klasy.

Do dzisiaj pamiętam, co śpiewała, piosenkę Stachury o włóczędze, z którym „można tylko pójść na wrzosowisko i zapomnieć wszystko". To o mnie śpiewała, ale nie miała o tym pojęcia, zresztą kręcił się przy niej taki jeden. Kręcił się, potem „w dali zniknął cicho", pojawił się inny, a ja i tak wiedziałem, że już po mnie.

Pięknie śpiewała nawet najdurniejsze harcerskie czy rajdowe, jeden pies, piosenki. Pięknie maskowała się w klasie, zawsze trzymając się trochę na uboczu. W spokoju olewała klasowe hierarchie i sojusze. Pięknie królowała na imprezach, choć zupełnie nie zdawała sobie z tego sprawy, co więcej, nie zauważały tego różne samozwańcze królowe, tak zazdrosne o swoje wpływy i tak okrutne wobec rywalek.

Wiedziałem swoje, nie tylko ja, faceci kręcący się przy niej całymi tabunami też to wiedzieli, ale z nieznanych mi do dziś powodów nigdy nie rozmawialiśmy o Daszy, choć o innych panienkach potrafiliśmy godzinami i dosadnie.

Wyznawała żelazną zasadę unikania bliższych związków z tym, kogo musiałaby spotykać codziennie, czy miałaby na to ochotę, czy nie. Nie chciała spędzać wieczorów z facetem, którego od rana oglądała w klasie, który widział ją niewyspaną, nieprzygotowaną, załamaną po klasówce. Słusznie.

Szkoda tylko, że powiedziała mi o tym dopiero na początku studiów. Może zamiast przez prawie cztery lata robić z siebie idiotę, przeniósłbym się do innej szkoły albo chociaż do równoległej klasy!

Zasada okazała się zresztą nie aż tak żelazna, a może tylko z czasem przerdzewiała, bo zaraz na początku pierwszego roku studiów – byliśmy na innych wydziałach – Dasza zakochała się w chłopaku ze swojej grupy, w jednym z tych poetów, którzy pojęcia nie mają, co ze sobą zrobić, i dlatego idą na polonistykę.

Często się wtedy widywaliśmy. Siadywaliśmy na parapecie w holu Pałacu Kazimierzowskiego, a Dasza pytała, dlaczego się tak dziwnie wobec niej zachowuję, dlaczego się obrażam, dlaczego jej unikam. Tłumaczyła długo i nadaremnie, jak bardzo jej zależy na naszej przyjaźni, a ja siedziałem jak odgrodzony murem. Nie rozumiała, o co mi chodzi, skąd zresztą miała to wiedzieć. W końcu ja sam nic nie rozumiałem.

Nie wiem, dlaczego uważałem, że powinna jak Duch Święty domyślić się wszystkiego z mojego milczenia i uników.

Była wtedy z kimś, kto mówił jej na przykład, że nie będzie się z nią spotykać przez dwa tygodnie, bo on musi sprawdzić, czy mu na niej zależy. I ona w kimś takim kochała się na zabój.

Może powinienem był za którymś razem krzyknąć: „Nie zależy! Widzisz coś, czego nie ma, a nie widzisz tego, co jest!". Ale milczałem, jak zawsze, a potem znowu odprowadzałem ją do tego palanta, wiedząc doskonale, że zostanie u niego na noc.

Nie zdobyłem się na żaden gest, chociaż wszystko mnie od tego bolało, krzyczało: „Zrób coś!". Łatwo powiedzieć. Za każdym razem obiecywałem sobie, że nigdy więcej – ja, znany masochista, wysłuchujący jej radosnych świergotów w kretyńskim oczekiwaniu na cud.

I cud się stał. Udało mi się nie rozbić sobie łba na drobne kawałki, kiedy na jednej z imprez w akademiku zobaczyłem, jak się całują na środku sali, i zdruzgotany zacząłem walić głową w ścianę do krwi ostatniej.

Takie to były czasy i taka romantyczność.

4

Bywa różnie. Spotkanie po latach może być szokiem. Własną gębę człowiek widzi codziennie w lustrze, dlatego wszystko jej wybaczy. No, prawie wszystko. Twarze ludzi zapamiętanych z innego czasu dostrzega w całej ich prawdzie. Zobaczyłam facjaty, nad którymi bezskutecznie pociły się masażystki i kosmetyczki. Oblicza nietknięte masażem, a mimo to wyrzeźbione. Twarze rozlane w tłuszczu, albo wyostrzone przez wieczną pretensję do całego świata i obrzmiałe od alkoholu karykatury młodzieńczych rysów.

A teraz zobaczyłam Marcina – z dużo krótszymi, nie tak już płomiennie rudymi włosami, w lżejszych i dużo, dużo cieńszych okularach, ale tego samego wysokiego chłopaka, z którym dawno temu umiałam rozmawiać o wszystkim.

„Kawa?" „Już nie". „Palisz?" „Już nie". „Też jestem wegetarianką".

Nawet gin z tonikiem, mój ukochany drink, okazał się jego ulubionym antydepresantem, choć oboje uczciwie przyznaliśmy, że potrafi mocno sponiewierać.

Ilekroć teraz wracam do tamtej rozmowy, widzę, jak w tej krótkiej wymianie zdań następowało jakieś błyskawiczne, nieodwołalne, bezwiedne dopasowywanie.

Ale wtedy żadne z nas jeszcze tego nie przeczuwało.

– Helen przyjechała z tobą? – zapytałam, kiedy udało nam się w końcu znaleźć skrawek wolnego miejsca i przycupnąć z talerzem w jednej i kieliszkiem w drugiej ręce.

Obok czaili się nasi koledzy i koleżanki. Zaczęła się już pijacka gra wstępna, wspominki i jaja, co to po wiek wieków jak berety.

– Nie. Jesteśmy w trakcie rozwodu – odpowiedział pomiędzy dwoma kęsami szarlotki, a ja omal nie zakrztusiłam się swoją bezą.

– Jak kto? – odezwałam się bez sensu.

– Tak to – na głupie pytanie głupia odpowiedź.

W tym momencie ktoś do nas podszedł, znowu poderwaliśmy się do uścisków i powitalnych okrzyków, ktoś rzucił mu „Wha'z up, man? ". Ledwie Marcin wymyślił równie slangową odpowiedź, okazało się, że właśnie rusza oficjalna część spotkania, ta, której tak bardzo chciałam uniknąć. Nie przyszło mi do głowy przeczytać planu wieczoru, wydrukowanego przecież na odwrocie zaproszenia – na szczęście, bo kto wie, jak by się wtedy wszystko potoczyło.

Ociągając się nieco, przeszliśmy ku głównym schodom na piętro. To tam, na schodach, zaczynałam karierę aktorską jako jedna szósta chóru w „Antygonie". Marcin znowu wziął mnie za rękę, a ja znowu poczułam, że to oczywiste.

Odstaliśmy spokojnie dwa przemówienia na ten sam temat. Przy trzecim, chyba innym, ale głowy nie dam, tłum wokół schodów zaczął szemrać, zrazu prawie niesłyszalnie, potem coraz wyraźniej. Zakołysał się równy rząd krzeseł, które obsiadły posiwiałe panie i mniej liczni, na ogół łysawi panowie.

Z trudem rozpoznawałam w nich dawne demony niezapowiedzianych kartkówek i odpytywania na wyrywki. Przyglądałam się niemal z czułością, jak wzbierający szmer z minuty na minutę dodaje im energii i sił.

Dawny wicedyrektor podniósł głowę zupełnie jak stary koń ułański na daleki dźwięk kawaleryjskiej trąbki. Tylko czekałam, aż szmer przybierze na sile, a on zareaguje swoim stentorowym „Spokój!", którym potrafił przywrócić śmiertelną ciszę na najnudniejszych poniedziałkowych apelach.

Chór zaintonował hymn szkolny. Odśpiewaliśmy pierwszą zwrotkę z takim entuzjazmem, że ludzie spoglądali po sobie zdziwieni.

Marcin szczęśliwie nie próbował śpiewać, być może zniechęcony moim ostrzegawczym spojrzeniem. Wiedziałam, czego się spodziewać. Byłam jedynym żyjącym świadkiem jego wiekopomnej interpretacji piosenki „Biedroneczki są w kropeczki", Maziuk stanowczo twierdził, że tak właśnie musiały brzmieć trąby jerychońskie.

– A ty? – wyszeptał mi do ucha, kiedy chór zamilkł. Poczułam miętę zmieszaną z winem.

– Co: ja? – odszepnęłam.

– Dlaczego się rozwiodłaś?

Parsknęłam śmiechem, może nieco za głośno. Szybko opuściłam głowę, żeby nie dosięgło mnie zgorszone spojrzenie z rzędu nauczycielskich krzeseł.

– Dobre pytanie – mruknęłam. – Ale lepsze byłoby, dlaczego wyszłam za mąż.

– To dlaczego? – zapytał.

Nim zdążyłam zareagować, pociągnął mnie do tyłu i dwoma ostrymi halsami wyprowadził z tłumu.

Na zapleczu zdarzeń uroczystych trwały już w najlepsze zajęcia w podgrupach – na krzesłach, na podłodze, pod ścianami, siedzieli, stali lub spacerowali pogrążeni w rozmowie ludzie, wokół snuły się dymy z fajek pokoju. Nie było szans na miejscówkę pod schodami, zajęły je – sądząc z odgłosów – niedobitki drużyny harcerskiej. Zawróciliśmy w stronę bufetu, gdzie udało nam się znaleźć dwa ostatnie wolne krzesła. Usiedliśmy z boku, a Marcin rzucił mi zza szkieł pytające spojrzenie.

– Ale ja nie wiem – zaśmiałam się trochę nerwowo. – Właśnie dlatego powiedziałam ci, że to dobre pytanie.

– Nie wierzę – mruknął Marcin.

Westchnęłam.

– Jak dzisiaj o tym myślę, to ten ślub wydaje mi się triumfem jakiegoś potwornego masochizmu, który wtedy rządził moim życiem – zaczęłam.

– W to wierzę – przyznał zupełnie poważnie. – Mówisz o Panu Zastanowię Się, Czy Mi Na Tobie Zależy?

– Nie tylko. Mówię chociażby o pomyśle zdawania na polonistykę.

Owszem, byłam wtedy nieźle oczytana, ale nawet przez chwilę nie interesowały mnie arcydzieła literatury staropolskiej ani europejskość poezji Jana Kochanowskiego, nie mówiąc już o ubezdźwięcznieniu wstecznym czy zaniku jerów. Przez dwa lata, dwa lata!, skwierczałam na ćwiczeniach i wykładach, które nie miały żadnego związku z tym, co naprawdę mnie interesowało. Po cholerę?

– Nie chodziło o polonistykę – przypomniał mi Marcin, jakbym sama nie pamiętała. – Chodziło o to, że chciałaś wyjechać do Warszawy.

– Chciałam wyjechać tam, gdzie wyjeżdżał człowiek, na którym mi zależało – uściśliłam, próbując sobie przypomnieć jego twarz czy cokolwiek.

Nikt mi nie uwierzy, ale zapomniałam, jak się nazywa.

Marcin westchnął i przez chwilę przyglądał mi się z namysłem.

– O którego z tych palantów chodziło? – zapytał w końcu.

– Nieważne. Mignął mi tu przez chwilę... – wzruszyłam ramionami.

Jak wszyscy na uniwersytecie, powtarzałam powszechnie znaną gorzką prawdę, że jedyną cechą wyróżniającą wydział polonistyki pośród wszystkich innych jest dramatyczna nadpodaż panien gotowych do zamążpójścia i facetów nierokujących w tym względzie większych nadziei. Nawet przez myśl mi nie przeszło, że tylko pod tym względem pasowałam tam jak ulał.

Przez parę miesięcy miotałam się w letnim – w obu tego słowa znaczeniach – związku przywiezionym z pomaturalnego spływu kajakowego. Zakończył się jakimś idiotycznym nieporozumieniem na zaśnieżonym przystanku przy placu Defilad, a prawdę mówiąc, zdechł przy pierwszej nadarzającej się okazji.

Powinnam była odetchnąć z ulgą, ale chyba z masochistycznego nawyku najpierw popadłam w rozpacz, a potem zadbałam o to, by odtworzyć z kimś innym ten sam układ. Tym razem w temperaturze wrzenia.

Tylko dlatego wiosnę powitałam z człowiekiem, który podobno mnie kochał, tyle że miał zwyczaj na bieżąco rozważać plusy i minusy naszego związku:

– Od kiedy jesteś ze mną, zaczęłaś grać w tenisa, zainteresowałaś się muzyką elektroniczną, a co ja dostałem od ciebie? No, może zacząłem czytać książki, ale to mało.

Cudownie! Szczególnie wtedy, kiedy zaczynał ten temat zaraz po, razem z papierosem. Albańskim!

I co ja na to? Zamiast za którymś razem wstać i wyjść, cała w nerwach usiłowałam wymyślić, co jeszcze mogłabym dać, żeby wreszcie zasłużyć na jego wzajemność. Szkoda, że nie oddałam mu nerki! Chyba tylko dlatego, że o nią nie poprosił!

Byłam gotowa na wszystko i gdyby w tamtym czasie ktoś zapytał mnie, kim właściwie jestem, najpierw musiałabym pewnie zasięgnąć informacji u swojego chłopaka.

Dzisiaj wiem, że było to z gruntu chore, ale wtedy uważałam takie reakcje za oczywisty objaw śmiertelnego zakochania.

Pod koniec wakacji w końcu ze mną zerwał. Nie musiałam rozmawiać z Marcinem, żeby wiedzieć, jak się czuje Człowiek, Którego Nie Ma. Przez dobre parę miesięcy codziennie rano widziałam go w lustrze. Po byle jakim zaliczeniu zimowej sesji przyjechałam do domu.

Dwa dni później w księgarni na Warszawskiej spotkałam Maziuka, wówczas umiarkowanie zadowolonego studenta miejscowego wydziału prawa i administracji. Kiedy powiedziałam mu, że zamierzam rzucić studia, tylko jęknął głucho. Tego samego dnia jednak zadzwonił do mnie z wiadomością, że mam całe trzy miesiące, żeby przygotować się do egzaminu wstępnego na „lalki", czyli wydział lalkarski szkoły w Białymstoku.

To był cały Maziuk. Widział nas na wskroś, choć myśmy niewiele o nim wiedzieli. Nie dlatego, że miał dostęp do jakiejś wiedzy tajemnej, po prostu w przeciwieństwie do nas był uważnym obserwatorem.

Tym jednym telefonem otworzył mi jakąś zablokowaną zapadkę w mózgu. Byłam mu tak wdzięczna, że w jednej chwili wybaczyłam nawet to, że w trzeciej klasie podstawówki gonił mnie wzdłuż wykopów przy fabryce domów na Chrobrego. Leciał za mną, idiota, z aluminiowym nożem podwędzonym matce, wrzeszcząc na całe gardło:

– Pójdziesz ze mną do ślubu czy nie?!

Towarzyszyła mu gromada kolesi, bez których się nie ruszał. Moje koleżanki pouciekały na drugą, zabudowaną stronę Chrobrego. Omal nie umarłam ze strachu. Zwiałam, ale tego samego dnia naskarżyłam na niego mojej wychowawczyni. Byłam bardzo rozczarowana, że nie zawisł na haku ani nie poszedł do więzienia. Tylko dyrektor go obsobaczył, ale to dla Maziuka był pikuś.

Namówiona przez Andrzeja zrezygnowałam z gestów dramatycznych i w miarę przyzwoicie zaliczyłam drugi rok polonistyki. Podeszłam do egzaminu w szkole teatralnej w gromadzie świeżo upieczonych maturzystów. Niektórych mgliście pamiętałam z własnego liceum. Przerażali mnie swoją energią, beztroską i hałaśliwym ekshibicjonizmem. Nie byłam w stanie podłączyć się pod tę pstrokatą, brzęczącą hałastrę.

Od razu zauważyłam chłopaka, który tak samo jak ja próbował się od niej w miarę możliwości izolować. Śledził już wzrokiem inną dziewczynę i nie moje spojrzenie starał się pochwycić.

Nie na darmo tyle razy powtarzałam z dumą, że nie da się mnie wziąć ani zdobyć, bo to ja zdobywam.

Adrenalina wiecznej łowczyni własnych złudzeń pomogła mi na obu frontach.

Przeszłam jak burza przez wszystkie etapy eliminacji. Zdałam na „lalki" i w drugim tygodniu lipca ostatecznie zakończyłam swój przewlekły romans z uniwersytecką polonistyką. Ale wcześniej, gdzieś pomiędzy egzaminem z rytmiki a interpretacją prozy – dopadłam Grzegorza.

Zaraz po ogłoszeniu wyników pojechaliśmy na Gołą Zośkę do Augustowa z moją wysłużoną w harcerstwie jedynką, która bez problemu posłużyła nam za dwójkę.

Byłam zakochana, oszołomiona i wniebowzięta.

Pierwszy rok studiów lalkarskich był chyba najszczęśliwszym okresem w moim życiu. Nie zastanawiałam się, co ja tutaj robię. Nie miałam czasu ani ochoty na rozdrapywanie nieistniejących ran.

To prawda, byłam po raz kolejny zakochana w łaskawcy, który stoicko znosił moje huragany uczuciowe. Jeśli nawet czasami ten fakt uwierał mnie jak kamyk w bucie – działał stary nawyk. W końcu nie z tym nam dobrze, z czym nam dobrze, ale z tym, do czego przywykliśmy. Ja byłam przyzwyczajona do roli pionka u boku hetmana czy gońca, a z perspektywy czasu wiem, że najlichszemu z pionków umiałam wmówić hetmańską buławę.

Nawet fuksówka, zwykle dramatyczna i upokarzająca, nie zrobiła na mnie większego wrażenia. Zimę i wiosnę przeżyłam w stanie wyższej świadomości, robiąc z kukły jawajkę, a z jawajki Budzisz-Krzyżanowską.

W rocznicę naszego pierwszego pocałunku wyjechaliśmy z Grześkiem do Augustowa. Wróciliśmy w powiększonym składzie, o czym rychło przekonały mnie poranne mdłości.

5

Dookoła nas zaczęła się rozkręcać większa popijawa. Siedziałem przykryty czyimś płaszczem, chyba miałem temperaturę, a może tylko dreszcze, było mi wspaniale i strasznie zarazem.

Wspaniale było spędzać ten wieczór z kobietą, dla której przyjechałem na tę okropną imprezę. Straszny był lęk, że może to wszystko jest jakimś złudzeniem optycznym, autosugestią, fantasmagorią wywołaną przez szalejące po szkolnych korytarzach duchy przeszłości.

Co jakiś czas odzywałem się do kogoś, raczej pytany niż pytający, ale wszystkie moje myśli były przy siedzącej tuż obok Daszy. Parę razy udało mi się pochwycić jej spojrzenie. To, co w nim widziałem, nie było żadną odpowiedzią na moje – jak zwykle – niewypowiedziane pytanie.

Przypomniało mi się, jak po drugim roku, w połowie wakacji w Mikołajkach, gdzie pracowałem jako wychowawca na koloniach, dowiedziałem się, że Dasza zwiała z Warszawy i z polonistyki. Domyśliłem się, że ma to jakiś związek z pacanem, co lubił się zastanawiać, czy mu na niej zależy.

Ale na pewno nie był to jedyny powód. Parę razy opowiadała mi, jak trudno jej się odnaleźć w Warszawie, ponurym, trochę żałosnym mieście, i na polonistyce, nudnawym w gruncie rzeczy wydziale. Dlatego rozumiałem jej decyzję, choć miałem żal, że nawet nie próbowała ze mną porozmawiać, i czułem się tradycyjnie wystawiony do wiatru.

Ale to już był ten czas, kiedy Dasza przemykała mi przez głowę gdzieś tam podkorowo i sennie, a na jawie zaczęły mi się zdarzać miłości i nie miłości mniej lub bardziej spełnione. W końcu coś trzeba było ze sobą robić.

Mimo to wiadomość o ciąży zwaliła mnie z nóg. Ściślej biorąc, z nóg zwaliła mnie jałowcówka, w której próbowałem utopić tę radosną nowinę przy milczącej aprobacie i symbolicznym udziale Maziuka, do tej pory wiecznego abstynenta.

Pamiętam naszą mocno już bełkotliwą rozmowę o jakiejś przerażającej nadrannej godzinie. Ja tak mam, że alkohol dość szybko odbiera mi władzę w nogach, ale nie wiem, ile musiałbym w siebie wlać, żeby film mi się urwał.

– Kurwa, co ja komu złego zrobiłem? – skarżyłem się po raz dwa tysiące szesnasty.

– Ale o co chodzi? – jęknął Maziuk, który miał nadzieję wreszcie przysnąć na swojej części ławki na białostockich Plantach.

– Dlaczego nie mogę być z kobietą, którą kocham?

Musiałem być naprawdę wlany, bo nie sądzę, żebym zdołał na trzeźwo wydusić z siebie taką frazę.

– Bo ona cię nie kocha.

– Ale dlaczego? – Próbowałem w retorycznym zapale dźwignąć się z ławki, ale szczęśliwie zrezygnowałem. – Ja też mam prawo do szczęścia!

– Tak? – zdziwił się Maziuk. – Dali ci gwarancję? Ciekawe kto?

Nawet na trzeźwo nie mógłbym odpowiedzieć na to frapujące pytanie. Poprzestałem na wymownym skręcie ciała, który w zamierzeniu miał być wzruszeniem ramion. Byłem skończony i cały świat to widział.

Andrzej miał rację. Jak zwykle. Jako człowiek miałem tyleż prawa do szczęścia, spełnienia i radości, co do nieszczęścia, niespełnienia i dotkliwego kaleczenia się jałowcówką w towarzystwie Maziuka i trzech praczek niezmiennie pochylonych nad parkową sadzawką. Przypadek, panie, zwyczajny przypadek.

Znikąd pociechy – Andrzej ledwie zipał, a praczki, cóż, były z kamienia.

Wiedziałem to z całą pewnością, bo próbowałem się przytulić do tej najbardziej wypiętej.

Pozostała twarda.

Te same praczki, spoglądające po sobie znacząco, mijałem w grudniowe popołudnie, kiedy szedłem z Daszą, już w dużej ciąży, z gwiazdkowego koncertu w filharmonii, na którym wystąpiła nasza wspólna znajoma. Pamiętam Daszę, szczęśliwą i zagubioną jednocześnie, w jakimś takim wielkim, opiętym kożuchu. Brnąłem w śniegu z nią pod rękę, szło nam niesporo, bo ciąża, i tak sobie marzyłem, że to może jest moje dziecko, że ja bym tak chciał...

Chyba to był ten moment, kiedy cały mój dawny świat, zbudowany na tęsknotach, rojeniach i fantazjach, nieodwołalnie runął. Na pysk.

Odprowadziłem Daszę pod sam dom, na Piastowską. Najpierw nie chciała wsiadać do autobusu, potem już chciała, ale żaden nie jechał. Człapaliśmy więc noga za nogą. Nie było zimno, chociaż niebo było czyste i rozgwieżdżone jak przy siarczystym mrozie.

W drzwiach klatki schodowej odwróciła się jeszcze w moją stronę i pożegnała, jak zwykle, niemal niezauważalnym ruchem dłoni, samych palców właściwie – uśmiechnięta, ciepła i nie moja.

Właśnie tam, a właściwie parę kroków dalej, na przystanku dwunastki, przy kiosku, poczułem, że muszę z tym skończyć, muszę naprawdę się odciąć, przestać interesować się życiem Daszy, bo inaczej zwariuję.

Drugiego dnia świąt wyjechałem do Warszawy i od tej pory odpuściłem. Zająłem się swoim życiem.

Trzy miesiące po tym ostatnim spacerze z Daszą zaprosiłem Helen Meyers na weekendową wycieczkę do Tykocina. Była amerykańską stypendystką Fundacji Kościuszkowskiej na moim wydziale. Otaczał ją tłum znajomych, ale sprawiała wrażenie zagubionej, mimo jakiej takiej znajomości polskiego po trzymiesięcznym kursie w Łodzi. Współmieszkańcy z Kickiego oczekiwali od niej nieprzerwanych dostaw wódki z Peweksu, ale nie spieszyli się z pomocą, kiedy jej pokój szturmowali amatorzy tejże wódki z całego piętra i okolic. Radziła sobie, jak umiała, choć oganiał się od niej nawet jej, pożal się Boże, opiekun naukowy z Zakładu Antropologii Społecznej. Była tak osamotniona, że polubiła spotkania z oficerem do spraw kontaktu z cudzoziemcami, który przedłużał jej wizę. Do dzisiaj wolę się nie zastanawiać, o czym z nim rozmawiała.

Za to doskonale wiem, co pociągnęło mnie ku tej kobiecie – moja własna, bezbrzeżna samotność i poczucie totalnego bezsensu życia.

Jolka, która karierę psychiatry zaczynała na najbardziej hardkorowym oddziale wariatkowa w Choroszczy, twierdzi stanowczo, że ludzie dobierają się wyłącznie pod kątem pokrewieństwa swoich psychoz, fobii i emocjonalnego wybrakowania, dla wygody nazywając to miłością. Niewykluczone, nawet młodsze siostry czasami miewają rację.

Starsza ode mnie o cztery lata, Helen wydawała się wszystkowiedząca, wszystkiego i wszystkich ciekawa. Czarowałem ją magią Puszczy Białowieskiej, jaćwieskich kurhanów i proroków z Wierszalina. Słuchała mnie, przekrzywiając głowę, trochę boksując mnie nosem, odziedziczonym po przodkach

Apaczach, a może Nawaho. Zapadałem się w jej oczach, niebieskich jak tropikalny ocean, i poza nią nie widziałem świata, nawet tego socjalistycznego. Zaśmiewała się z moich dowcipów, uśmiechała, słuchając nieporadnych wywodów po angielsku. Ukazywała przy tym absolutnie i niezaprzeczalnie perfekcyjny komplet zębów – bielszych niż płytka w kuchni, i niewiele mniejszych od zębów łosia. Nigdy takich nie widziałem. Nawet zimą nosiła rozpiętą, oj jak rozpiętą, koszulę i spodnie tak obcisłe, że nie pozostawiały żadnych wątpliwości, co ma pod nimi. Pewien jej feler, ale to dostrzegłem dopiero później, stanowiły stopy. Niezbyt wysoka, Helen miała rozmiar buta niewiele mniejszy od mojego. Mnie to nie przeszkadzało, a nawet trochę ruszało, ale ją doprowadzało do szału i dlatego chodziła cały czas w butach kowbojskich z udawanej (chyba) krokodylej skóry. No i miała obsesję na punkcie bezzapachowych dezodorantów. Takich wtedy w Polsce nie było. Nie jadła nic z wyjątkiem jajek smażonych na pożyczonej patelni. Była jedyną znaną mi osobą, która używała nici dentystycznej i ze spokojem przyjmowała następny dzień.

Jak ja jej tego zazdrościłem!

Półtora roku później, po miesiącach korowodów w sądzie rodzinnym i wszelkich możliwych przybytkach biurokracji, pobraliśmy się w białostockim USC. Moim świadkiem był Maziuk, świadkiem Helen – jego ówczesna dziewczyna, której imienia nie pamiętam. Wkrótce potem moja żona złożyła wniosek o rodzinną wizę emigracyjną.

Konsul USA zaprosił mnie nawet do gabinetu, starając się ocenić, jak bardzo kocham ziemię białostocką i podziemie. Wojsko polskie musiało mnie z ciężkim sercem wypuścić, choć nie dopełniłem obowiązku wobec państwa. Książeczka wojskowa z kategorią E i szkła okularów grubości denka od butelki mówiły same za siebie.

Wyjechałem z paszportem w jedną stronę, ze stemplem „nie upoważnia do powrotu/wjazdu do PRL". Żebym się przypadkiem nie rozmyślił.

– Powiesz mi, dlaczego się rozwodzicie? – zapytała Dasza, sadowiąc się wygodnie na parapecie przy pracowni chemicznej. Była szansa, że wreszcie uda się nam spokojnie porozmawiać.

Przez chwilę mignęło mi jej prawe udo. Zaczynało mi szumieć w głowie.

– Rozwodzimy się, bo Helen nie chce mieć dzieci – wypłynęło ze mnie, zanim zdążyłem się ocenzurować i wypowiedzieć tylekroć już używaną frazę o niezgodności charakterów i celów życiowych.

– Jak to? Byłam przekonana, że macie dzieci.

– Ale nie mamy. Ja do tego w końcu dojrzałem, a Helen nie. I tyle.

– Jej prawo.

– Oczywiście. Ale moje prawo mieć dzieci.

Dasza przyglądała mi się z tym swoim uśmiechem, który zawsze wydawał mi się lekko kpiący.

– Co mi się tak przyglądasz?

– Zastanawiam się, dlaczego nie chciała.

– Bo czuła się niezdolna do przyjęcia odpowiedzialności za kogokolwiek.

– Tak powiedziała?

– Mniej więcej. Właściwie powiedział to nasz terapeuta.

– Poszliście na terapię małżeńską?

– Nie, to był mediator, specjalista od dogadywania ludzi, którzy chcą się rozstać bez chodzenia do sądu, ale nie umieją ze sobą rozmawiać.

– Coś takiego! A na filmach wszyscy się rozwodzą jednym podpisem na formularzu.

– Na kilku formularzach – uściśliłem. – To nie jest szast-prast.

– Czyli poszliście do terapeuty i ona przyznała...

– Ona nie umiała tego nazwać, ale wszystko, co mówiła, świadczyło o jej niechęci do macierzyństwa.

Prawdopodobnie miała jakiś psychiczny kłopot z ciążą, a właściwie z rodzeniem. A może kiedyś była w ciąży i usunęła? Kto wie – ja nie wiedziałem, a ona nie chciała wiele mówić o przeszłości. Trudno powiedzieć, czy bardziej się tego bała, czy brzydziła.

Najdziwniejsze, że nie miała żadnych zahamowań w łóżku, potrafiła się zapomnieć i bywała w tym niezła. Gdyby ta zadziwiająca kombinacja nie dotyczyła mnie aż tak osobiście, być może zdobyłbym się nawet na jakąś błyskotliwą analizę przypadku. Ale z mojego punktu widzenia miało to drugorzędne znaczenie.

Terapeuta trafił w dziesiątkę, tylko że nie znał Helen tak dobrze jak ja. Nie mógł wiedzieć, jak dalece owa „niezdolność do przyjęcia odpowiedzialności" opisuje moją żonę i jej stosunek do świata.

Helen miała ogromną potrzebę swobody, co na pierwszy rzut oka nie wydawało się niczym złym, przeciwnie, było fascynujące. Nie powiem, na samym początku, kiedy przyjechaliśmy do Kalifornii i było nam bardzo ciężko, poszła nawet do pracy.

Jej rodzice odmówili jakiejkolwiek pomocy. Nie mogli przeżyć, że najmłodsza, wypieszczona córeczka wyszła za pętaka z Sojuza – tak im się wtedy wydawało. Nie pozwolili nam nawet przenocować w swoim domu po przylocie do San Francisco, rodzinnego miasta Helen. Pracowała więc jako kasjerka w supermarkecie – trzy miesiące. Jako asystentka w jakimś biurze – pół roku. Potem nie widziała już takiej potrzeby.

Byłem bezsensownie i bezużytecznie wykształconym magistrem socjologii z Polski. Walczyłem o przetrwanie na zmywaku w Oakland Grill, potem jako krajacz szynki w Honeybaked

Ham, dostawca pizzy, ochroniarz w centrum handlowym, ogrodnik, konwojent gotówki do bankomatów, co nie umie strzelać.

Cudownie było dzielić takie życie z kobietą, która może się obyć byle czym, może mieszkać byle jak, byle gdzie, a całe dnie spędza na kursie malarstwa sztalugowego. Tylko że czas mijał i docierało do mnie, że to, co dla mnie było jakimś etapem, dla Helen było punktem dojścia.

Osiągnęła już wszystkie swoje życiowe cele. Wyrwała się z domu trzymanego żelazną ręką przez ojca wojskowego. Udało jej się nie powielić losu obu sióstr, które zaraz po szkole średniej wyszły za mąż, urodziły dzieci i zostały gospodyniami domowymi, chociaż jedna chciała być dziennikarką, a druga kardiologiem. A Helen po drodze znalazła faceta, który przez następnych kilkanaście lat nie zorientował się, że jego przeznaczeniem jest do końca życia finansować i obsługiwać jej wolność. Wolność od wszystkiego, co nudne, rutynowe, nietwórcze. Od pracy zarobkowej przede wszystkim, od dzieci i macierzyństwa również.

Kochałem moją żonę, jej fantazję, szalone pomysły i nietuzinkowość. Odpowiadało mi, że nie spieszy się z powiększeniem rodziny wtedy, kiedy ledwie wiązałem koniec z końcem. Całe lata spokojnie czekałem, aż dojrzeje do dziecka, aż sama dojrzeje. Zapewne zbyt długo i zbyt spokojnie.

Potrzebowałem dziesięciu lat, by uświadomić sobie, że moja żona radośnie żyje swoim wolnym życiem, jest niczym nieskrępowana i twórcza, tylko ja, kurwa, jestem ciągle zmęczony i zagoniony.

Bywało naprawdę ciężko. Helen, widząc moją frustrację, proponowała, żebym zrezygnował z pracy, skoro jest taka męcząca. Kiedy tłumaczyłem, że nie mogę, bo nie będziemy mieli za co utrzymać domu, pytała zdziwiona:

– To utrzymanie domu coś kosztuje?

A następnego dnia proponowała:

– W takim razie zamieszkajmy w mniejszym, takim całkiem malutkim, za grosze.

Potem wymyśliła przeprowadzkę do Minnesoty, a później na prerię, a najlepiej na pustynię, gdzie z pewnością jest o wiele taniej.

– Pełno opuszczonych, niczyich domów – przekonywała – da się wyżyć bez pracy, a takie piękne tam światło…

Była wtedy na etapie fotografii artystycznej.

Zapewne niejeden facet, od rana do wieczora dźgany jak ostrogą przez żonę, której wszystkiego za mało, w tym momencie westchnąłby z zazdrością i niedowierzaniem. Ale jakoś nikt ze znajomych mi nie zazdrościł. Koleżanki przyglądały się współczująco, kiedy witałem się z ich dziećmi.

Pamiętam, jak Karen powiedziała, że jej dwuletnia Nikita z nikim obcym nie czuje się tak swobodnie, jak ze mną. No i tę chwilę, kiedy siedmioletnia córeczka moich sąsiadów z Oakland, schodząc z karuzeli, zapytała, czy może do mnie mówić „tatusiu", bo mnie kocha. Długo nie mogłem się po tym pozbierać.

Chciałem być ojcem. Co w tym złego?

W końcu przyszedł tamten ranek, kiedy po nocnym powrocie z Nowego Jorku obudziłem się, by stwierdzić, że w domu nie ma nic do jedzenia, a moja żona medytuje na werandzie.

Pięknie wyglądała w cieniutkiej kremowej tunice wyszywanej błyszczącą nitką, z długimi, mokrymi po kąpieli włosami, które nie znały suszarki. Siedziała bez ruchu, tylko wiatr bawił się pojedynczymi ledwie przeschniętymi kosmykami.

Jak zwykle wsiadłem w samochód i pojechałem do sklepu. Stanąłem na parkingu, ale nie wysiadłem.

Nie wiem, jak długo tam tkwiłem. Widziałem przed sobą Oakland Hills, odbudowujące się po pożarze, świat za górami, niebo nade mną. I kiedy znowu ruszyłem, miałem wreszcie jasność. Widocznie głód wyostrza umysł.

Śniadania nie było.

Każde małżeństwo jest tajemnicą, zamkniętą przestrzenią, w której nieprzerwanie odbywa się wzajemna wymiana i nikt obserwujący z zewnątrz nigdy nie będzie miał pewności, co w nim prawdą, a co pozorem. Jest pulsowaniem, rytmem, oddychaniem. Dlatego małżonkowie mogą razem wisieć głową w dół, mieszkać w domku na drzewie albo uprawiać rzodkiew korzeniami do góry – nikomu nic do tego. Dopóki oboje się na to zgadzają.

Otóż ja po piętnastu latach uświadomiłem sobie, że nie mam już siły ani chęci być hojnym opiekunem Alicji w Krainie Czarów, dla której życie jest kolorową wędrówką przez coraz to nowe pokoje w Zamku Nieskończonych Możliwości, utrzymywanym – cóż za przyziemność! – z mojej pensji.

Nie chcę być dłużej tym frajerem, który każdego dnia wraca z pracy, gotuje obiad, sprząta i pierze jak umie, wieczorem szykuje się do następnego dnia w pracy i tak w kółko. Zatrudnienie gosposi nie wchodziło w grę, Helen nie tolerowała obcych w swoim domu.

Nie chcę godzić się z tym, że moja żona od kilkunastu lat studiuje: teatrologię, reżyserię, muzykologię i filmoznawstwo – mogłem pomylić kolejność – trenuje kick-boxing i jogę, właśnie zaczęła kurs grafiki komputerowej, słowem, zajmuje się tym, na co ma ochotę. Żyje, jak sama mówi, życiem wolnego człowieka, wspaniałomyślnie tolerując moje śmieszne mieszczańskie nawyki i równie śmieszną samczą chęć przedłużenia gatunku.

Tylko dlaczego ja, do cholery, nie czuję się wolny?

Tak, to mój problem. Helen mówiła mi to wielokrotnie.

Trzeba było terapeuty, by się dowiedziała, że jej postawa życiowa to po prostu bezwzględny egoizm. Rzecz jasna, nie użył takich sformułowań. Bardzo łagodnie jej wytłumaczył, że tylko dzieci, a i one stosunkowo krótko, biorą, niczego w zamian nie dając. Że nie ma nic złego w sprawianiu sobie przyjemności, ale nie da się żyć tylko przyjemnościami.

Była oburzona, naprawdę oburzona, że – co również powiedział – od lat najzwyczajniej w świecie wykorzystuje swego męża. Mnie wykorzystuje. No i całkowicie zaskoczona, że mam tego dosyć.

Dopóki nie spotkałem Daszy, nie czułem potrzeby, żeby komukolwiek aż tak szczegółowo o tym opowiedzieć.

Słuchała uważnie, nie przerywając. Czekała, aż skończę.

– Co na to twoi rodzice? – zapytała, gdy było już jasne, że wyrzuciłem z siebie wyznania najcięższego kalibru. – To znaczy ojciec.

– Ojciec chyba mnie rozumie. Danka uważa, że to nie jest powód do rozwodu. Tylko śmierć eliminuje z małżeństwa.

– Jak to? Przecież sama jest drugą żoną.

– Wdowca.

– Normalka. – Dasza wzruszyła ramionami, przyglądając się swemu odbiciu w szybie. Zobaczyłem ciepło, współczucie, poczułem te same fale. Niech to trwa wieczność, pomyślałem.

– Krótka pamięć własnych grzechów i nieustanne wymaganie etycznych i moralnych Himalajów od wszystkich dookoła – dodała.

– Ale nie od siebie – mruknąłem.

– Oczywiście, że nie od siebie – roześmiała się Dasza. – Ale i tak masz szczęście.

– Ja? Bo się rozwodzę?

– Bo się rozwodzisz w Stanach. Bo chodzisz z żoną do terapeuty, który pomaga wam rozmawiać, nawet jak już patrzeć na siebie nie możecie. Bo to z nim pierzecie swoje brudy, żeby wyczyścić sytuację i jakoś tam się dogadać.

– Myślisz, że to takie przyjemne?

– A wolałbyś iść do sądu i robić to samo przed sędzią i dwojgiem ławników z listy? Pierwszy raz cię widzą, nikt ich nie uczył rozmowy ze skłóconym małżeństwem, ale siedzą i patrzą z ciekawością, kiedy sobie skoczycie do oczu. To się nazywa rozprawa pojednawcza.

– Co ty opowiadasz? – wtrąciła się Alka, która od dłuższej chwili przysłuchiwała się Daszy z uwagą. – Moja rozprawa pojednawcza trwała dziesięć minut.

– Gratuluję – mruknęła Dasza. – Widocznie rozwodziłaś się z właściwym mężczyzną.

Szkolna impreza zdychała, ludzie większymi i mniejszymi grupkami wysączali się we wszystkich kierunkach.

Gryckiewicz wstał i zwracając się w naszą stronę, zawołał:

– Słuchajcie, nie ma z nami Maziuka...

– Skąd ta pewność? – odezwała się Alka.

Spojrzałem na nią uważniej. Nie spodziewałem się po niej takiej wrażliwości.

– Racja – mruknął Gryckiewicz, zerkając na sufit, choć ja obstawiałbym raczej któreś z krzeseł w pobliżu dam. – Andrzej, muszę cię dziś zacytować... Mości panowie, bar wzywa.

Myślałem, że się rozpłaczę.

Los potrafi być złośliwy nawet po śmierci. Maziuk, który przez całe życie unikał alkoholu, bo ścinało go po jednym piwie, zyskał nieśmiertelność swoim licealnym hasłem.

Najśmieszniejsze, że dla niego było to wezwanie do wyprawy na pierogi z serem w barze mlecznym, które zastępowały mu obiad, kiedy matka pracowała na drugą zmianę.

Do dupy z taką nieśmiertelnością.

Ciągnęliśmy się z Daszą na końcu rozwleczonej grupki.

– Wiesz, co ci powiem – mruknęła, kiedy odruchowo wziąłem ją za rękę – jak na kogoś, kto tyle lat mieszkał w Stanach, bardzo dobrze mówisz po polsku.

– Staram się – odparłem nonszalancko. – Ale jak zaczynam mówić o swojej pracy, to natychmiast okazuje się, że brakuje mi polskich słów.

– Bo ich nie ma – wtrącił się Gryckiewicz. – Niby mówi się „kości pamięci", ale co powiesz zamiast „interfejs"? „Międzymordzie"?

To był stary, znany dowcip, ale Dasza nie obracała się wśród polskich informatyków i chyba nie miała pojęcia, o czym mówimy.

– A po jakiemu myślisz? – zapytała.

– Czy ja wiem? Nie zastanawiam się nad tym – zełgałem bezczelnie, bo doskonale wiedziałem, że raczej po angielsku.

Tak było szybciej. Na ogół. Ale się tym nie chwaliłem.

Polski włączał mi się mimowolnie w chwilach silnego stresu. Również dlatego tak trudno rozmawiało mi się z Helen – ona w chwilach stresu przestawała mówić i rozumieć po polsku.

Tylko zajrzeliśmy w głąb kompletnie zadymionej sali jakiejś nieznanej mi knajpy. Nasze mocno przetrzebione towarzystwo lokowało się wokół trzech zsuniętych stolików. Przywoływała nas Elka, Gryckiewicz pokazywał dwa wolne miejsca obok siebie.

Spojrzeliśmy z Daszą po sobie i jak na komendę wycofaliśmy się na ulicę. Bez słowa ruszyliśmy w stronę kościoła i dalej, dawną Monopolową, dzisiaj – a jakże – Świętego Wojciecha.

Znowu wziąłem ją za rękę. I już nie miałem zamiaru wypuścić.

Świtało. Szliśmy wzdłuż szarych, uśpionych bloków. Nigdzie żywej duszy, ani jednego zapalonego światła. Widać ranne ptaszki wyjechały na długi weekend, a ci, których o świcie obudziła depresja, woleli leżeć w półmroku. Nawet wrony nie zdążyły jeszcze się obudzić i rozkrzyczeć w koronach drzew, które zapamiętałem jako zielone kikuty.

– Przyjedź do mnie – poprosiłem gdzieś na wysokości osiedlowego sklepu spożywczego, wiele lat temu nazwanego szumnie Supersamem.

Dasza roześmiała się głośno, budząc bezpańskiego psa, który spał wtulony w kratkę wentylacyjną. Popatrzył na nią z pretensją i ruszył szukać spokojniejszego miejsca.

– Pamiętaj, ty i Pola zawsze będziecie u mnie mile widziane – nie ustępowałem. – W każdej chwili możecie do mnie przyjechać.

Ale ona nie miała zamiaru poważnie mnie potraktować.

– A tatuś Poli nie? – rozchichotała się na dobre.

– A tatuś Poli nie.

Przestała się śmiać, ale nie podjęła tematu.

Odprowadziłem ją, jak zawsze, na Piastowską, krzywym chodnikiem wzdłuż parkingu. Podeszliśmy pod same drzwi klatki schodowej, której nie mogło już pomóc żadne malowanie.

Staliśmy tam długo, przyglądając się sobie w milczeniu, i w końcu zaczęliśmy się całować. Ot tak. Pierwszy raz. Po tylu latach znajomości.

Zdjąłem jej okulary. Dawno temu mawiała, że wbrew pozorom okularnice mają lepiej – kiedy chcą, ukrywają się za szkłami, a kiedy inne odkryją już wszystko, co możliwe, okularnice mogą jeszcze powolnym ruchem zdjąć okulary i pokazać swoją prawdziwą twarz.

Spojrzałem w jej trochę zdziwione oczy.

– Ty wiesz, że cię kocham od początku świata – powiedziałem.

Tak mi się czasami zdarza, że coś wyznaję i cholera wie, co się z tym dalej dzieje. Idzie. Pokutuje. Owocuje.

Było tak, jakby czas się zatrzymał i cofnął jednocześnie, jakbyśmy od początku świata wystawali pod tą obdrapaną klatką schodową, żeby w końcu stało się to, co od początku świata miało się stać.

Dasza w milczeniu pokiwała głową.

A potem usłyszałem, jak jej mama, wychylając się z okna, woła:

– Daria, chodź już wreszcie do domu!

Nie pamiętam, jak wróciłem na Kraszewskiego. Chyba przyfrunąłem.

6

„Kocham cię od początku świata", powiedział, a ja milczałam. Bałam się odezwać, zdumiona. Nawet nie tym, co powiedział Marcin, ale tym, co w odpowiedzi usłyszałam w sobie. Zdumiona tym jednym jedynym słowem, które tłukło się we mnie: „Nareszcie!".

Weszłam do domu. Figa powitała mnie jak zwykle, czyli tak, jakbyśmy się przez rok nie widziały. Najwyraźniej udało jej się bladym świtem wyciągnąć mamę na pierwszy spacer, bo w całym przedpokoju widziałam ślady jej ubłoconych łap, a w kilku miejscach – odcisk równie ubłoconego brzucha.

Mama zamknęła okno i wyszła do przedpokoju.

– Spotkałam Marcina – powiedziałam, nim o cokolwiek zapytała. – Chyba coś z tego będzie.

– No, to zaczną się problemy – westchnęła, owijając się szczelniej grubym niebieskim polarem.

– Skąd wiesz? – zapytałam. – Może właśnie skończą się problemy?

Dzisiaj wiem, że obie miałyśmy rację.

Wzięłam prysznic, po którym w końcu poczułam nieprzespaną noc. Położyłam się, ale wiedziałam, że tym razem myśli nie pozwolą mi uciec tam, gdzie od dawna było mi najlepiej, i że z pewnością nie zasnę. Dogoniła mnie moja przeszłość i wszystko to, o czym się nawet nie zająknęłam przez cały wieczór.

Moja mama bohatersko zniosła galopujące zaręczyny i ślub z Grzegorzem Trześniewskim, który był sierotą, i wiadomo było o nim tylko tyle, ile sam o sobie powiedział. Parę lat wcześniej próbowała wszelkimi sposobami wybić mi z głowy pomysł studiowania w Warszawie, przekonana, że wypuszczona z domu, natychmiast popadnę w tego rodzaju tarapaty – tak właśnie to określała: „tarapaty". Jak większość matek, najbardziej obawiała się, że popełnię te same błędy co ona. Nie pomyliła się. Ale nie mogłam tego wiedzieć wtedy, gdy na dziewięciu metrach swego panieńskiego pokoju celebrowałam małżeńskie początki i byłam szczęśliwa.

W drugiej połowie kwietnia świat odetchnął pierwszym oddechem Poli, a ja stanęłam na głowie, żeby zaliczyć rok. Udało mi się, przy walnej pomocy matki. Mój mąż studiował, a wiadomo, że wydział aktorski to bardzo czasochłonny kierunek! Ja też studiowałam. Ale nieco mimochodem.

Tamten ciężki czas, pierwszy rok życia Poli, raz na zawsze określił kształt naszego krótkiego małżeństwa. Ja na rzęsach – mój mąż na luzie. Ja przy garach albo w szkole – mój mąż w samym centrum zdarzeń wszelakich, z wyjątkiem tego, co działo się w domu.

Nie mogło nam się udać, ale nawet moja matka, która widziała to od początku jak na dłoni, nie zdawała sobie sprawy, że właściwie nie mieliśmy szans.

Dopóki Pola była malutka, studiowałam i opiekowałam się dzieckiem, mieszkając w Białymstoku, gdzie była matka, bliżsi i dalsi znajomi. Nie miałam wolnej chwili, nie zastanawiałam się nad swoim małżeństwem i swoim życiem.

Zimny prysznic nastąpił po drugim dyplomie. Mimo znakomitych recenzji przedstawienia, ról, które zostały docenione przez dziennikarzy, wykładowców, a nawet starszych kolegów, okazało się, że teatr lalek w moim rodzinnym mieście nie jest zainteresowany ani mną, ani moim mężem.

To był szok. Zaraz potem pojawiła się propozycja dwóch etatów w teatrze w Olsztynie. Wzięliśmy je z marszu.

Niewykluczone, że gdybyśmy pracowali w innych teatrach, nasze małżeństwo przetrwałoby dłużej niż te pięć lat. Ale graliśmy w jednym zespole, na ogół w tych samych spektaklach.

Kiedy teatr wyjeżdżał, ja z zasady zostawałam z dzieckiem – ktoś zawsze mógł mnie zastąpić, bo bardzo szybko okazało się, że z nas dwojga to mój mąż jest nie do zastąpienia.

Miałam małe dziecko, moje życie było zorganizowane i uregulowane jak w zegarku, inaczej się nie dało. Koń chodzący w kieracie nie stanie się naraz rumakiem dzikim i swobodnym, nawet jeśli dobrze pamięta i wie, czym jest dzikość i swoboda. Trudno na próbach być radosnym twórcą, jeśli przedtem i potem biegnie się prać, prasować, gotować, budować po raz tysięczny wieżę z klocków, nieważne – może za łatwo się usprawiedliwiam.

Nie pomagały mi osobliwe zabiegi pedagogiczne miejscowego reżysera na etacie, który za młodu liznąwszy teatralnej alternatywy, uważał się co najmniej za Grotowskiego od lalek, a może tylko ludzie mylili mu się z lalkami, kto go wie. W każdym razie jedność zespołu budował w ten sposób, że na każdej próbie namaszczał jakiegoś wybrańca. Szeptał takiemu albo takiej do ucha:

– Zobacz, przecież to do dupy! To jest aktor? Ty jesteś aktor, powiedz mu coś.

To było jak ruska ruletka, nikt nigdy nie wiedział, na kogo padnie. Nikt też nie palił się do pouczania – nawet aktorzy miewają instynkt samozachowawczy. Nikt. Poza moim mężem. Kiedy padło na niego i okazało się, że tego dnia to ja jestem do dupy, oznajmił mi przy wszystkich:

– Jakaś spięta dzisiaj jesteś. Powinnaś się bardziej otworzyć.

– O to, to właśnie! – ucieszył się reżyser. – Pocisz się, Dasza, i pocisz, ale rozkoszy nic nie dajesz.

Roześmiał się tylko nasz dyżurny erotoman. Siedział z boku, dumnie prezentując swoje nowe czerwone buty. Wyglądał w nich, jakby się urwał z jakiegoś przeglądu zespołów ludowych.

Stałam przy zejściu ze sceny, gapiąc się na te idiotyczne czerwone kozaczki.

Głupkowaty eksperyment, który miał mnie otworzyć na scenie, nieoczekiwanie i nieodwołalnie otworzył mi oczy na to, za kogo wyszłam.

Nie pamiętam, co powiedział Grzesiek, kiedy wróciliśmy do domu. Chyba nic. Dla niego nie było problemu.

Chciałam go zabić, zniszczyć, wyrwać mu jaja z korzeniami! Ale nie odezwałam się. Jak zwykle.

Reżyser dał mi miesiąc, bym udowodniła, że mimo wszystko nadaję się na scenę. Ostatecznie wstawiła się za mną przewodnicząca ZASP-u.

Jeszcze w liceum przeczytałam, że dziewczynki wychowywane przez samotne matki nieświadomie poszukują tatusia w każdym napotkanym mężczyźnie i najczęściej wybierają kogoś, kto – jak nieobecny tatuś – jest nieuchwytny, nigdy nie będzie prawdziwie blisko, a przede wszystkim zawsze trzeba będzie zasłużyć na łaskę jego obecności.

Długo wydawało mi się to konstrukcją tyleż zgrabną, co nieprawdziwą. Dopiero jako dorosła kobieta, samotna, a więc zmuszona do refleksji nad sobą, zrozumiałam, że wszystkie moje nieszczęśliwie spełnione dotychczasowe miłości stanowiły modelowe potwierdzenie tej tezy.

Oddzieliłam się od Grześka na długo przed faktycznym rozstaniem. Tylko dzięki temu mogłam znieść jego nadranne powroty, nagłe znikania i kłamstwa, kłamstwa, kłamstwa. Na każdy temat.

Chwilami zastanawiałam się, jakim sposobem mój mąż w ogóle jest w stanie podać prawdziwą datę czy godzinę. Nic dziwnego, że został aktorem, człowiekiem, który w pracy wypowiada wyłącznie cudze teksty i udaje kogoś, kim nie jest. Był faktycznie stworzony do tego zawodu i błyskawicznie wyrósł na lokalną gwiazdę. Nawykowo mijał się z prawdą i niemal zawsze uchodziło mu to na sucho, a nawet stanowiło część jego ekscentrycznego wizerunku.

Nie przesadzam – w końcu sama z entuzjazmem dałam się nabrać.

Był jednym z tych cudownych mężczyzn, których lepiej podziwiać z daleka – jak obrazy impresjonistów. Lepiej przyglądać się z bezpiecznej odległości, jak brylują i błyszczą, podkochiwać się nawet, czemu nie, ale w żadnym wypadku nie podchodzić bliżej. Bo z bliska nie sposób nie dostrzec szczegółów. Z bliska widać, że żaden nie pasuje do olśniewającej całości. Fantazja staje się nieodpowiedzialnością, zmienność i gotowość na wszystko – niedojrzałością, coraz to nowe pomysły na siebie – niezdolnością do przyjęcia na trwałe odpowiedzialności za cokolwiek. Uroczy Piotruś Pan z bliska staje się upiornym Grzesiem Kłamczuchem.

Jak każda notorycznie okłamywana żona, miałam na podorędziu zestaw złotych i srebrnych myśli dotyczących małżeństwa, obowiązku i dobra dziecka. Pomagało.

Najtrudniej było mi się przyzwyczaić do tych trochę współczujących, a trochę pogardliwych spojrzeń podczas prób, w bufecie, nawet na scenie. Współczuły mi starsze koleżanki – potem, nie do końca zorientowane, z oburzeniem przyjęły wiadomość, że spakowałam i wystawiłam za drzwi Grześka razem z walizkami. Miałam być ponad to i znosić swój los z godnością, ale nie sprostałam, jak szeptały po kątach, „nie stanęłam na wysokości zadania", choć trudno mi nawet dzisiaj stwierdzić, co mogły mieć na myśli. Może długotrwały bolesny trójkąt? Albo i inny wielokąt?

Do tego z kolei zupełnie nie nadawał się mój mąż – stąd pogardliwe spojrzenia młodszych koleżanek i stażystek. Każda z nich przynajmniej przez jakiś czas żyła w przekonaniu, że jest lub była jedynym obiektem uczuć Grześka. Zmieniał je częściej niż niektóre z nich bieliznę – wiem, że to złośliwe i niewybredne, ale niewybredne złośliwości to jedyna broń permanentnie upokorzonych – a dziewczyny już po roku pogubiły się w swoich sojuszach i koalicjach. Ale dzięki temu rozrastającemu się z każdym miesiącem klanowi wdów po moim mężu nie musiałam nawet dociekać, na kim aktualnie zawiesił swoje ciężkie spojrzenie – skoncentrowana nienawiść rywalek była mi wystarczającą wskazówką.

O tym, że w końcu spakowałam rzeczy Grześka, zdecydowała Jagoda, jego kolejna wybranka. Pewnego pięknego dnia (naprawdę, w samym apogeum wiosny) stanęła w drzwiach naszego mieszkania na Nagórkach i zażądała:

– Wyjaśnijmy sobie wszystko, Dasza.

Nie bardzo wiedziałam, co miałabym jej wyjaśniać, ale szybko okazało się, że „my" oznacza jej monolog, a wyjaśnienia to w istocie przemyślany komunikat.

Mówiła i mówiła, mocno gestykulując, a przy każdym jej ruchu podzwaniały srebrne bransoletki – bardzo ładne, miała ich na każdej ręce po kilka. Słuchałam tego podzwaniania jak zahipnotyzowana. Nie odezwałam się ani słowem. Nie usłyszałam zresztą żadnych pytań.

W ciągu piętnastu minut Jagoda zburzyła fundament, na którym opierało się moje małżeństwo: to, o czym nie mówimy, nie istnieje. Mój mąż nie mógł jak zawsze kłamać jak z nut ani iść w zaparte, a ja nie mogłam jak zawsze chować głowy w piasek. Tym bardziej że zdecydowaną na wszystko wybranką okazała się właśnie Jagoda, dziennikarka Radia Olsztyn, jedyna osoba, z którą zdołałam się zaprzyjaźnić po przyjeździe do tego miasta.

Wesołe koło fortuny zatrzymało się akurat na niej tylko dlatego, że jako jedyna nie czekała aż Grześ (tylko tak o nim mówiły – i starsze, i młodsze) podejmie właściwe decyzje. Trudno się dziwić, wiedziała ode mnie, że „Grześ" nigdy, ani przez chwilę nie miał zamiaru podejmować żadnych decyzji. Było mu całkiem wygodnie ze mną, wiecznie zmęczoną żoną o odruchach strusia, a okłamywanie wszystkich dookoła stanowiło jego drugą – co ja plotę! – jedyną naturę. Dlatego postanowiła zadziałać na własną rękę, ku jego aż nadto widocznemu zaskoczeniu i konsternacji.

Mimo wszystko jednak większym zaskoczeniem okazała się dla niego wiadomość, że ja, Daria, mogę mieć serdecznie dosyć zaszczytnej roli jego żony.

Pamiętam pierwszą samodzielną wizytę Poli w nowym domu ojca. Ja nie spałam przez dwie noce z nerwów, dziecko – z podekscytowania.

– Mamo, w tym nowym mieszkaniu taty są aż trzy pokoje. I strasznie wielkie łóżko! – oznajmiła triumfalnie po powrocie. – Możemy na nim spać we dwie. Zmieścimy się tam wszyscy, naprawdę!

Biedna mała księżniczka, pomyślałam, kolejna mała dziewczynka, która jeszcze nie wierzy, że bywają życzenia niemożliwe do spełnienia.

– To dobrze – odpowiedziałam jej raźnym głosem. – Cieszę się, że wszystko w porządku.

A potem płakałam do świtu z tej uciechy.

Po długich namowach Jagoda dopięła swego i oboje z Grześkiem wyjechali do Wrocławia. Ona podjęła pracę w regionalnym ośrodku telewizyjnym, on czekał na okazję, to znaczy: pozostawał na jej utrzymaniu.

Tym samym zakończył się serial o zdradzie i rozstaniu, który miesiącami elektryzował cały teatr od garderoby po pracownie i magazyny. Wszyscy, którzy zdążyli się już podzielić na „moich znajomych" i „znajomych tamtych dwojga", pozostali na swoich pozycjach. Życie teatru i moje życie znowu zaczęły biec względnie przewidywalnym torem. Wydawało mi się, że jeśli chodzi o Grześka, nic mnie już nie zaskoczy.

7

Zerwałem się po czterech godzinach snu, gotowy biec, jechać, spotykać się, rozmawiać. Przy goleniu śpiewałem „Biedroneczki", bo tak mi się jakoś skojarzyło z Daszą. Starzy chyba jeszcze spali. Nie miałem jak zapytać o weterynarkę zawsze dziewicę. Dziś potrzebowałem mojej niedziewicy.

– „U motylka plamek kilka służy ku ozdobieee" – zaciągnąłem kunsztownie, płucząc maszynkę i oglądając twarz w krótkowzrocznym zbliżeniu.

Czy mogę się jeszcze komuś podobać? Może ten nos jakoś wyprostować, odessać policzki smutnego buldoga, jakoś wydłużyć szyję. Hm, to chyba nie byłoby takie proste. A jak bym wyglądał z brodą? Mam gdzieś software do takiego modelowania. Warto kiedyś spróbować. Nowe życie, nowa twarz.

– Idiota – stwierdziłem szczerze, ale tak, żeby nikt nie słyszał.

Zlikwidować te zmarszczki przy oczach. Od tego należałoby zacząć...

A może nic nie robić. Zobaczyć, czy nie zaakceptuje mnie tak, jak stoję?

Ileż to razy posłużyłem się tym wytrychem?

Wychodząc z łazienki, zderzyłem się z Danką. W liliowym szlafroku do ziemi i z głową obwiązaną ręcznikiem wyglądała jak Królowa Śniegu.

– Dzień dobry, szalom, zdrastwujtie. Piękny dzień! – zapętliłem się entuzjastycznie.

Nawet chciałem jej rzucić komplement o królowej, ale w porę dostrzegłem, że tylko ja mam dobry humor od samego rana. Danka bez słowa znikła za drzwiami i zamknęła je cicho.

Może lepiej nie budzić demonów. Gdzie jest telefon?

Dopiero po chwili uświadomiłem sobie, że Dasza prawdopodobnie jeszcze śpi, a kiedy wstanie, będzie się spieszyła na pociąg. Więc może nie teraz z tym dzwonieniem. Musiała jechać do Olsztyna, bo wieczorem jej córka wracała ze szkolnej wycieczki. Umówiłem się na telefon wieczorem – nie miała niestety komórki.

Była dopiero dziesiąta rano, a ja już tęskniłem jak wściekły! Może by tak polecieć na dworzec?

Przy trzeciej herbacie z dygotem serca zdałem sobie sprawę, że w gruncie rzeczy jeszcze nic się nie zdarzyło, nikt o niczym nie zdecydował i to wszystko naprawdę może się okazać kaprysem, kwiatem jednej nocy. Ale jednocześnie rozsadzała mnie taka euforia, że tylko lata treningu powstrzymały mnie przed tym, by nie opowiedzieć wszystkiego Dance przy śniadaniu. Chleb razowy, ser, dużo sera, zjeść świat i poprosić o księżyc na dokładkę!

Uświadomiłem sobie, że przez pół nocy gęba mi się nie zamykała, ale mówiłem cały czas o sobie. Przez tyle godzin wzbierającej i rozpływającej się rozmowy o nic Daszę nie zapytałem. Nawet o to, czy tyle lat po rozwodzie nadal jest sama.

Prawdę mówiąc, było mi to obojętne. Cholera, wcale nie. Ale wiedziałem, naprawdę wiedziałem, że tej nocy moje życie znowu się zmieniło. Jakby ktoś – nie wiem, los – wreszcie włożył właściwy klucz, wszystkie tajemne zapadki wskoczyły na swoje miejsce i jakieś zamknięte na głucho drzwi zaczęły się otwierać na oścież. Wiedziałem, że jeśli stanie się cud i przekroczę ten próg, nigdy więcej nie wrócę do tego, co było.

Boże, niech to będzie prawda!

Tylko dlatego postanowiłem dokończyć tamtą sprawę.

Bez trudu dodzwoniłem się do Lilki, siostry Maziuka. Rozmawiała ze mną jak ze starym dobrym znajomym.

Ups, coś się zmieniło. Nie było w jej głosie nawet cienia tamtej agresji, jaka parowała z niej wszystkimi porami wtedy w Kalifornii, kiedy przez kilkanaście dni, skazani na swoje towarzystwo, krążyliśmy między Oakland a Los Angeles, załatwiając formalności pogrzebowe i transportowe.

Uznałem to za jeszcze jeden znak odmiany losu i nowej, lepszej passy.

Taksówkarz wywiózł mnie daleko poza zapamiętane kiedyś granice Białegostoku i jechał dalej, mniej więcej w kierunku Warszawy, pośród szachownicy nieznanych mi nawet z widzenia blokowisk. W końcu samochód zatrzymał się na jakimś z lekka tylko i chyba niedawno zagospodarowanym wygwizdowie.

Olga Maziuk posiwiała, zmalała i skurczyła się, ale z całą pewnością poznałbym ją nawet na środku zatłoczonej ulicy. Lilka musiała ją uprzedzić, bo otworzyła drzwi, zanim zdążyłem zdjąć palec z dzwonka.

– Marcinek! – zawołała radośnie.

Ścisnęło mnie w gardle. Od dobrych kilkunastu lat nikt tak się do mnie nie zwracał. Nie żebym jakoś szczególnie tęsknił za tym dziecięcym zdrobnieniem – a może nawet tęskniłem, tylko dowiedziałem się o tym w tej samej chwili, kiedy znowu je usłyszałem.

Chwyciła mnie w kleszczowy uścisk, którego wolałem nie odwzajemniać z równą siłą, bo pewnie bez trudu zmiażdżyłbym ją na proszek. Była już na tym etapie, kiedy szczupłość powoli przechodzi w wychudzenie, a właściwie wysuszenie. Beżowa niedzielna sukienka wyglądała na niej tak, jakby już jakiś czas temu wyrosła ze swojej właścicielki.

– Marcinek przyszedł! – zawołała znowu, po czym, bez żadnego ostrzeżenia, rozpłakała się, zupełnie, jakby ostatni wybrzmiewający jeszcze ton radości był zarazem pierwszym tonem rozpaczy.

Rad nierad stałem skręcony w paragraf w ciasnym przedpokoju, podtrzymując płaczącą kobietę, i zastanawiałem się, co dalej.

Ale to ona wiedziała, co dalej. Oderwała się ode mnie, jej płacz ustał jak nożem uciął i już zupełnie spokojna pociągnęła mnie do ciasnego, niemożliwie zagraconego pokoju.

Pamiętałem paradny pokój w dawnym domu Maziuków. Matka Andrzeja zawsze lubiła durnostojki, zwane gdzie indziej bibelotami, ale na starość najwyraźniej polubiła je jeszcze bardziej, bo na półkach, półeczkach i tandetnych stolikach nie widać było skrawka wolnej przestrzeni.

Żonkile, które jej przyniosłem, dołożyła po prostu do i tak już okazałej wiązanki umieszczonej na komodzie. Tuż obok stało kolorowe zdjęcie Andrzeja, które sam mu zrobiłem zaraz po jego przyjeździe do Stanów. Towarzyszyła mu plastikowa Matka Boska depcząca czarnego węża i czarno-biała fotografia księdza Suchowolca.

Przypomniało mi się, jak w lecie osiemdziesiątego roku matka Maziuka kazała nam nagrać na historyczny magnetofon ZK-140T historyczne przemówienie kardynała Wyszyńskiego. Ciekawe, czy kiedykolwiek domyśliła się, że to za moją namową Andrzej podwędził jej w tym samym czasie bony PKO ukryte w drugim tomie encyklopedii. Myśmy z Jolką wypruli parę dolarów z plastikowej torebki, którą ojciec grubą taśmą przykleił pod zlewem – potem dostałem za to ostatnie lanie w życiu. Zanieśliśmy te, pożal się Boże, datki do siedziby Solidarności.

Tacy byliśmy.

– A już się bałam, że nigdy do mnie nie przyjdziesz – powiedziała w końcu Maziukowa, niemal siłą sadzając mnie w fotelu, który pamiętał tamte czasy.

Sama przycupnęła na najbliższym krześle.

– Czemu? – mruknąłem trochę zmieszany.

Rzeczywiście, nię paliłem się bardzo do tej wizyty i gdyby nie poranne silne przeświadczenie, że nowe idzie, a nawet już przyszło, pewnie znalazłbym jeszcze ze sto powodów, żeby to odłożyć, choćby do nieokreślonego następnego razu.

– Bo wiesz, Marcinek – westchnęła ciężko – jak komu los kości porachuje, to on czasami woli w samotności rany lizać i towarzystwa mu do tego nie potrzeba.

Na wszelki wypadek pokiwałem głową, jakbym naprawdę wiedział, o czym mowa.

Śmierć Andrzeja wstrząsnęła mną, i to niewąsko. Pół dnia czekałem na niego w MCoffee, najpierw w środku, bo ranek był chłodny, przy trzeciej kawie na ławeczce przed wejściem. Potem wściekły wracałem do Oakland, próbując się do niego dodzwonić i nawrzucać, ile się da. A potem, późnym wieczorem, zadzwonili z policji. Znalazł go – tuż obok drogi, ale kilkadziesiąt metrów niżej – motocyklista zmierzający na cotygodniowy zlot Hell's Angels w Woodside. Nawet nie wiedziałem, że Andrzej w dokumentach ubezpieczeniowych wpisał mnie jako osobę, którą należy powiadomić w razie wypadku.

Każdy, kto przeżył telefon z taką wiadomością, wie, jak to jest zrywać się, ubierać, jechać uśpionymi ulicami, a potem odpowiadać na pytania, coś tam podpisywać, cały czas na umysłowym autopilocie, który każe działać, nie pozwala się zastanawiać ani myśleć. Później nadchodzi ranek, a może już przedpołudnie, kiedy autopilot się wyłącza i do człowieka nieuchronnie zaczyna docierać, co się stało.

Pamiętałem to doskonale, ale ani wtedy, ani teraz nawet przez myśl mi nie przeszło licytować się z jego własną rodziną.

– No i jak ty myślisz po tym wszystkim życie sobie poukładać? – zapytała Maziukowa takim tonem, jakbym to ja był osieroconą matką. – Musi tobie być ciężko.

Nie mogłem w nieskończoność kiwać głową.

– To znaczy o czym pani…

Aż ją poderwało z krzesła.

– Jak o czym? Toż o tym pudełku, coś je dał Andrzejkowi naszemu na wiek wieków – zawołała i się rozszlochała na całego. – Na pokutę mu dałeś!

Znowu zgłupiałem i przez chwilę bezmyślnie przypatrywałem się płaczącej Maziukowej. Nie wiedziałem, co powiedzieć. Ale nie dlatego, żebym nic nie wiedział o żadnym pudełku. Przeciwnie. Osobiście dopilnowałem, by włożono je Andrzejowi do trumny, tak jak sobie tego zażyczył w testamencie, którego byłem wykonawcą.

Właśnie ten testament uświadomił mi, że być może wątpliwości koronera i policji mają jednak jakieś podstawy. Już w pierwszej rozmowie zapytali, czy Andrzej nie miał kłopotów, długów, depresji, słowem, czy nie miał powodów, żeby specjalnie nie wyhamować na tym fatalnym zakręcie na Old La Honda Road, którą wcale nie musiał jechać, żeby się dostać do Half Moon Bay.

Musiałem im wtedy długo wyjaśniać, że obaj z Maziukiem należymy, to znaczy należeliśmy do specjalnego gatunku palantów, którzy po tygodniu użerania się z klientami lubią w niedzielny poranek wsiąść w samochód i podnieść sobie ciśnienie krwi. Tak było. Rajcował nas widok wraków na dole, poniżej drogi, w miejscach, skąd nawet ich nie wyciągano, bo nie było dojścia – przestępcy często zrzucali tam niepotrzebne już samochody.

Maziuk nie był jednym z tych nieszczęsnych histeryków, którzy postanawiają zrobić sobie duże kuku, żeby kogoś tam przestraszyć, ale przypadkowo udaje im się zabić. Nie, przygotowałby swoją śmierć bardziej metodycznie, żeby nie było czego się domyślać. Trzymałem się tego twardo w rozmowach z policją i koronerem. Ale ten testament…

Pośród chorobliwie szczegółowych ustaleń, jakie tam zapisał, było też i to o starannie zalakowanym pudełku ze sklejki. Zostawił je w naszym biurze, ukryte za skoroszytami. Napisane było na nim: „Włóż do trumny. W żadnym razie nie otwieraj". Tak też zrobiłem i parę razy upewniałem się, czy nikomu nie przyszło do głowy go wyjąć na różnych etapach szykowania Maziuka do jego ostatniego lotu do Polski. Koroner, później firma ubezpieczeniowa, zapytali o to, a jakże. Ale nie otworzyłem, dopilnowałem, nie zapomniałem.

– Właściwie to Andrzej… – odezwałem się. – To znaczy ja tylko je włożyłem, tak jak prosił w testamencie. Nie wiem, co tam jest, nie zaglądałem.

– Nie żartuj! – Maziukowa spojrzała na mnie z taką miną, jakby wyrosła mi druga głowa.

– Tu nie ma co żartować – prychnąłem lekko, ale czułem, że coś wisi w powietrzu.

– A żebyś wiedział, Marcinek – prawie pobiegła do pokoju obok, gdzie od ściany do ściany rozpierała się trzydrzwiowa szafa z nadstawką. – Żebyś wiedział – powtórzyła i zanurkowała w głąb środkowej części.

Zamarłem.

Po dłuższej chwili, stękając, wynurzyła się z szafy z – jakżeby inaczej – Andrzejowym pudełkiem w obu rękach.

Gapiłem się jak sroka w gnat, niezdolny wykrztusić słowa.

– Znaczy ojciec się nie pomylił – mruknęła, nim zdążyłem cokolwiek powiedzieć. – Aż szkoda, że na wieś do brata musiał wczoraj pojechać, bo to on postanowił wyjąć i pieczęcie połamać. I dobrze postanowił, jak tak.

No, nie wiem, delikatnie mówiąc.

Wszystko, co miało się stać, już się stało, drewniane prostokątne pudełko po pseudokubańskich cygarach z uśmiechniętym wąsatym facetem leżało przede mną na spranej serwecie w czerwone i różowe truskawki. Co ja tutaj robię?

Przyszło mi na myśl, że może jednak ojciec Maziuka miał rację.

Mimo wątpliwości koronera nie wierzyłem, że Andrzej naprawdę chciał ze sobą skończyć. Ale zanim się rozpędził przed zakrętem, znalazł odpowiednie pudełko, spakował je, napisał testament, a w nim wyraźne polecenie „Nie otwieraj!", i jeszcze ustanowił mnie wykonawcą swojej ostatniej woli.

Jeśli więc rzeczywiście zaplanował swoją śmierć i zadał sobie cały ten trud, to może właśnie powinienem był od razu otworzyć to cholerne pudełko – miniaturową trumnę?

Nie wiem i już nigdy się nie dowiem, jak miało być. Podniosłem nadpęknięte wieko – pieczęcie musiały nieźle trzymać – i zobaczyłem to, co zobaczyłem.

– Rozumiesz, Marcinek? – zapytała Maziukowa cicho.

Nie odpowiedziałem. Wpatrywałem się bezmyślnie w duże studyjne zdjęcie Helen jeszcze z krótkimi włosami. To samo zdjęcie, tylko powiększone do rozmiarów portretowych wisiało całe lata w naszych kolejnych sypialniach i pewnie nadal wisi nad jej łóżkiem.

Zacząłem wyjmować i odkładać na bok następne zdjęcia. Helen w kapeluszu, Helen w górach, Helen w zielonej sukience uszytej z cepeliowskich chustek, Helen na tle swojej scenografii. Nie pamiętałem tych konkretnie ujęć, nie wiem, czy kiedykolwiek wcześniej je widziałem, ale pamiętałem inne z tej samej serii, podobne. Pamiętałem, kto i w jakich okolicznościach je robił.

Potem zobaczyłem cztery zdjęcia, o których nie mogłem nic wiedzieć, bo przedstawiały Andrzeja i Helen w sytuacjach...

Ziemia przestała się obracać, słońce zatańczyło w rozedrganym hiphopowym rytmie. Nie wiedziałem, co zrobić z rękami. Nie wiedziałem, co myśleć. Czy myśleć? Równe oddychanie. Helen. Kurwa jej mać!

Były słabej jakości, jakby ktoś zadał sobie trud zrobienia odbitek ze zdjęć cykniętych najtańszym jednorazowym aparatem. Dalej – klasyka – bilety do kina, rachunki z jakichś knajp, jeden nawet – co za idiota! – z Pizzy Hut, rachunek za dwie doby w jakimś nieznanym mi hotelu w San Francisco. I list od Helen.

Rozpoznałem różowy papier, którego używała do wszelkiej korespondencji, głucha na moje uwagi. Rozpoznałem jej okrągłe, równe pismo małej dziewczynki. List był króciutki, ale całkowicie w stylu Helen. Bez specjalnych emocji informowała Andrzeja, że popełniła wielki błąd i że w imię wieloletniej przyjaźni powinien wymazać z pamięci te dwa tygodnie... jakieś nieznane mi bliżej dwa tygodnie. Gdzie ja wtedy mogłem być?

Nawet nie zauważyłem, że wstrzymuję oddech. Odetchnąłem więc głęboko, odsunąłem od siebie papiery i spojrzałem na matkę mojego nieżyjącego przyjaciela.

Siedziała nieruchomo, z oczami zaczerwienionymi jak u królika. Wpatrywała się we mnie jak w telewizor i nagle, pod jej smutkiem i zapewne autentycznym współczuciem, wyczułem jeszcze coś – pełne napięcia oczekiwanie telewizyjnego widza na to, co teraz zrobię.

Ale nic specjalnego nie zrobiłem. Przetarłem okulary, rzuciłem okiem na uśmiechniętą Helen wychylającą się zalotnie z wielkiej wanny wypełnionej po brzegi pianą, odłożyłem zdjęcie do innych, odsunąłem od siebie całą stertę i wstałem.

– Dziękuję, że mi pani to pokazała – powiedziałem bez sensu, pocałowałem Maziukową w spierzchniętą rękę i wyszedłem, nie słuchając już, co do mnie mówi.

Nie miałem pojęcia, czego naprawdę chciał Andrzej, szykując to pudełko, nie wiedziałem, dlaczego jego rodzina uznała, że powinienem obejrzeć jego zawartość i co sobie właściwie wyobrażała. Ale przede wszystkim, przede wszystkim nie chciałem mieć z tym już nic wspólnego. Nie zamierzałem z nikim o tym dyskutować, nikogo obwiniać ani rozgrzeszać. Zostawiłem ich wszystkich w ciasnym pokoju Maziukowej, pośród innych durnostojek, trudno – niech im stanie lekkim będzie.

Zamknąłem drzwi za sobą. Zszedłem piętro niżej i nagle, jak w starej piosence, „diamentową kulą między oczy" – olśniło mnie.

Otworzyli zalutowaną i opieczętowaną w konsulacie trumnę w poszukiwaniu Andrzejkowych dolarów! Co tam konto, amerykańskie ubezpieczenie, w głowach im się nie mieściło, że nic nie ukrył przed urzędem skarbowym, przed tamtejszą i tutejszą biurokracją!

A może myśleli, że go zamordowałem i chcieli to naocznie sprawdzić?

A może to taki odruch, otworzyć to, co zamknięte?

Wyobraziłem sobie minę starego Maziuka, jak już rozłupał pudełko i zobaczył w nim zdjęcia jakiejś gołej baby! Wyobraziłem sobie minę siostry Maziuka, o ile oczywiście rodzice wtajemniczyli ją w swoje machinacje. Ryknąłem śmiechem i nie mogłem przestać.

Kwicząc trochę z uciechy, a trochę z nerwów, wyszedłem na kwadratowe podwórko z czterech stron okolone blokami i zapytałem mijające mnie dziewczyny:

– Przepraszam, którędy do centrum?

– Nieźle, dopiero po drugiej, a już nawalony – parsknęła jedna.

– Prosto jak w mordę strzelił – wyjaśniła druga i obie wybuchnęły tym straszliwym chichotem, jakim potrafią smagać tylko nastolatki w stadzie.

Od razu spoważniałem.

Ruszyłem ochoczo przed siebie. Doszedłem do przystanku w szczerym polu i w tej samej chwili podjechała stara dobra dwunastka. Wsiadłem, nie zastanawiając się długo. Niezupełnie wiedziałem, jak skasować bilet. Bardzo było inaczej. Bardzo tak samo.

Patrzyłem pustym wzrokiem na wątpliwej urody pejzaże podmiejskie, próbując doszukać się choćby jednej zbornej myśli w mojej dziwnie lekkiej głowie. Na próżno.

W środku przesuwały mi się tylko jedna za drugą stare taśmy pełne nienaturalnych zbliżeń: Helen, ja, Maziuk, jego kolejne przyjaciółki – żadna nie ostała się dłużej niż jeden sezon. Wyjątkiem była tylko ostatnia, Sara, która opłakiwała ze mną jego śmierć.

Dopiero po paru przystankach złapałem się na tym, że cały czas próbuję sobie przypomnieć, jak moja żona zareagowała na wiadomość o śmierci Andrzeja.

Tej nocy, kiedy odebrałem telefon z policji, nie było jej w domu. Wyjechała wtedy na kilkudniowy plener z którymś ze swoich kursów, bodajże lepienia w glinie. Wróciła następnego dnia i o wszystkim dowiedziała się ode mnie – nie chciałem jej nic mówić przez telefon, wystarczyło, że musiałem dzwonić do Polski.

Wytężałem pamięć, ale nie mogłem sobie przypomnieć ani jej reakcji, ani miny, nic, czarna dziura. To było całe dwadzieścia cztery godziny później. Byłem już zupełnie rozstrojony, z trudem zbierałem siły na następny dzień i kolejne rozmowy z koronerem.

Może płakała.

Ja nie płakałem, choć w tamtej chwili wiele bym dał za tych parę łez.

Ale nie było łez. Był tylko gin z tonikiem. A może sam gin.

Pudełko po cygarach stanowiło jeszcze jeden dowód na to, że nigdy nie wiemy wszystkiego o drugim człowieku. Mimo to nawet teraz, kiedy tajemnica przestała być tajemnicą, nie mogłem uwierzyć, że Maziuk skończył ze sobą z powodu zawiedzionej miłości do mojej żony. Albo dlatego, że bał się rozmowy ze mną, bo zadzwoniłem poprzedniego dnia i powiedziałem, że musimy pogadać. Chciałem go, durny, zaskoczyć tym, że pamiętałem o jego urodzinach! Chyba pierwszy raz w życiu.

To był wypadek. Przypadek. Nie można przyspieszać na zakręcie.

Mam nadzieję, że nie zrobiłeś tego dla niej, bo... Andrzej, nie warto było!

8

Dwa dni później Marcin przyjechał do Olsztyna. Poprzedniego wieczoru przegadaliśmy prawie dwie godziny, rozłączyła nas jego rozładowana komórka. Do trzeciej leżałam w ciemnościach ze słuchawką w ręce, ale już nie zadzwonił. Wtedy jeszcze nie wiedziałam, że gubienie ładowarek to jego tajne hobby.

Pojechałam na dworzec prosto z przedstawienia. Pociąg spóźnił się jakieś pół godziny. Krążyłam między kioskiem a budką z napojami. Dawno nie czułam takiego niepokoju. W powietrzu wisiało coś wielkiego. W końcu zobaczyłam Marcina, jak wysiada i w półmroku rozgląda się niepewnie po peronie. Nadal nie wiedziałam, co z tego wyniknie, ale ucieszyło mnie to niesamowite uczucie oczywistości, które pojawiało się za każdym razem, kiedy Marcin był obok.

Zanim zdążyłam zaprotestować, wsiadł do jednej z mafijnych taksówek, które szczelnym kordonem oblepiły cały dworzec.

– Ty nie bądź taki Amerykanin – mruknęłam, wsiadając za nim.

– Nie jestem Amerykanin, jestem frajer, nie pamiętasz? – odparł cicho. – I bardzo mi się do ciebie spieszy.

– Czyli wszystko się zgadza – westchnęłam. – Właśnie dla takich tu stoją.

Oczywiście zapłacił za kurs jak za zboże, ale darowałam sobie kolejne uwagi. Nie moje pieniądze, nie moja sprawa.

Był już późny wieczór.

Figa powitała gościa z rezerwą. Zamerdała nieśmiało ogonem, ale na wszelki wypadek spoglądała na Marcina zza moich nóg.

Pola w pstrokatej piżamie i szlafroku w muszelki wyszła ze swego pokoiku, żeby się przywitać. Uśmiechnęła się zwyczajnie, jak czternastolatka, podała mu rękę i schowała się z powrotem u siebie.

– Co ona taka zdawkowa? – zapytał cicho Marcin.

– A czegoś ty się spodziewał? – roześmiałam się. – Widocznie uważa, że moi goście to nie jej broszka.

– No to się pomyliła – mruknął i kucnął, żeby przywitać się z psem, który szczeknął krótko i uciekł do kuchni, ale już po chwili wyjrzał i zachęcony bezruchem nowo przybyłego, podszedł bliżej.

Ale to Marcin się pomylił. Nie sądzę, by miał dużo do czynienia z czternastolatkami, które całe świadome życie spędziły tylko z matką. Nie mógł wiedzieć, jak dalece Pola czuła się władczynią, czy może raczej właścicielką mojego życia. Znałam ją jak zły szeląg. To jedno szybkie spojrzenie, które Marcinowi wydało się zdawkowe, było jak skaner, błyskawiczny test zakończony natychmiastową oceną skali zagrożenia. Zagrożenia dla jej jedynowładztwa.

Po powrocie Poli z wycieczki rozmawiałyśmy o tym, co się nam obu przydarzyło przez ten długi, dziwny weekend. Powiedziałam jej wówczas oględnie, że jubileusz szkoły okazał się dużo ciekawszy niż się spodziewałam i że spotkałam kogoś, kogo nie widziałam wiele lat. To nie było kłamstwo, raczej próba dawkowania prawdy.

Wracałam do Olsztyna z dużym zamętem w głowie, bo kiedy skończył się tamten wieczór i nastał nowy dzień, wcale nie byłam już taka pewna, czy jestem gotowa zaryzykować swój bezpieczny święty spokój. Właściwie dopiero teraz, widząc Marcina wysiadającego z pociągu, poczułam cień nadziei, że może jednak…

W tamtej rozmowie nawet nie próbowałam przebić rewelacji mojej córki. Po raz kolejny wyszła zwycięsko z konfliktu, czy raczej intrygi namotanej przez królową jej klasy, niejaką Gosię. Seria spięć i konfrontacji ciągnęła się od początku gimnazjum. Kolejny raz pocieszałam ją, że już za dwa lata upiorna Barbie o usposobieniu Stalina tak jak Stalin przejdzie do historii.

Z punktu widzenia Poli brzmiało to mało przekonująco. Na szczęście klasowe hierarchijki i szkoła jako taka to był margines jej życia. Pola nie miała żadnych ambicji naukowych. Wystarczała jej muzyka. Nie – muzyka była całym jej światem. Od roku chodziła do prywatnej szkoły muzyki jazzowej (nie wiem, czy nie była tam najmłodsza), od pięciu lat grała na gitarze. Jej marzeniem było życie wypełnione graniem i śpiewem. Co mogłam mieć przeciwko temu? Sama marzyłam kiedyś o takim życiu, tylko w przeciwieństwie do swojej córki nie byłam obdarzona słuchem absolutnym.

Następnego dnia miał się odbyć koncert, na którym Pola miała po raz pierwszy wystąpić solo. Od miesiąca wszystkie popołudnia spędzała na próbach z trojgiem kolegów towarzyszących jej na instrumentach. Kiedy powiedziałam, że przyjeżdża do nas mój przyjaciel z liceum, którego spotkałam na jubileuszu szkoły, odparła:

– Nie ma sprawy. Najwyżej pójdzie z tobą na koncert.

Ale to miało być jutro. Tymczasem był późny wieczór. Pola umknęła do siebie, zaraz potem zgasiła lampkę przy łóżku i zamknęła drzwi z maskującą szybą. Staliśmy z Marcinem w kuchni i przyglądaliśmy się sobie przez całą długość stołu. W końcu podszedł, objął mnie mocno i pocałował, a ja znowu pomyślałam: „Nareszcie".

Oniemiała ze zdumienia Figa podbiegła do nas i wspięła się do moich kolan.

– Żadnych trójkątów – mruknął Marcin, przyciągając mnie bliżej okna.

– Nie miała okazji widzieć swojej pani w takiej sytuacji – wyjaśniłam.

– To niech się przyzwyczaja.

Zaczęliśmy rozmawiać. O nas. Trochę o Helen, trochę o Andrzeju i jego dziwnej śmierci. W którymś momencie pojawił się gin lubuski z tonikiem. Może przez ten gin, a może dlatego, że w końcu do tego dojrzałam, w każdym razie opowiedziałam mu co nieco o małżeństwie z człowiekiem, który nie odróżniał fikcji od prawdy. Nie wiem, czyja historia była smutniejsza. Było jednak oczywiste, że oboje nieźle dostaliśmy w kość.

Potem zapaliłam świece. Wypełniły cały dom zapachem lawendy. Świat stanął w miejscu. Zapomniałam, kim jestem, nie zastanawiałam się, co robię, liczyła się tylko ta chwila. Reszta jest historią. Naszą historią...

Wstaliśmy krótko po szóstej, żeby nie krępować Poli, która wybierała się do szkoły, widokiem faceta w łóżku matki. Kiedy weszła, a właściwie jak co rano wczołgała się do kuchni, Marcin wygłaszał właśnie pean na cześć sera morskiego.

– Ja też poproszę – zadysponowała, zaspana, ale z minuty na minutę coraz bystrzej popatrująca na Marcina, który siedział naprzeciw niej z nieodgadnioną miną.

– Wybierzesz się ze mną po południu na koncert Poli? – zapytałam.

– A jestem zaproszony?

– Ja pana zapraszam – powiedziała moja córka.

Był zaskoczony, a ja specjalnie zapytałam przy niej. Ale jeśli coś, co się między nami działo, było prawdą, musiał się jak najszybciej dowiedzieć, że ma dwie osoby do pokochania. Zdawałam sobie sprawę, jakie to trudne – byli przed nim tacy, których to przerosło już w przedbiegach – ale stanowiło mój jedyny warunek, nie do przeskoczenia ani obejścia.

– Dziękuję – odparł ostrożnie. – A czy mogę mieć do ciebie prośbę?

Pola przerwała krojenie sera.

– Prośbę? – mruknęła nieufnie.

– Czy możesz mi mówić po imieniu?

– Dobrze, a jak panu na imię?

– Marcin.

Dziecko pokiwało głową i w zamyśleniu przeżuło kanapkę. Po chwili z westchnieniem opuściło kuchnię i z przedpokoju dobiegły nas odgłosy świadczące o tym, że Figa doczekała się porannego spaceru. Porannego sprintu wokół bloku, dla ścisłości. Na spacer mogła liczyć tylko wtedy, gdy ja z nią wychodziłam. Obie lubiłyśmy się błąkać po wypieszczonych alejkach ogródków działkowych na skraju osiedla.

– Przecież wczoraj się przedstawiłem – wymamrotał Marcin półgłosem.

– Mówiłam ci, że nie prowadzi księgi moich gości. Jednym uchem wpuściła, drugim wypuściła.

– Co to za koncert?

– Występ jej rocznika. Pola chodzi do szkoły muzycznej. Nie będzie bolało.

– Szkoła muzyczna? Będą śpiewać „Gdybym ja była słoneczkiem na niebie"?

– Zobaczysz – odparłam wymijająco. Pola trzymała swoje przygotowania w takiej tajemnicy, że sama nie wiedziałam, co zaśpiewa. – Takie występy to jeden z uroków rodzicielstwa – zaśmiałam się.

– Wyobrażam sobie.

– Spokojnie, to szkoła muzyki jazzowej.

– Teraz to już naprawdę zaczynam się bać.

Przytuliłam go bez słowa.

Znowu trzasnęły drzwi wejściowe. Nie mówiłam? Sprint wokół bloku.

– Mamo, mamy coś o fraszce? – spanikowana Pola w biegu zdejmowała kurtkę.

– Zapomniałaś, gdzie stoi słownik? – odparłam.

– Nie szybciej byłoby skopiować z Internetu? – włączył się Marcin.

– A widzisz tu gdzieś komputer? – odpowiedziałam, chowając resztki śniadania.

– Mogę jeszcze odrobinę sera? – Marcin przytrzymał mnie za rękę.

– Proszę bardzo – mruknęłam z ulgą, bo wyglądało na to, że do południa będziemy się przerzucać pytaniami. Dziś miałam wolne w teatrze.

Tłum ludzi przelewał się między ciasną i duszną salką koncertową a ciasnym korytarzem, na którym ktoś pootwierał wszystkie okna. Dzieciaki poprzynosiły ciasta, na stolikach stały woda mineralna, soki. Po pierwszej części wszyscy z ulgą wylegli z sali, jedni wykonawcy przyjmowali gratulacje, inni osładzali sobie smak porażki, jak to na szkolnych koncertach.

Marcin nie odstępował mnie na krok. Nie, nie trzymał mnie w jakimś kurczowym czy nachalnym uścisku, po prostu stał lub siedział tuż obok. Nikogo tu nie znał i może nie było nic dziwnego w takim zachowaniu. Ale ja miałam jeszcze w pamięci długą noc jubileuszu szkoły, gdzie znał kupę ludzi i cały czas mnóstwo się wokół nas działo. Mimo to Marcin był przy mnie.

Do wszystkiego można się przyzwyczaić. Ja przywykłam do tego, że jeśli już w ogóle szłam gdzieś z moim byłym mężem (potem przez chwilę z kimś innym), to było oczywiste, że od pewnego momentu mężczyźni piją i rozmawiają albo w inny sposób zajmują się sobą, a kobiety idą do domu albo, nie wiem, robią, co chcą. A Marcin był cały czas obok i to było niezwykłe, że facet mi towarzyszy przez parę godzin w jednym miejscu, pośród ludzi, i nie szuka okazji, żeby z ulgą zniknąć.

Wróciliśmy do sali. Ze sceny uprzątnięto podesty dla chóru, ustawiono mikrofony, kilka krzeseł i perkusję. Prawą stronę wypełniał fortepian drzemiący dotąd za kulisami.

Pośród cichnącego z wolna szumu, z lewej strony wyszły cztery osoby: Pola w lnianej sukience, której brąz kontrastował z jej długimi jasnymi włosami, i jej kolega Maciek, oboje z gitarami, potem śmiesznie wysoki i chudy blondyn w okularach, który usiadł do perkusji, i dziewczynka w szerokich czerwonych spodniach, z wiolonczelą. Ktoś zaklaskał dla zachęty.

Sala czekała spokojnie, aż cała czwórka się usadowi, gitary i wiolonczela ostatni raz sprawdzą stopień zestrojenia. Na chwilę umilkły instrumenty i umilkli ludzie. Z tej ciszy wyłoniły się pierwsze gitarowe dźwięki, druga gitara weszła z linią melodyczną, odpowiedziała jej wiolonczela, Pola zaczęła śpiewać, a ja poczułam, że łzy lecą mi jak groch.

Śpiewała „Jak", jedną z moich ukochanych piosenek Stachury.

Nie wiem, czy ten tekst – ciąg porównań z niejasną puentą – nadawał się dla czternastolatki, pewnie nie, ale melodia płynęła przez nią i z niej, jakby w tej właśnie chwili rodziła się w sercu mojej małej córeczki.

Zerknęłam na Marcina, który siedział bez ruchu i patrzył na Polę tak, jakby ją pierwszy raz zobaczył. Chwycił mnie za rękę, kiedy zaśpiewała:

jak lizać rany celnie zadane
jak lepić serce w proch potrzaskane
jak suchy szloch w tę dżdżystą noc...

Uśmiechnęłam się do siebie.

Trzeba mieć czternaście lat i spokojnie śpiące jeszcze serce, by z taką żarliwością i oczywistością śpiewać:

pudowy kamień, pudowy kamień
ja na nim stanę, on na mnie stanie
on na mnie stanie, spod niego wstanę...

Pola nie powtarzała po Stachurze ani po innych wykonawcach, chociaż setki razy słyszała stare trzeszczące nagrania, chropowaty, pełen dziwnych przydźwięków śpiew poety, mniej lub bardziej melodyjne interpretacje innych. Nie powtarzała po mnie, bo też i od lat nie śpiewałam swojego żelaznego repertuaru z czasów liceum. Znalazła zupełnie inny, własny klucz do tej prostej melodii.

Ja ją śpiewałam „od nuty do nuty". Dla Poli ta sama odległość, którą ja pokonywałam jak schody – ze stopnia na stopień – była drogą, na której w każdej chwili może pojawić się coś nowego i zaskakującego. To był ten jej niesłychany dar – umiejętność wzbogacania bez udziwnień i manier, nasycania prostych dźwięków niezwykłymi modulacjami. Na tle mniej lub bardziej udanych popisów białych Murzynek jej naturalnie ustawiony głos działał jak otwarcie okna na słońce w dusznej, ciemnawej salce.

Dwie gitary powtórzyły za Polą „cudne manowce, cudne manowce", wiolonczela wstrzymała swój śpiew, tylko perkusja rozsypała jeszcze w ciszy ostatnie dźwięki.

Brawa wybuchły i umilkły jak nożem uciął, gdy Pola znowu pochyliła się nad pudłem gitary.

– Ty też się tak zawsze pochylałaś, trochę w bok, wiesz? – szepnął Marcin. – Jakbyś czekała, nasłuchując, na następną melodię.

– Nie wiem, nigdy siebie nie widziałam…

Przerwałam, bo rozpoznałam kolejną piosenkę. Znaną, zgraną i pewnie już dawno na śmierć zatupaną po ogniskach i rajdach.

– Dla mojej mamy – rzuciła Pola do mikrofonu.

Jeszcze zdążymy w dżungli ludzkości siebie odnaleźć,
Tęskność zawrotna przybliża nas.
Zbiegną się wreszcie tory sieroce naszych dwu planet,
Cudnie spokrewnią się ciała nam.

Dziwnie brzmiał w tej sali tekst, który w każdej linijce balansował między liryczną prostotą a banałem. Widownia

– w większości ludzie w moim wieku i starsi – znała go doskonale, już czułam, jak się szykują, by go rytmicznie zatłuc oklaskami, ale wtedy, gdy już wszyscy wiedzieli, co dalej, Pola... przerwała. Spojrzała znad gitary na ręce już gotowe do wyklaskiwania rytmu refrenu, odczekała, aż opadną, a potem spokojnie, czysto i wolniej, niż można się było spodziewać, zaśpiewała:

Jest już za późno!
Nie jest za późno!
Jest już za późno!
Nie jest za późno!

– Jest nadzwyczajna – szepnął Marcin.

Pokiwałam głową, ocierając łzy. Popatrzyłam na niego z dumą, choć zdawałam sobie sprawę, że nie ma w tym żadnej mojej zasługi. Nie mam pojęcia, skąd wiedziała, jak nie poddać się sali, umknąć przed przymusem zabawiania i „w rączki klaskania".

Jeszcze zdążymy naszą miłością siebie zachwycić,
Siebie zachwycić i wszystko w krąg...

śpiewała moja córka, a ja czułam ciepło i szorstkość dłoni Marcina.

Nie jest za późno!
Nie jest za późno!

Po koncercie Pola chciała jeszcze zostać na ogólnoszkolnym dżemie, gdzie wszyscy grali i śpiewali ze wszystkimi. Rozumiałam ją, musieli coś zrobić z nagromadzoną adrenaliną i rezerwami energii. Ostatecznie, czemuż innemu służą nasze, aktorów, popremierówki.

– Jak jej stosunki z ojcem? – zapytał Marcin, kiedy ruszyliśmy spacerkiem w stronę centrum.

– Wspaniałe.

– Naprawdę? Są blisko?

– Myślę, że Pola jest jedyną osobą na świecie, o której można powiedzieć, że Grzesiek ją kocha – powiedziałam z przekonaniem.

– Nie okłamuje jej? – drążył.

– Oczywiście, że okłamuje. Ale ona go i tak kocha.

– Ma do ciebie pretensje, że się z nim rozstałaś?

– Nic mi o tym nie wiadomo. Przecież wie, że ojciec od lat ma inną żonę, a ja jestem sama.

– Jak myślisz, liczy się z tym, że to się może zmienić?

– Nie sądzę – roześmiałam się. – Jest przekonana, że jej towarzystwo w zupełności mi wystarcza.

Przeszliśmy pod Zamek, a potem w dół, do mostku na Łynie. Przez cały ten czas prawie nie odzywaliśmy się do siebie. Myślałam o tym, jak szybko się skończy ten kilkudniowy sen. Marcin wracał do Stanów – trudno, żeby zrezygnował z pracy – ja za miesiąc kończyłam sezon i teoretycznie mogłabym do niego przyjechać. Ale tylko teoretycznie.

Chodziła mi po głowie scena ze „Złotego klucza", jednej z najpiękniejszych baśni, jakie napisano dla teatru lalek: „Dlaczego ja, Duda, mam źle na świecie? – Bo nie przykręcasz". Nie zamierzałam „przykręcać", okłamywać Marcina ani samej siebie. Szczególnie samej siebie.

Nie tym razem.

Zawróciliśmy. Wstąpiliśmy do jednej z tych odpicowanych nowych kawiarenek w okolicy Zamku. Usiadłam i rozejrzałam się po sali, w paru miejscach dostrzegając znajomych.

– Kiedy będziesz mogła do mnie przyjechać? – usłyszałam Marcina.

Uśmiechnęłam się tylko.

– Kiedy? – powtórzył.

– Nigdy – powiedziałam. – Nie stać mnie na taką podróż.

– Ale ja nie pytam, czy cię stać – zniecierpliwił się. – To chyba oczywiste, że kupię ci bilet.

– Oczywiste? – podniosłam głos zaczepnie. – Nic mi o tym nie wiadomo.

Musieliśmy przerwać, bo podeszła kelnerka i Marcin zaczął składać jakieś niezwykle skomplikowane zamówienie. Ja milczałam – nie wiem, czemu poczułam się tak dotknięta jego propozycją. Dzisiaj myślę sobie, że łatwiej mi było wtedy okazać urazę niż bezbrzeżne zdziwienie tym, że ktokolwiek chce mi coś ułatwić.

– Nie chciałem cię obrazić – powiedział, kiedy dziewczyna odeszła do innego stolika.

– Nie obraziłeś, ja tylko...

– Przepraszam, jeśli poczułaś się niezręcznie – przerwał mi. – Ale tak strasznie się boję, że za chwilę znikniesz, znowu... Po prostu bardzo chcę, żebyś do mnie przyjechała... żebyście obie przyjechały...

– Nie stać mnie – powtórzyłam z uporem.

– Ale mnie stać. I już – powiedział, biorąc mnie za rękę. – Porozmawiamy spokojnie i wszystko uzgodnimy.

Widziałam, jak Karolina, jedna z moich starszych koleżanek, omal nie wylała sobie latte na dekolt, bo usiłowała tak się wykręcić, by dojrzeć, kto siedzi ze mną przy stoliku.

– Tak. Uzgodnimy – mruknęłam.

Uzgodnimy, zapłacę, cóż za romantyczna konwersacja, pomyślałam kwaśno i w tym samym momencie szarpnęłam sobie cugle.

Naprawdę chciałabyś, żeby przespał się z tobą i zniknął w sinej dali? Tak byłoby lepiej? Tak jak zawsze?

Marcin chciał coś mi dać, coś mi ułatwić i było to dla mnie niepojęte. We wszystkich moich dotychczasowych związkach to ja się starałam, to ja dawałam, ułatwiałam, znajdowałam dojścia i wyjścia. Kiedy przestawałam stawać na głowie, związek zdychał i po raz kolejny okazywało się, że od początku jechał tylko na mojej energii.

To, co działo się teraz między nami, było zaledwie nadzieją, przeczuciem, że być może przydarzy nam się coś więcej niż parę miłych chwil. Nie było jeszcze mowy o związku, a ja już dostałam tyle, że nie umiałam tego spokojnie przyjąć. Nie ufałam darom, które miałyby przyjść ot, tak.

Szarzało, chociaż sroki na drzewach wokół bloku jeszcze nie zaczęły swoich porannych sprzeczek, kiedy obudziłam się z płytkiego snu. Otworzyłam oczy i napotkałam uważne spojrzenie Marcina. Nie wiem, czy w ogóle zasnął. Leżał z ręką pod głową i przyglądał mi się... Bez okularów. Ciekawe, jak długo.

– Co jest? – zapytałam, przysuwając się bliżej.

– Zaskoczyłaś mnie.

– Ciekawe czym? Mam się bać?

– Skądże – odnalazł moją dłoń i położył ją sobie na sercu. – Zaskoczyło mnie, że chciałaś ze mną spać.

– Chciałam. To chyba nic złego – mruknęłam. – Można spać ze sobą i nawet się nie dotknąć.

– Tak? – roześmiał się. – Ja z pewnością od początku myślałem o czymś innym.

Nie mogłam się nie roześmiać. Przewróciłam się na plecy.

– Nie wiedziałam, że to się stanie tak szybko – przyznałam.

– Bo to było tempo amerykańskie – zażartował.

Nie, pomyślałam, to było święto.

Tej nocy już nie zasnęliśmy. O wschodzie słońca dotarło do mnie, że nic mi się nie wydawało, nie uległam nastrojowi chwili, a może nawet pierwszy raz w życiu się nie pomyliłam.

Potem odprowadziłam Marcina na pierwszy poranny pociąg do Warszawy. W taksówce jadącej na dworzec dał mi czek, żebym miała czym opłacić wizę. Już bez gadania schowałam go po prostu do torebki, chociaż nadal nie mieściło mi się w głowie, że nagle wszystko stało się możliwe.

Już kiedyś byłam w takim stanie, w takim miejscu, w którym czułam, że wszystko się może zdarzyć. Ale tamto nie budziło euforii ani nadziei.

Dopiero po wyprowadzce Grzegorza zrozumiałam, jak dalece osobnym życiem żyliśmy i jak dalece był nieobecny w mojej codzienności, nie mówiąc już o codzienności naszej córki. Na szczęście Pola nie miała żadnego porównania i najdziwniejsze zachowania ojca przyjmowała ze spokojem właściwym tylko małym dzieciom. Uwielbiała Grześka.

Zostałam w ledwie oswojonym mieście z małym dzieckiem – obca i mało komu znajoma. Nie wiem, jak bym sobie poradziła, gdyby nie to, że parę miesięcy później do Olsztyna zjechała Elka z mężem i trojgiem dzieci. Przynajmniej miałam się komu porządnie wypłakać.

Pola kończyła już karierę przedszkolną, kiedy pierwszy raz napomknęłam o rozwodzie. Byłam zmęczona comiesięcznym telefonowaniem do Wrocławia, zawsze w sprawie pieniędzy. Grzegorz, któremu po roku czekania na okazję udało się zatrudnić w teatrze dramatycznym, nie uchylał się od płacenia.

Bez większych sporów ustaliliśmy sumę, jakiej mogłam oczekiwać, ale za każdym razem musiałam poprosić, żeby on, po długiej litanii swoich problemów i niezaspokojonych potrzeb, na koniec zaznaczając, że odejmuje sobie od ust, łaskawie dał. Chciałam uregulować swoją sytuację i przynajmniej formalnie uniezależnić kwestie finansowe od jego widzimisię.

Była sobota, przed południem graliśmy „Jasia i Małgosię" dla dzieci z katolickiej szkoły podstawowej. Pamiętam, że w finale, podczas braw i ukłonów, na scenę wdrapała się któraś z nauczycielek i gromkim głosem oznajmiła:

– A dzieci, które kibicowały wilkowi, mają grzech, bo zdradziły Jasia i Małgosię.

Brawa umilkły jak nożem uciął i przez chwilę aktorzy stali się widzami żywego obrazu: pięćdziesiątka dzieci w kamień zamieniona. Kolega, który grał wilka, rewelacyjnie go grał, po prostu zdębiał. My też. Z tego wszystkiego zaczęliśmy bardzo głośno i trochę nieskładnie śpiewać jeszcze raz finałową piosenkę. Ale dzieci wybrały ewakuację do szatni.

To dopiero był teatr. A może nawet cyrk.

Na ogół w takie dni Pola szła do sąsiadów dwa piętra niżej. Starsi państwo, których dwie wnuczki wyjechały do Australii, zajmowali się nią, kiedy była taka potrzeba, z entuzjazmem i za symboliczne pieniądze. Byli naprawdę kochani. Pola nachodziła ich o dowolnych porach, a kiedy bywała na mnie zła, groziła, że przeprowadzi się do nich „na zawsze". W tę sobotę jednakże moja córka została w domu z babcią – mama przyjechała poprzedniego dnia z jedną ze swoich rzadkich wizyt.

Skończyłam przedstawienie. Przy wejściu do garderoby zaczepiła mnie portierka, mówiąc, że moja matka dzwoniła z domu kilkanaście razy i mam jak najszybciej oddzwonić. Natychmiast pobiegłam z nią do dyżurki, ale najbujniejsza fantazja aktorki lalkowej nie przygotowała mnie na tę rozmowę:

– Czy możesz się zwolnić i natychmiast wrócić do domu? – powiedziała moja matka bez wstępów, odebrawszy telefon.

– Już skończyłam. Co się stało? – zapytałam przerażona.

– Przyjechał ojciec Grzegorza i brat – odpowiedziała krótko.

– Mamo, Grzegorz jest sierotą i nie ma braci! – zawołałam, wyobrażając sobie dwóch bezwzględnych bandytów, których matka w niepojętym zaćmieniu umysłowym wpuściła do domu! Wypiją herbatę, zamordują ją z zimną krwią, a Polę sprzedadzą handlarzom żywym towarem.

– Byłoby lepiej, gdybyś tu przyjechała – powiedziała moja matka i odłożyła słuchawkę.

Był koniec miesiąca, ale natychmiast wezwałam taksówkę, choć już w drodze żałowałam, że nie zadzwoniłam jeszcze na policję. Mimo woli zagapiłam się na licznik, zastanawiając się, z czego będę musiała zrezygnować w przyszłym tygodniu – dyscyplina samotnej matki działa bez względu na sytuację. Dotarłam na Orłowicza, przeleciałam jak wiatr cztery piętra bez windy i wpadłam do domu, spodziewając się najgorszego.

Matka otworzyła drzwi i bez słowa przepuściła mnie do kuchni, która w moim dwupokojowym mieszkaniu pełniła również rolę salonu. Obaj siedzący tyłem do wejścia mężczyźni zerwali się i ruszyli mnie powitać. Pola, która dotrzymywała im towarzystwa, pomachała mi rączką, ale minę miała dziwną. Znałam tę minę. Pojawiała się w sytuacjach, kiedy Pola nie wiedziała, co ma o czymś myśleć i czekała na moją reakcję, by się rozpogodzić albo nachmurzyć.

– Cześć – uśmiechnęłam się do niej. – Czy mi się zdaje, czy już dawno nie przebierałaś Laury?

– Ojej! – Zafrasowana Pola popędziła do swego mikroskopijnego pokoiku.

Rzut oka wystarczył, żeby rozwiały się wszelkie wątpliwości, choć sytuacja wydawała się rodem z kolumbijskiej telenoweli. Młodszy z mężczyzn wyglądał jak mocniejszą kreską narysowany Grzesiek z przyciemnionymi włosami. Starszy miał twarz inaczej ciosaną, ale jego sylwetka i włosy – ni to jasne, ni to siwe – powiedziały mi wszystko, czego potrzebowałam, choć nie od razu to do mnie dotarło.

– Stanisław Trześniewski. – Starszy z mężczyzn chwycił moją dłoń i zaczął ciągnąć ją w górę, jak to się często zdarza ludziom jego pokolenia, nawykłym do całowania po rękach.

– Tomek – rzucił drugi.

– Nie bardzo rozumiem... – zaczęłam – to znaczy, Daria Trześniewska – dodałam niezwykle inteligentnie i zamilkłam.

Nie wiem, jak długo stalibyśmy w potrójnym zakłopotaniu, gdyby nie moja matka, która postanowiła przyjąć na siebie rolę narratora tej obłędnej opowieści. Na całym świecie nie było chyba drugiej osoby, która w takiej sytuacji poinformowałaby po prostu:

– Pan Trześniewski przyjechał z Włodawy poznać Polę, no i ciebie oczywiście. Nie mógł zrobić tego wcześniej. Grzegorz powiedział mu sześć lat temu, że dziecko zmarło przy porodzie, a ty zwariowałaś i do końca życia pozostaniesz w zakładzie zamkniętym.

Czy wspominałam, że moja mama jest nauczycielką matematyki?

– I co się zmieniło? – zapytałam zaciekawiona, a może kompletnie ogłupiała.

– Zapomniał, że to powiedział – oznajmiła matka rzeczowym tonem. – Przywiózł do domu kandydatkę na kolejną żonę, a rodzice wytłumaczyli mu, że raczej nie dostanie rozwodu, jeśli pierwsza jest w wariatkowie.

– Rodzice? – szepnęłam, a może jęknęłam.

– Żona, niestety, nie mogła przyjechać – wyjaśnił pospiesznie mój... hm, teść. – Nie najlepiej się czuje po tym wszystkim, potrzebuje trochę czasu, żeby się oswoić, sama pani rozumie.

– Nie, nic z tego nie rozumiem – przerwałam mu. – To niemożliwe, ja byłam jego żoną. Przecież normalnie studiował, funkcjonował, pracował, byłam przy tym...

Sama nie wiem, czemu nagle zaczęłam bronić Grzesia Kłamczucha, z którym od dawna nie chciałam mieć nic wspólnego. Może dlatego, że jednak miałam... sześcioletnią dziewczynkę, która kochała swojego ojca.

– Nie wiedzieliśmy, że w ogóle poszedł na studia. Mówił nam w tajemnicy, że handluje kradzionym węglem z Ruskimi i zarabia jakieś kosmiczne pieniądze – wyjaśnił Tomek znużonym głosem.

Zaczęłam się śmiać. Grzesiek i kosmiczne pieniądze! Czułam, że jeszcze słowo, a ten śmiech przejdzie w szloch albo jakąś histerię.

– I co wy na to? – wydusiłam zaciekawiona.

– Matka, wiadomo, zamartwiała się – odezwał się ojciec Grześka – a ja nawet uwierzyłem. Miałem trochę pretensję, że nic nie zobaczyliśmy z tych kosmicznych pieniędzy.

– I przez tyle lat nikt tego nie sprawdził? Nikt go nie odwiedził, nie zainteresował się, czy przypadkiem nic mu nie grozi?

– Dorosły był – wyjaśnił. – Potem dostaliśmy wiadomość, żeby go nie szukać, bo ma kłopoty i musi jakiś czas się ukrywać. Przed UOP.

– Gdzie niby? – zaśmiałam się. – W teatrze lalek?

– W Puszczy Białowieskiej.

– O Boże! – jęknęła mama.

– Aha – wychrypiałam, zastanawiając się, co powinnam powiedzieć albo zrobić.

Nie miałam pojęcia. Nie byłam bohaterką telenoweli. Nikt nie napisał kwestii, którą mogłabym teraz wygłosić, wykrzyczeć, wyjęczeć. Nie miałam siły myśleć. Dlatego odwróciłam się i weszłam do pokoiku Poli. Zamknęłam za sobą drzwi i powolutku osunęłam się po nich na podłogę.

– Jak tam Laura? – zapytałam.

– Szykuje królewskie szaty na spotkanie z dziadkiem i babcią drugą – wysapało dziecko, mocując się z mikroskopijnymi guziczkami w różowej kreacji balowej ulubionej lalki.

Było to obezwładniająco konkretne i jasne podsumowanie, choć z nas dwóch to Pola była małą księżniczką.

Ktoś szarpnął drzwiami, rozległo się energiczne pukanie. Na czworakach przesunęłam się bliżej Poli. Drzwi się otworzyły i weszła moja mama. Popatrzyła na nas z góry, parsknęła śmiechem. Zaskoczyła mnie, bo w kuchni wyglądała tak, jakby najwyższym wysiłkiem powstrzymywała histerię, szał, nie wiem co, coś gwałtownego i okropnego.

– Zamierzasz tu przesiedzieć sprawę? – zwróciła się do mnie. – Tak się nie da.

– A co mam zrobić? – zapytałam. – Uściskać rodzinę męża, postawić flaszkę na stole i do rana opowiadać im historię swego życia?

– Wyjdziesz stąd sama czy mam cię wyciągnąć za nogę?

– A babcia odpowiada pytaniem na pytanie – zauważyło dziecko rezolutnie.

Podniosłam się z podłogi i posłusznie wyszłam do swoich gości.

– Mam nadzieję, że powiedzieliście o wszystkim Jagodzie – wydusiłam, kiedy już jako tako pozbierałam myśli.

– Bo ty nie masz czym się martwić – mruknęła mama.

– Tak – odparł Tomek z ożywieniem. – Za jej namową podjął terapię.

– To się leczy? – zdziwiłam się.

– Ja tam nie wiem. To ona mówi, że Grzesiek kłamie, żeby się dowartościować, bo ma te, no…

– Kompleksy – podpowiedziała uprzejmie moja matka, a ja spojrzałam na nią oczami jak spodki.

– No, kompleksy, właśnie. Cholera wie, może i tak.

Koń by się uśmiał, pomyślałam. Facet, który sprowadził mnie i moje poczucie własnej wartości do parteru, a może jeszcze niżej, będzie teraz pracował nad wzmocnieniem swojej samooceny, żeby mieć siłę zmierzyć się z prawdziwym sobą. A ja? Co mam zrobić ze sobą i swoim zmarnowanym życiem?

– Mamusiu – zawołała Pola, stając w drzwiach – jeszcze nic nie jadłam od drugiego śniadania! Ja chyba jestem chora!

Prawidłowa odpowiedź stała przede mną w czerwonych rajstopkach i granatowej sukience z osiedlowego lumpeksu.

„Opadły mgły”

czerwiec – grudzień 2001

1

Daszo najmilsza,
nawet nie wiesz, jak wspaniale było mi z Tobą przez te kilka dni. Poczułem, że gdzieś we wszechświecie są dla mnie możliwe ład i uspokojenie, za którymi tęsknię. Trzeba było tylu lat…

Nie wierzyłem, że nasze drogi kiedyś jeszcze się zejdą. To, co się stało, przeszło moje oczekiwania.

Chce mi się żyć. Od dawna tak dobrze się nie czułem. Widzę światło w tunelu. Wierzę, że to nie błysk lusterka, co było moją młodzieńczą obsesją, skąd wiele pomyłek w życiu i wiele pesymizmu.

Jest mi trudno iść przez rozwód. Z każdym dniem wyczuwam w Helen coraz więcej gniewu. Ciągle wini mnie za to, co się z nią dzieje, za to, że nagle musi iść do pracy, że została sama. Nie taki był jej plan.

Były to dobre lata w moim życiu i jestem jej za nie wdzięczny. Mam nadzieję, że jest coś, za co i ona jest mi wdzięczna. To, co się z nami stało, jest konsekwencją naszych wyborów: ona wybrała, że nie będzie mieć dzieci, ja wybra-

łem dzieci – nie ma tu miejsca na kompromis. Nie mogę przez całe życie jej utrzymywać. Nie chcę, to się kłóci z moim poczuciem sprawiedliwości.

Piszę Ci o tym, byś spróbowała mnie zrozumieć.

Nie wiem, co się z nami stanie. Nie wiem, co każde z nas wybierze. Bardzo chcę być z Tobą, ale mogę tylko liczyć na to, że Ty też tego zechcesz. Bardzo tego pragnę, ale to nie jest ogień, który mogę w Tobie zapalić. Muszę poczekać, aż sam się zatli.

Będzie dobrze. Byleby wojny nie było, jak mówiła moja babcia.

Tęsknię,
Marcin

Dasza żyła jak Ostatni Mohikanin albo amisz. Nie miała i nie potrzebowała w domu komputera ani Internetu. Nie, nie głosiła w tym względzie jakichś teorii, po prostu uważała, że to obszar rzeczywistości, który jej w żaden sposób nie dotyczy. Była aktorką. Teatr lalek – jak każdy teatr – żyje wyłącznie chwilą, jest ulotny, jednorazowy i nieodwołalnie przemija w czasie rzeczywistym. Do budowania kolejnych ról Dasza potrzebowała swojego ciała i głosu, a nie wiadomości z internetowych serwisów. Jej pamiętnikiem (sam widziałem, choć nie zaglądałem, no, może trochę) był szary brulion z pozaginanymi w trójkąt stronami (jak w czwartej klasie). Pomysł pisania internetowego dziennika, do którego miałby zaglądać ktokolwiek poza nią, wydałby jej się ekshibicjonistyczną perwersją. Miała jedną pensję i jedno pustawe konto w oddziale PKO na swoim osiedlu. Do jego opróżniania wystarczała jej karta bankomatowa, a i ją traktowała z nieufnością.

Najdziwniejsze było jednak to, że jej córka żyła w tym samym mohikańskim stylu. Nie prowadziła bloga, nie tkwiła na Gadu-Gadu, nie robiła nic z tego, co dla wszystkich nastolatków znanych mi z widzenia i ze słyszenia stanowiło istotę i sens życia. To prawda, słuchała muzyki na odtwarzaczu kompaktowym, ale już informacji szukała w encyklopediach i słownikach, a jeśli czegoś nie mogła znaleźć w domu, szła do biblioteki. No i czytała książki, co samo w sobie było dla mnie zdumiewające.

Po tylu latach znowu zacząłem pisać listy. Uznałem, że bezpieczniej będzie na komputerze, od tak dawna nie pisałem odręcznie tekstów dłuższych niż lista zakupów... Sam się odzwyczaiłem od swoich bazgrołów i nie wyobrażałem sobie, by ktokolwiek poza mną miał cierpliwość je odszyfrowywać. Dziwnie było drukować jedną czy dwie kartki, wkładać je do koperty i jechać na pocztę. Potrafiłem pojechać na pocztę na lotnisku, jeśli okazywało się, że się spóźniłem i nie udało mi się dopaść listonosza. A te listy szły parę dni, nie całe tygodnie jak kiedyś. Niesamowite!

Czułem się jak neoluddysta, który odrzuca nowoczesność z jej formami komunikacji, co w połączeniu z moją pracą – zajmowałem się bezpieczeństwem informatycznym w dwudziestu co najmniej firmach – stanowiło mocno schizofreniczną mieszankę.

Więc listy, czekanie na listy i telefony – potem już codzienne. Nic innego się wtedy nie liczyło, tylko te listy i wydzwanianie. W życiu tyle nie rozmawiałem przez telefon, co wtedy.

Ciężko mi było się przełamać w tych rozmowach. Brakowało mi obrazu, nie czułem intymności, spotkania, dotyku, zapachu. Od lat używałem telefonu jako narzędzia biznesowego. Jeśli chciałem być bliżej kogoś, pisałem albo „fatygowałem się" osobiście. Ostatecznie mailowałem.

Daszo najcudniejsza,
sobota rano, leniwa. Smutno, boleśnie. Ale żyję, piję herbatę, słucham muzyki, rozmawiam z Tobą. Wiem, że coś się kończy. I coś się zaczyna.

Cieszę się każdym telefonem do Ciebie i od Ciebie. Ciągle są takie nierealne, ciągle mnie zadziwiają. Mam wrażenie, że Cię nie znam, tak mało o Tobie wiem. A z drugiej strony – jakbym Cię znał od wieków. Jak sobie z tym poradzić? Kim ja dla ciebie jestem? Jak to będzie? Jak to sobie wyobrażasz?

Myślę sobie, że nie muszę już nic nikomu w życiu udowadniać. Wiem, co mogę, wiem, że mogę wszystko. Ciągle siebie zaskakuję – czasami niezbyt pozytywnie. Ale żyję, jestem.

Śmierć Andrzeja w jakiś sposób przyspieszyła mój własny rozpad, depresję i beznadzieję. Dziś jest lepiej. Odkryłem przez to doświadczenie trochę więcej siebie, zrozumiałem też trochę innych ludzi. Nabrałem dystansu do problemów, ale też uświadomiłem sobie swój gniew i żal.

Żyję. On nie. Ja mogę coś zmienić. On nie. Ja cierpię. On nie. Jaki z tego rachunek?

Piszę Ci o tym, bo to ciągle kołacze się we mnie, ciągle boli. Czy wiesz, że nadal pisze do mnie i dzwoni jego ostatnia dziewczyna? Ma na imię Sara. To aż dziwne, że nadal chce się ze mną kontaktować...

Następna herbata. Za oknem zaleca się do mnie wierzba płacząca (chyba). Ludzie opalają się przy basenie. Nie znam tu nikogo. Wszyscy są jacyś strasznie profesjonalnie-obcy, zamknięci w sobie. Dużo tu pracowników Oracle'a, to taka wielka firma komputerowa. Mimo że do pracy mają piętnaście minut spacerkiem, jadą tam samochodami.

Upał. Całe szczęście, że wiatr od zatoki chłodzi.

Życie bardzo dziwnie się układa.

Całuję cię tu i tam,

Marcin

PS Przesyłam oficjalny list, który możesz dołączyć do wniosku o wizę. Proszę Cię, zrób to przez biuro podróży. Nie ma sensu, byś jechała do Warszawy i stała w idiotycznych kolejkach.

Tymczasem w Polsce skończył się rok szkolny. Dasza i Pola wyjechały na wycieczkę do Włoch, która była nagrodą w jakimś lokalnym konkursie piosenki. Nie wiedziałem, co to za konkurs, kiedy go wygrały, nie miałem pojęcia, że gdziekolwiek poza domem śpiewają w duecie – i już cieszyłem się na chwilę, kiedy je w tym duecie usłyszę.

O niczym prawie nie miałem pojęcia. Wiedziałem tylko, jak układają się włosy Daszy na poduszce, jak odsuwa się ode mnie, by zasnąć, przyzwyczajona do samotnego spania. Wiedziałem, jaka dumna jest ze swojej córki. I jeszcze jedno wiedziałem – że tęsknię jak potępieniec.

Dasza nie miała i nie zamierzała kupować komórki, stanowczo twierdząc, że jeśli ktoś, tak jak ona, prowadzi życie konia w kieracie, to nie potrzebuje jeszcze smyczy. Długo ją namawiałem i uległa chyba tylko po to, żeby mi sprawić przyjemność. Nie dało się ukryć, że z nas dwojga to ja nie wyobrażam sobie dnia bez rozmowy, a już o tym, że przez tydzień nie miałbym żadnych wiadomości od Daszy, wolałem nawet nie myśleć.

W końcu zdecydowała się po raz pierwszy w życiu wziąć pożyczkę w banku – minimalną, ale przejmowała się nią tak, jakby zapisywała duszę diabłu – i kupiła komórkę. Niestety, nie dopilnowałem, żeby przed wyjazdem do Włoch uruchomiła roaming.

I zaczęło się.

Ścigałem ją po całych Włoszech. Miałem szczegółowy plan wycieczki. Każdego wieczoru dzwoniłem do hotelu, w którym Dasza miała tego dnia nocować – wycieczka była autokarowa i mocno objazdowa. W żadnym z nich nikt nie mówił ani słowa po angielsku, choć każdy, kogo o to pytałem, ochoczo potwierdzał. Znalazłem tłumacza angielsko-włoskiego w necie, ciekawy programik, z którego wychodziły przekłady w rodzaju: „Ja kochać Frania, północ, majtki zdjąć". W tym mniej więcej stylu zadzwoniłem do kolejnego hotelu. Pamiętam, jak dumny i blady powiedziałem to, co sobie pracowicie przygotowałem:

– *Buona sera, potreste collegarli il vostro ospite Daria Trzesniewska?*

Najpierw w słuchawce zapadła cisza, a potem usłyszałem długą, potoczystą i kompletnie niezrozumiałą – dla mnie, rzecz jasna – odpowiedź. Tak się skończyły złudzenia, że mogę się porozumieć po włosku za pomocą Internetu.

Miałem wtedy bardzo dużo pracy, ciągle podróżowałem po całym Zachodnim Wybrzeżu i do Azji. To była niezła logistyka i matematyka – w jakiej jestem strefie, która teraz jest we Włoszech – godzinami to wyliczałem, ale miałem tylko jeden cel: codziennie rozmawiać z Daszą. Nie było nic ważniejszego. Kiedy dzisiaj przypominam sobie tamten lipiec, jest dla mnie oczywiste, że to był kompletny amok i szaleństwo.

W końcu dziewczyny wróciły z Włoch, ale tylko przepakowały plecaki i pojechały z Elką i jej rodziną do Bączyna, tej magicznej wsi, o której Dasza powiedziała, że tak naprawdę to jest jej miejsce na ziemi i mogłaby tam zamieszkać, choćby w namiocie.

Znowu zaczęło się szaleństwo, bo w Bączynie telefon działał tylko dwa metry od domu i tylko w jednym miejscu na podwórzu. I przestawał działać, jak tylko Dasza przyłożyła słuchawkę do drugiego ucha.

Wstawałem rano z głową nabitą snami o Daszy. Żeby dojechać do pracy, musiałem codziennie przejeżdżać koło lotniska w San Jose. Za każdym razem z trudem się powstrzymywałem, żeby nie zjechać na prawo, na lotniskowy parking i nie wsiąść do samolotu do Daszy. Nie wiem, jakim cudem udawało mi się mimo wszystko pracować, jakim sposobem udawało mi się przekonywać klientów do kupienia moich usług, skoro jedyne, czego chciałem, to dożywotnio sprzedać swoje usługi Daszy! Nie interesowała mnie już praca, kariera, awans. Chciałem tylko być z nią.

Moje życie stanęło na głowie i tak już stało do chwili, kiedy w środku nocy Dasza zadzwoniła z wiadomością, że w końcu dostała wizę. Wtedy też powiedziała, że Pola stanowczo nie chce z nią przyjechać. „Nie ciągnie mnie" – stwierdziła podobno. Mimo to Dasza szykowała się do wyjazdu.

Ale głos miała bardzo niepewny.

2

Pola załatwiła mnie odmownie.

– Nigdzie nie jadę – oświadczyła, przerywając mi w pół zdania.

– Dlaczego? – szczerze się zdziwiłam. – Nie chcesz zobaczyć San Francisco? Golden Gate, Alcatraz, Chinatown...

– Widziałam na filmach – mruknęła i widząc moją minę, dodała wielkodusznie: – Ale ty jedź, jak chcesz.

– Córeczko, o co chodzi?

– O nic. Po prostu mnie tam nie ciągnie. A ciebie tak – powiedziała z nieco złośliwym, ale chyba jednak w sumie ciepłym uśmieszkiem. Jak to Pola. Po czym dodała: – W sierpniu mam imieniny. Takie okazje spędza się wyłącznie z najbliższą rodziną.

– Ja jestem twoją najbliższą rodziną.

– Ale wolisz jechać do Stanów. Na szczęście mam jeszcze ojca – przypomniała mi spokojnie. Jak to Pola.

Och, ty mała żmijo, pomyślałam sobie. Żebyś wiedziała, że pojadę!

– W porządku – powiedziałam lekko – zaraz do niego zadzwonię.

Potrzebowałam trzygodzinnego spaceru z Figą, żeby odparować po tej rozmowie.

Trudno. Jeśli trzynaście imienin, czternaście urodzin i nie wiem ile świąt spędzonych w moim towarzystwie nagle przestało się liczyć, bo ośmielam się zrobić coś, co nie podoba się mojej córce – to trudno.

Jechałam do Warszawy na rozmowę w konsulacie z mieszanymi uczuciami. Dziwnym trafem siedziałam sama w przedziale. Otworzyłam wiekowy plecak, z którym podróżowałam wszędzie poza Olsztyn. Wyjęłam dwa niebieskie paszporty. Tak, z jakiegoś powodu chciałam też wyrobić wizę Poli. Może na przekór?

Pola z blond lokami wpatrzona dumnie i zimno w oczy fotografa. Pewnie się mocno speszył. Pola lubi to robić, o czym powiedziała mi kiedyś w chwili szczerości starszo-dziewczyńskiej. Już widać w niej kobietę, z całym aparatem czułości i wzgardy jednocześnie. Po kim ona to ma?

Popatrzyłam na siebie sprzed kilku lat. Dziwnie wychodzę na kolorowych zdjęciach – to za ciemna, to za jasna. Tylko włosy zawsze połyskują jednakowo. I jeszcze tamte wielkie okulary, w których od biedy można by rozpoznać odbicie fotografa. Po co był mi wtedy potrzebny paszport? Aha, na wyjazd do Francji z „Calineczką". Przez moment poczułam to samo kopnięcie, podniecenie – to był mój pierwszy wyjazd na Zachód.

Jak będzie tym razem? Czy chcę tam pojechać? Nie byłam pewna. Ale chciałam zobaczyć Marcina, San Francisco, Marcina i jeszcze raz Marcina. Coś zaczęło się tlić między nami. Może będzie z tego ledwie płomyczek, a może ściana ognia.

Marcin, i ty chcesz mnie taką? „Łatwopalną"? Kto to śpiewał?

Trochę dziwnie się czułam, stojąc w długiej kolejce za bramą konsulatu. Wystraszona najróżniejszymi opowieściami, nastawiłam się na tkwienie w ogonku jak za dawnych, średnio dobrych czasów, ale już po dwudziestu minutach byłam przy drzwiach wejściowych. Pięć minut później, zrewidowana, pozbawiona telefonu i pilniczka do paznokci, szłam w dół schodami, na których unosił się intensywny, niby kwiatowy zapach środka czyszczącego, od którego chciało mi się kichać.

Podeszłam do okienka, przygotowana w równym stopniu na zgodę, jak i odmowę. Po drugiej stronie czekał na mnie chłopak z pokaźną kolekcją identyfikatorów na szyi. „Colin jakiś tam", przeczytałam.

– Dzień dobry pani – powiedział do mikrofonu, a ja zgłupiałam.

Był młody, bezwstydnie młody, ale przyglądał mi się z osobliwą mieszaniną pobłażliwości i uwagi, a zarazem chyba znudzenia, tyle że profesjonalnie ukrywanego. Spojrzał w dokumenty.

– Pani mieszka w Olsztynje, tak? Bardzo mnje się podoba Pantomima teatr tam, zna pani, aktorzy, co nie słyszą.

Pokiwałam głową.

– Pani jest aktorką.

– Tak – bąknęłam.

– Och, pani jest aktorką teatru lalek. Ja uwjelbiam Jim Henson. Czy pani wie, kto to jest?

– Oczywiście – odetkałam się wreszcie – to twórca Muppetów.

– Bo mój ojciec, on jest z Oakland, mieszkał kiedyś obok Mike Oznowicz na Broadway Terrace, wie pani, to ten ojciec Frank Oz, Miss Piggy?

Stałam, gapiąc się na niego jak na człowieka z kosmosu. Czy on mnie bierze za Miss Piggy?

– A gdzie jest Pola Trzrzrzeesnewskaaa? Córka?

– Tak, córka. Też chcę ją zabrać, ale jest teraz na obozie wędrownym w Bieszczadach.

Popatrzył na mnie, jakby oczekiwał dalszego ciągu. Nie było.

– Kto to jest Marcin Zalewski? Boyfriend? – zapytał, nawet nie wiedząc, w jakie grzęzawisko wdepnął.

– Kolega z liceum. Spotkaliśmy się na zjeździe szkolnym kilka tygodni temu. Zaprosił mnie, bo jesteśmy przyjaciółmi. Nie, nie jest boyfriend. Zajmuje się bezpieczeństwem w Stanach.

– Aha, security – powiedział i przez minutę klepał w klawiaturę. Może sprawdzał, czy Marcin Zalewski w ogóle istnieje. Chyba go znalazł.

– To cjekawe. On napisał interesujący artykuł – rzucił, nie patrząc na mnie.

Artykuł? Możliwe. Jaki artykuł?

„Co ty w ogóle o nim wiesz? " – zapytała mnie moja córka.

Więcej niż wiedziałam o twoim ojcu, kiedy za niego wychodziłam, dziecko, pomyślałam, ale faktycznie. Niewiele. Tylko to, co sam o sobie powiedział. No cóż...

– Good luck – wyrwał mnie z zamyślenia „Colin jakiś tam".

Kiedy kurier przywiózł mi oba paszporty do domu, okazało się, że dał nam wizy na dziesięć lat. Po diabła na tyle?

Tymczasem nie chciałam czekać do wieczora. Zadzwoniłam do Marcina z automatu na Dworcu Centralnym.

– Cześć. Dostałam wizę! – rzuciłam w słuchawkę, ledwie usłyszałam stłumione „hallo".

– Och, to fajnie – odpowiedział Marcin i zamilkł, a mnie zmroziło.

– Przyjeżdżam sama – dodałam już mniej entuzjastycznie. – Pola nie dała się namówić.

– Trudno – mruknął Marcin i znowu zamilkł.

– Ale cieszysz się, że przyjeżdżam? – zapytałam głupio, solidnie już wkurzona.

– Mhm – usłyszałam.

Cóż za euforia, pomyślałam wściekła.

Szybko zakończyłam rozmowę. A i karta też błyskawicznie się skończyła. Dopiero kiedy odwiesiłam słuchawkę, dotarło do mnie, że u niego jest jeszcze środek nocy i najzwyczajniej w świecie wyrwałam go ze snu.

Następnego dnia zadzwonił z wiadomością, że wysłał na moje konto pieniądze na przelot. Już nie dyskutowałam, tylko poszłam do tego samego biura podróży, które umawiało mnie na rozmowę w konsulacie, i zabukowałam bilet na sierpień.

Nie było już możliwości, żeby w tym terminie lecieć bezpośrednio do Stanów za mniejsze pieniądze, wszystko było wykupione. Po dwóch godzinach intensywnych kombinacji i niemniej intensywnego zaglądania mi w dekolt spocony praktykant biura podróży zaproponował mi lot z przesiadką w Zurychu. Zgodziłam się bez namysłu. Mnie tam bez różnicy. Wszystko wydawało mi się tak nierealne, że równie skwapliwie zgodziłabym się pewnie na przesiadki w Jekaterynburgu i w Pacanowie.

To był przedziwny czas. Pola pojechała na swój obóz wędrowny, teatr miał letnią przerwę, wycofałam się z wszystkich propozycji wakacyjnego chałturzenia. W teatrze patrzyli na mnie jak na wariatkę. Pies udawał, że mnie nie poznaje, kiedy wpadałam po niego do Elki, i siadał na tyłku już w bramie jej kamienicy, kiedy znowu chciałam go u niej zostawić. Gdzieś jeździłam, coś ustalałam, płaciłam prawdziwymi pieniędzmi, ale cały czas nie docierało do mnie, że to się dzieje naprawdę, że to mnie dotyczy. Ubezpieczenie od choroby? Proszę bardzo. Nowy plecak? A jakże. Przecież nie pojadę z tym, co pamięta... Nieważne. Nie miałam pojęcia, po co właściwie wybieram się do tych Stanów, wszystko szło siłą rozpędu, a ja z trudem nadążałam.

Niemal przed samym wyjazdem, na parę dni przed, w jednej z niezliczonych już wtedy rozmów telefonicznych Marcin powiedział znienacka:

– Tylko proszę cię, nie zadzwoń przypadkiem do Helen, że przyjeżdżasz.

Przez chwilę myślałam, że to dowcip.

– Już dzwonię, tylko skończę z tobą – rzuciłam i w tym momencie zorientowałam się, że to było na poważnie.

Wiele lat temu poznałam jego żonę podczas klasowego spotkania w Horteksie. Siedziała z nami bite trzy godziny, nawet nie próbując ukryć znudzenia. To chyba trochę za mało, żeby uznać ją za moją kumpelę w Ameryce?

Nic nie rozumiałam, a właściwie... wszystko było jasne.

– Wiesz co, w takim razie ja nie przyjadę – powiedziałam już innym tonem. – Nie mam zamiaru spotykać się z tobą po kryjomu. Ja niczego złego nie robię. Pieprzę to.

Czułam, jak moje słowa biegną po transatlantyckim kablu, docierają do celu i po chwili tą samą drogą doszło do mnie głuche:

– No trudno. Ale zastanów się nad tym jeszcze, proszę.

I już. Po balu.

Nie wiem, czego się spodziewałam. Że będzie mnie przekonywał, prosił, błagał? Tak, chyba tak. Naindyczyłam się po swojemu, nadęłam korale, żeby zaprezentować swoją urazę, a on potraktował moje słowa jak komunikat dorosłej osoby, przyjął do wiadomości i poprosił, żebym się jeszcze zastanowiła. Dzisiaj jest to dla mnie jasne, ale wtedy rozryczałam się jak dziecko i nie wiedziałam, co dalej. W myślach wyzwałam go od ostatnich chamów. Też na „ch".

Nawet przez myśl mi nie przeszło, że mogłam po prostu powiedzieć Marcinowi, jakie to dla mnie dziwne i przykre słyszeć, że mam do niego przyjechać w tajemnicy i kryć się po kątach.

W moim domu rodzinnym i tym małżeńskim nie prowadziło się rozmów, w których człowiek wyjawiałby swoje obawy, chęci, uczucia. Po prostu nie. W szczególności dotyczyło to uczuć negatywnych: przykrości, zawodu, choć euforyczne wybuchy radości albo entuzjazmu były równie niemile widziane i szybko gaszone.

Nic dziwnego, że znałam tylko jeden rodzaj reakcji w sytuacjach, kiedy coś szło nie tak, ktoś mnie rozczarowywał albo niemile zaskoczył. Była to niema, ale zawsze głęboka i bolesna uraza. Wymownie milcząca! W tej kategorii mogłam konkurować tylko ze swoją matką. Nikt nigdy nie nauczył jej, a tym samym mnie, że w chwili spięcia, kiedy jest przykro i źle, można po prostu o tym powiedzieć. Że rozmówca wcale nie musi zdawać sobie sprawy z tego, co czuje ta druga osoba. Jedyne, co obie umiałyśmy robić doskonale, bez zarzutu i na sto procent, to rzucić szybką, ostrą i nieodwołalną ripostę, a potem wyjść, rozłączyć się i odciąć. „Co się stało?”. – „Nic!”. Drzwi zamknięte, klucz połknięty!

Wściekła na Marcina, ale i niespecjalnie zadowolona z siebie, poszłam do Elki. Przez cały lipiec pracowała w letniej szkole języka polskiego dla cudzoziemców. Reszta jej rodziny szalała po Jeziorze Rajgrodzkim i okolicach. Moja przyjaciółka królowała samotnie w czteropokojowym mieszkaniu w kamienicy na Mickiewicza, gdzie nawet w stustopniowym upale panował przyjemny chłodek. Taki sam, tylko upiorny chłodek panował tam w co zimniejsze dni poza sezonem grzewczym, bo w szale generalnego remontu mąż Elki polikwidował wszystkie piece. Ale teraz był lipiec i poczułam się, jakbym dotarła do oazy.

Jako się rzekło, nie umiałam mówić o swoich obawach ani uczuciach. Nic to, Elka była jedną z nielicznych osób, które nie potrzebowały moich wyznań, by się domyślić, co jest grane. Otworzyła drzwi i od razu zapytała:

– Jakieś kłopoty?

– Nie jadę do Marcina – oświadczyłam od progu. – Wody! A może wódy, nie wiem.

– Tak? – mruknęła Elka, zaganiając mnie do kuchni. – A co się stało?

– To się stało, że mam do niego przyjechać w tajemnicy!

– Przed kim?

– Przed żoną.

– Ty durna. To oczywiste – powiedziała Elka, odwracając się od szafki ze szklankami.

Trzymała ich tam ze sto, a może i więcej. Elka miała obsesję na punkcie szkła użytkowego: szklanki do ginu, kieliszki do wódki rosyjskiej, wody z cytryną, wody bez cytryny. Teraz podała mi szklankę strażacką, to znaczy musztardówkę sprzed dwudziestu paru lat.

– Co?

– Mówiłaś, że jeszcze się nie rozwiódł – przypomniała i popatrzyła na mnie. – To jasne, że nie chce się z tobą afiszować. Ja mam ci tłumaczyć dlaczego?

Dopiero w tym momencie uszła ze mnie cała nikomu niepotrzebna para. Kto jak kto, ale ja powinnam coś wiedzieć o afiszowaniu się przed rozwodem...

Ostatecznie to Grzegorz złożył pozew i oboje zgodziliśmy się na rozwód bez orzekania winy. Długo czekaliśmy na pierwszy termin, ale wiedzieliśmy, że rozprawa pojednawcza będzie czystą formalnością.

Mniej więcej miesiąc przed rozprawą wyjechałam na festiwal teatrów lalek do Bielska-Białej. Robiłam to samo co wszyscy: grałam spektakle, oglądałam cudze przedstawienia, marzyłam o innym życiu i przesiadywałam całe noce w festiwalowym bufecie. Już pierwszego wieczoru zauważyłam szczupłego chłopaka o łagodnym spojrzeniu krótkowidza, który uśmiechał się do mnie za każdym razem, kiedy natrafiałam na niego wzrokiem. Był dobrze zapowiadającym się reżyserem z Ukrainy, śpiewał – wspaniale zresztą – we własnym, szczecińskim przedstawieniu baśni „Jak słońce o zachodzie wschodziło".

Następnego dnia usiadł koło mnie na widowni i powiedział:

– Po całym świecie cię szukałem. Dobrze, że jesteś.

Wiem, jak to brzmi, mniej więcej tak jak: „Słońce o zachodzie wschodzi, a koguta podkuć trzeba". Zapewne dzisiaj w takiej sytuacji uśmiechnęłabym się, postukała w czoło albo i nie, a potem szybko przesiadła gdzie indziej. Ale w tamtym czasie czułam się zmrożona, martwa i pusta. Jak kania dżdżu potrzebowałam akceptacji, zachwytu i zrozumienia, choćby iluzorycznego. Nie wiem, jakim cudem pozostałam tak łatwowierna, ale tylko tym mogę dziś wytłumaczyć tamtą historię.

Zaczęliśmy rozmawiać. Trwało to z przerwami przez następną dobę.

Nazywał się Petro Wołoszenko. Urodził się w Berdyczowie w tym samym miesiącu co ja, ale dziesięć lat później. Byłam tak oczarowana jego bezpośredniością i tym, co mi mówił, tak urzeczona zachwytem w jego oczach, że nie widziałam spojrzeń swoich kolegów z teatru, a tym bardziej, niestety, koleżanek. Młodszych koleżanek.

Dwa tygodnie później Petro zjawił się u mnie w Olsztynie na Nagórkach. Miał tylko jeden dzień i wykorzystaliśmy ten czas solennie. Pola była wówczas w Brennej z moją mamą. Na szczęście. Byłam tak zaślepiona, że rankiem po nocy, podczas której nie dane mi było zmrużyć oka, pozwoliłam mu odprowadzić się do pracy. Świat był pięknie młody, choć nieco zmęczony. Szłam na przystanek, skacząc po górach.

Petro bez trudu nakłonił mnie jeszcze na spacer po parku na tyłach teatru. Długo całowaliśmy się na kamiennych schodkach i tylko jawność poranka uchroniła nas przed czymś więcej. Na tej zbożnej czynności zastała nas Marzena. Wiedziałam, że codziennie rano odprowadza syna do szkoły, którą miałam teraz za plecami, ale poczułam się tak, jakbym ducha zobaczyła. Ona też.

Petro przywitał się i pożegnał, po czym odszedł w kierunku dworca. Miał jeszcze godzinę do pociągu. Obie patrzyłyśmy za nim dłuższą chwilę. W szarym swetrze i przydługich dżinsach, z płóciennym plecakiem, szedł tak, jakby tańczył.

– Świetny facet – powiedziała Marzena. – Szkoda tylko, że żonaty od trzech miesięcy.

To się nazywa: pisz do mnie na Berdyczów.

Jakimś cudem udało mi się zachować obojętny wyraz twarzy, choć miałam ochotę odwrócić się i runąć wprost do parkowej sadzawki. Zawsze lubiłam Marzenę i wiedziałam, że powiedziała mi to z czystej życzliwości – sama bym tak zrobiła na jej miejscu – ale w tamtej chwili myślałam, że przegryzę jej tętnicę.

Kilkanaście dni później szłam do sądu w towarzystwie Elki, która zgodziła się wystąpić jako mój świadek. Na schodach przed głównym wejściem zobaczyłam Grześka i jego kumpla Michała, o którym wiedziałam, że będzie jego świadkiem. Jak na ironię – Elka i Michał byli świadkami na naszym ślubie…

Być może rozważyłabym tę kwestię bardziej szczegółowo i na głos, gdybym podchodząc bliżej, nie dostrzegła, że obaj panowie stoją w towarzystwie Magdy i Moniki, naszych teatralnych papużek nierozłączek i, mówiąc szczerze, uroczych kombinatorek. Romansowały z moim mężem osobno – tak im się przynajmniej wydawało – jedna na wyjeździe do Torunia, druga tam i tu, w Olsztynie. A może obie naraz? W końcu, co ja wiem? Przez ten Toruń jakąś chwilę trochę się na siebie boczyły, ale w sądzie zjawiły się ramię w ramię.

– Wiem wszystko o tym ruskim ogierze. Dziewczyny zaświadczą – zakomunikował mój mąż na powitanie. – Wreszcie wypierzemy trochę twoich brudów.

Cały Grzesiek. Nowe rozdanie, nowa sytuacja, nowa prawda, nowe kłamstwa.

I cała ja. Roztrzęsiona jak galareta. Niezdolna zebrać myśli.

Myślałam, że nie wiem, umrę na miejscu, rozpłaczę się i rzucę mu do nóg, zacznę błagać o litość. Minęło tyle czasu od naszego rozstania, a ja znowu stałam upokorzona i drżąca – wszystko wróciło jak za naciśnięciem guzika. Gdzie ja, na Boga, miałam ten guzik? Jak to się stało, że człowiek, którego tak mało obchodziłam, zdołał mnie mimo wszystko tak dobrze poznać, że mógł go z marszu nacisnąć i… działało. Zawsze działało.

Stałam jak sparaliżowana. Ale tylko przez chwilę, bo zaraz potem usłyszałam z boku najpierw cichy, a potem coraz głośniejszy śmiech. Elka śmiała się swobodnie, naturalnie i serdecznie, patrząc z niedowierzaniem na mojego bardzo pewnego siebie męża i jego przyboczne.

– Nie rozśmieszaj mnie, bo zbrzydnę! – wykrztusiła w końcu. – Przyprowadziłeś, Grzesiek, byłe kochanki na rozprawę rozwodową? Czemu tylko dwie?

– O czym ty mówisz? – obruszył się. Naprawdę.

– O twoim dorobku pozamałżeńskim, Grzesiu – uśmiechnęła się Elka. – Imponującym.

Ocknęłam się wreszcie. Przyjrzałam mu się z zainteresowaniem i już niemal spokojnie powiedziałam:

– Powiesz, co chcesz, a ja powiem swoje.

Weszliśmy do środka.

Woźny czy protokolant wywołał nas, Elka przytrzymała mnie jeszcze za rękę.

– Spokojnie, Dasza, jakby co, ja nie mam kłopotów z pamięcią – powiedziała cicho.

Następna godzina wydawała mi się jedną z najdłuższych w moim dotychczasowym życiu.

Na szczęście, a może na ironię, rozwód jest procedurą wysoce sformalizowaną i powolną. Zanim doszło do zeznań świadków, zostałam wywołana do barierki i poproszona o, hm, ocenę swego związku małżeńskiego. Pouczona najpierw przez matkę, potem przez Elkę, by nie wchodzić w szczegóły, wygłosiłam przygotowaną historyjkę o początkowej idylli, narastających z czasem konfliktach i rozbieżności celów życiowych. Były to same ogólniki, ani prawdy, ani kłamstwa, gładkie frazesy, jakimi można opisać każdy rozpadający się związek. Ale nawet to ledwie przechodziło mi przez gardło.

Pracowałam w teatrze. Byłam aktorką. Tylko że to był występ, przed którym nie mogłam walnąć głębszego dla zabicia tremy. Mówiłam o sobie, o swoim życiu. Ogólnikowy tekst i kłąb emocji pod beznamiętnymi sformułowaniami. Żadnej szansy na dystans. Ani na oklaski. Czteroosobowa publiczność przyglądała mi się z obojętnością, z jaką w normalnym życiu obserwuje się muchę spacerującą po szybie w upalny dzień.

Skończyłam. Teraz do barierki podszedł mój mąż, z miną człowieka udręczonego i pogrążonego w depresji. To było niesamowite. Od chwili, kiedy wstał, nagle zaczął się kurczyć, powłóczyć nogami. Ramiona w dopasowanej brązowej marynarce opadły, przygarbił się jak ktoś przygnieciony ciężarem ponad siły. Nawet spodnie, które kwadrans temu wyglądały normalnie, teraz wydawały się workowate i przydługie. Obraz nędzy i rozpaczy. Chyba nawet zbladł na zawołanie. Nie było śladu po tym pewnym swego samcu, z którym przed chwilą rozmawiałam na schodach. Już wiedziałam, w jakim monodramie postanowił zagrać. Wiedziałam też, jak dalece potrafi być wiarygodny.

Ktoś, kto nigdy nie mówi prawdy, potrafi kłamać z całego serca i z pełnym przekonaniem. Na dowolny temat.

Znowu poczułam, że wszystkie mięśnie tężeją mi ze strachu.

– Wysoki Sądzie – zaczął Grzegorz tonem nabrzmiałym boleścią, aż głos mu drżał – staję tu dziś upokorzony, by nie powiedzieć, złamany. Przez siedem lat znosiłem emocjonalny chłód mojej żony, jej obojętność i nielojalność.

Trudno powiedzieć, że się tego nie spodziewałam, ale mimo wszystko zatkało mnie. Ty wuju pieprzony!

– Nie będę mówił, co było. Było, minęło. Nawet perspektywa rozprawy rozwodowej nie powstrzymała mojej żony od publicznego romansowania z przypadkowym amantem, człowiekiem młodszym od niej i żonatym. Ja nie wiem, co trzeba mieć zamiast serca... żeby na oczach dziecka...

– Chwileczkę – przerwała mu sędzia tym samym tonem, jakim nieco wcześniej prosiła protokolanta o przymknięcie okna, bo trudno rozwodzić ludzi w huku młotów pneumatycznych. – Pan, składając pozew, wnosił o rozwód bez orzekania winy. Czy to oznacza, że zmienił pan zdanie?

– Słucham? – odezwał się Grzesiek, jak ktoś wybudzony z hipnozy albo ściągnięty za nogę z wyżyn natchnienia.

– Czy chce pan, aby sąd orzekał rozwód z winy żony?

Zamarłam.

– To znaczy ja... nie, nie chcę – odpowiedział mój mąż i odwracając się w moją stronę, dodał: – Nie będziemy mierzyć ani ważyć tej winy.

Cóż za łaska, pomyślałam.

– Czy w takim razie ma pan coś jeszcze do powiedzenia? – zapytała sędzia.

– Nie. Właściwie nie – odparł Grzegorz nieco stłumionym głosem.

Walczyły we mnie łzy i chichot, ale szczęśliwie nic już nie musiałam mówić. Mogłam dyskretnie zastosować sposób, jakiego aktorzy używają podczas przedstawienia, kiedy dopada ich atak śmiechu w scenie bohaterskiej albo serce rozdzierającej – kilka oddechów. Niewidocznych.

Moja twarz pozostała całkowicie bez wyrazu do końca zeznań świadków. Było ich tylko dwoje: Elka i Michał. W swoich zeznaniach oboje koncentrowali się raczej na naszym rodzicielstwie niż na ekscesach.

Po dwudziestu minutach przerwy sąd rozwiązał nasze małżeństwo bez orzekania winy.

Głos Elki przywołał mnie z dusznej sali sądowej do jej chłodnej kuchni.

– Dasza – powiedziała miękko – chcesz jechać do Stanów, to jedź, nie chcesz, to nie jedź. Tylko nie szukaj dziury w całym.

– Ale ja nie wiem...

– A myślisz, że Marcin wie?

Marcinie mój i nie mój,
dziś znów jest święto – list od Ciebie. Nie ma tego, co na zewnątrz – jestem tylko ja i Twój list. I czytanie – jeden raz, drugi...

Pytasz, kim dla mnie jesteś. Jesteś kimś, komu chcę zaufać, przy kim mogłabym poczuć się bezpieczna. Trudno o tym pisać, bo to, co się nam zdarzyło, trwało tak krótko.

Wiem na pewno, że serce bije mi szybciej, kiedy z Tobą rozmawiam, wiem, że dzięki Tobie znów czuję, tęsknię i czekam. Kiedyś powiedziałam Elce, że zazdroszczę jej tego, że po tylu latach małżeństwa nadal tęskni za swoim mężem, jeśli nie widzi go dłużej niż trzy dni. Tak dawno tego nie czułam – tęsknota za dzieckiem, które wyjeżdża na wakacyjny obóz, to jednak coś zupełnie innego.

Nie chcę sobie wyobrażać, jak będzie. Nigdy nie jest tak, jak sobie wyobrażamy. Wszystko zależy od nas, od tego, co wybierzemy. Wszystko jest możliwe. Trzeba tylko, jak Piotruś Pan, mieć piękne i cudowne myśli.

Nie muszę już pisać pamiętnika, bo o wszystkim, co czuję, mogę napisać Tobie.

Trzymam Cię za rękę,
Dasza

3

A jednak nie dane mi było zakończyć małżeństwa i pozostać kowbojem, co odwraca się i z pustymi rękami odjeżdża ku zachodzącemu słońcu. Niecały miesiąc po tym, jak wróciłem do Stanów, zadzwonił do mnie mój prawnik z prośbą o natychmiastowe spotkanie.

Byłem wtedy w Kolorado, ale znałem człowieka nie od wczoraj i wiedziałem, że nie ścigałby mnie bez potrzeby. Bez większego bólu skróciłem do minimum biznesowe spotkania i wróciłem następnego ranka. Prosto z lotniska pojechałem do kancelarii. Przyjął mnie, zaledwie recepcjonistka przekazała wiadomość, że jestem na dole. Trudno powiedzieć, czy był bardziej zażenowany, czy rozbawiony wieściami, jakie miał mi do przekazania. Ale dobrze, że nie czekał, aż wrócę z delegacji.

Wiedziałem już wcześniej, jak wygląda rozwód w Kalifornii. Wiedziałem, że Helen w majestacie prawa dostanie alimenty, których wysokość przyprawiłaby o zawał każdego rozwiedzionego bezdzietnego mężczyznę w mojej rodzinnej części świata. Miałem to gdzieś, chciałem zakończyć to małżeństwo na spokojnie i z pewną... dozą wielkoduszności. Ale kiedy prawnik poinformował, że moja leniwa jak kojot żona oprócz tego, co już ustaliliśmy, zażądała comiesięcznych alimentów na swoje dwa koty, moja wielkoduszność zgasła jak wypalona zapałka. Całkiem serio rozważałem morderstwo, porwanie, wysłanie w przestrzeń kosmiczną – w dowolnej kolejności. Pół dnia chodziłem wokół telefonu, siadałem na rękach, by nie zadzwonić do Helen i nie powiedzieć, co o niej myślę.

Kości zostały rzucone! A raczej koty. Na cztery łapy.

Chciałem w środku nocy dzwonić do Polski, ale w porę uświadomiłem sobie, że po tamtej stronie oceanu ludzie również wychodzą do pracy. Doczekałem do rana, żeby dodzwonić się do Białegostoku po południu. Długo nie mogłem się połączyć. Wreszcie dziecinny głos poinformował mnie, że mama jest na zebraniu. Odczekałem jeszcze półtorej godziny i w końcu usłyszałem w słuchawce nieco schrypnięte „słucham" siostry Maziuka.

Nie wiedziałem, jak ją zapytać, czy wie, co jej rodzice wyrabiali przy trumnie Andrzeja. Coś zacząłem wywodzić, ale mi przerwała.

– Chodzi o te pamiątki Andrzeja po romansie z twoją żoną? – zapytała z brutalną precyzją.

– Tak. Nie chciałem mieć z tym nic wspólnego...

– I co się zmieniło? – znowu mi przerwała.

– Helen zażądała alimentów na koty – odpowiedziałem.

– Ja pytam serio.

– A ja serio odpowiadam. Chce, żebym jej płacił na utrzymanie kotów. Siedemset, kurwa, dolarów miesięcznie! – wyjaśniłem i w tej samej chwili dotarło do mnie, jak to brzmi po polsku i z tamtej perspektywy.

Sędzia sądu rodzinnego w Białymstoku Lilia Maziuk-Piekarska zapomniała języka w gębie.

– Nie wiem, co powiedzieć – przyznała. – To jakaś paranoja.

– Nie tutaj.

– Wiem. Oczywiście, że ci to prześlę. Zaraz się zorientuję, jak będzie najszybciej.

Już chciałem podziękować i zakończyć rozmowę, kiedy Lilka szybko dodała:

– Następnym razem lepiej wybieraj. W każdym związku lepiej być tym, kto mniej kocha.

– Postaram się – mruknąłem zaskoczony.

– Postaraj się. I przyglądaj się uważnie. Może jest ktoś, kto na ciebie czeka, a ty nawet nie patrzysz w tę stronę.

– Co masz na myśli? – zapytałem z amerykańska.

– Co mam na myśli? – powtórzyła. – To, co ślepy by zauważył, Marcinku.

Ostatnie zdanie powiedziała ciszej i z jakąś taką... czułością, że zupełnie zbaraniałem. Marcinku?

Jąkając się nieco, zakończyłem rozmowę, ale nadal siedziałem bez ruchu, wsłuchując się w sygnał w słuchawce.

Niewiarygodne!

Więc ta jej agresja, ta jej niechęć i ciągłe przygadywanie, co ze mnie za facet...

To było nie to, co myślałem?

Fala samouwielbienia wezbrała i opadła. Słusznie mówił chyba Oscar Wilde: uczucia tych, których nigdy nie kochaliśmy, są nam doskonale obojętne.

Ale siostra Maziuka z całą pewnością nie czytała Oscara Wilde'a. Zresztą, co ja o niej wiem?

Grunt, że zgodziła się przesłać mi zawartość Andrzejowego pudełka, trumnika, jak to pieszczotliwie nazwałem. Nieważne, co sobie po tym obiecywała. A mogła coś sobie obiecywać, bo zainwestowała w przesyłkę „od drzwi do drzwi".

Tym sposobem dwa dni później znowu zobaczyłem nieszczęsne pamiątki, które nieoczekiwanie i pewnie wbrew wszelkim intencjom Maziuka miały być dowodami w sprawie rozwodowej. Czułem się fatalnie.

Dobrze się stało, że wszystko to rozciągnęło się w czasie, bo po tych paru dniach przeszły mi co bardziej bojowe zapędy. Całkiem już spokojny zadzwoniłem do Helen. Odrzuciła połączenie, widząc mój numer na wyświetlaczu, ale byłem uparty. Zablokowałem identyfikację numeru i po godzinie zadzwoniłem jeszcze raz. Umówiliśmy się w barze tuż koło jej nowej pracy, wydawnictwa specjalizującego się w poradnikach.

Spóźniła się, ale nauczony doświadczeniem przyszedłem kwadrans później, niż było umówione, więc długo nie czekałem. W ciemnych spodniach i koszuli niebieskiej jak jej oczy, rozpiętej jak za dawnych czasów, wyglądała dużo lepiej niż wtedy, kiedy ostatni raz ją widziałem. Z trudem ukrywała zniecierpliwienie.

– No, co ci się znowu urodziło? – zażartowała na dobry początek. – Przytyłeś, Marcin. Chyba dobrze ci się powodzi, co?

Policzyłem do dziesięciu. Potem jeszcze raz. Uśmiech mi się przykleił jakoś tak półgębkiem i nie chciał zejść. I zamiast wściekłości czułem smutek.

– Zanim ci powiem, jak dobrze, chcę, żebyś ty mi powiedziała, co to znaczy. – Niedbale, jak Colombo, rzuciłem na stół żółtą kopertę pełną zdjęć, listów i złudzeń.

Helen bardzo powoli zabrała się do otwierania, patrząc mi w oczy i wietrząc podstęp. Miała rację, choć mnie już odeszła ochota na jakieś skomplikowane gry. Zauważyłem, że ma pomalowane paznokcie. Chyba pierwszy raz w życiu!

Dziewczyna przy stoliku obok zaklęła, jakby laptop, na którym pisała, zjadł właśnie powieść roku. Zapachniał podpiekany croissant. Poczułem, że jestem głodny i najchętniej bym stąd uciekł – do mojego świata. Tylko gdzie to jest?

– Skąd to masz? Wykradłeś? – zapytała Helen o wiele za głośno.

Dziewczyna przy laptopie podniosła głowę zaciekawiona.

– Helen, mam mało czasu. Po prostu mi powiedz...

Przerwałem, bo dotarło do mnie, że nie wiem, czego właściwie chciałem się dowiedzieć. Pamiętałem Helen z akademika, z naszych pierwszych lat, ale patrząc na nią teraz, uświadomiłem sobie, że nie łączy mnie z nią już nic poza wspomnieniami, wspólnym majątkiem i kotami. No tak, kotami!

Już miała coś powiedzieć, ale podniosłem rękę, żeby jej przerwać, a może zasłonić się przed tym, co mógłbym usłyszeć.

– Wiesz, nie – uprzedziłem ją. – Nie chcę wiedzieć dlaczego, dlaczego Andrzej, czy był tylko on. Nie. Chcę po prostu, żebyś wiedziała, że ja wiem.

Wyjąłem jej z ręki kopertę. Dziewczyna obok zrestartowała komputer i z uśmiechem kogoś, kto dostał drugą szansę, zabrała się do pisania. Pewnie o tej drugiej szansie. A może o mnie i Helen, która wyglądała, jakby miała zemdleć.

Chyba właśnie zdała sobie sprawę, jaką siłę rażenia będą miały te zmartwychwstałe świstki w rękach mojego adwokata. Trudno.

Odjeżdżałem stamtąd powoli, zupełnie jakbym nie chciał rozstawać się ze swoimi złudzeniami. Pomyliłem zjazd z autostrady, skręciłem w złą ulicę. Radio zagłuszało żal. Zatrzymałem się na stacji benzynowej, by spojrzeć na mapę i sobie w oczy w lusterku. W odbiciu zobaczyłem wjazd na autostradę, widoczny nagle jak na dłoni. Zawróciłem i odjechałem w budzący się upalny wieczór.

Nie wiem, jak przebiegła jej rozmowa z adwokatką i dalsze negocjacje prawników. Mogę to sobie wyobrazić. Nieważne. Istotne było to, że według wszelkiego prawdopodobieństwa nie zostanę totalnie goły, tylko nieco skąpo odziany.

Helen próbowała jeszcze umawiać się ze mną, coś tłumaczyć i wyjaśniać, ale nie miałem chęci tego słuchać. Zostawiłem ją, razem z jej wersją całej prawdy i tylko prawdy.

Musiała w samotności pogodzić się z tym, że największy frajer świata nieodwołalnie zerwał się ze smyczy. Na pocieszenie zostały jej na smyczy dwa zapasione kocury!

Może jednak czasami bywam mściwy.

Spanikowałem i poprosiłem Daszę, by nie zawiadamiała mojej prawie-byłej-żony o swoim przyjeździe. Kretyn! Nie wiem, po jaką cholerę w ogóle poruszałem temat, chyba tylko dlatego, że działo się to pomiędzy spotkaniem z Helen a kolejną rozmową z adwokatem i byłem skoncentrowany na tamtej sprawie. Dasza powiedziała, że w takim razie nie przyjedzie i odłożyła słuchawkę. Ot, tak. Nie zdążyłem wyjaśnić, że chodzi o rozwód i moją, by tak rzec, pozycję przetargową.

Przez dwie doby nie mogłem sobie miejsca znaleźć. Całe dwie doby. Koszmar! Nie chciałem dzwonić i naciskać, nie chciałem robić z siebie jeszcze większego idioty, niż zrobiłem, nie umiałem też powiedzieć sobie: trudno, najwyżej nie przyjedzie.

Z jednej strony nie wyobrażałem sobie, że wszystko miałoby się tak żałośnie zakończyć, z drugiej – czułem się dotknięty łatwością, z jaką przyszła jej ta rezygnacja. Nigdy nie byłem specjalnym optymistą i szczerze mówiąc, gdzieś tam w środku nie do końca wierzyłem, że Dasza rzeczywiście do mnie przyjedzie. Ale myślałem, że wysili się chociaż trochę i wymyśli jakiś istotny powód, nie wiem, losowy, życiowy czy jaki tam. Nie spodziewałem się, że skorzysta z pierwszego lepszego pretekstu. W ciągu jednej rozmowy, ba, dwóch zdań. Dała w pysk i poszła.

W nocy z niedzieli na poniedziałek, wzmocniony, czy raczej znieczulony ginem bez toniku, zadzwoniłem do Daszy. Rozmawialiśmy bite dwie godziny, to znaczy najpierw ja długo mówiłem, a potem po kawałku wyszarpałem z niej, o co właściwie chodzi. Nie było łatwo, ale Dasza też była już w innym miejscu. Nie od razu i z dużymi oporami powiedziała mi jednak, że rozumie, jak to jest w trakcie rozwodu i że zgadza się pozostać incognito.

– Zaryzykuję – powiedziała.

Dopiero w tym momencie dotarło do mnie, jak dalece cały ten pomysł z przyjazdem jest improwizacją, opartą na moich dobrych chęciach i jej braku doświadczenia. Przyjrzałem się jej planowi podróży i włos mi się zjeżył. Zostało mi na tyle rozsądku, że nie zadzwoniłem ponownie i nie podzieliłem się z nią wszystkimi swoimi obawami i lękami. Ale niewiele brakowało.

Rozejrzałem się po chałupie i rzuciłem do sprzątania. Na kolanach, z nosem przy ziemi, zupełnie jakby Dasza na dzień dobry miała tu zjeść zupę z podłogi albo coś w tym stylu. Pamiętałem jej wysprzątane do białości olsztyńskie mieszkanie. Można było jeść zupę z podłogi nawet za tapczanem.

Wszystko, co się dało, poupychałem w szafach, byle domknąć. Kartony, które nadal królowały w salonie, spiętrzyłem w gustowną piramidkę w rogu. Gdybym miał serwetkę, pewnie zarzuciłbym ją artystycznie na czubek, dając tym samym dowód na to, że jestem nieodrodnym... pasierbem swojej macochy, wielbicielki kolorowych serwetek na stosie badziewia.

Wsiadłem do samochodu i pojechałem na zakupy. Nakupiłem jedzenia jak dla plutonu marines, tofu w trzydziestu odmianach i na dwadzieścia sposobów – na każdy dzień. Kupiłem też śmieszny gin w niedużej niebieskiej butelce z królową Wiktorią (spodobał mi się – sam nie wiem dlaczego) i pudełko prezerwatyw w różnych kolorach. I kształtach, ale to okazało się dopiero... w praniu. A tak, pranie też zrobiłem, a pościel kupiłem nową – taką cienką, bawełnianą – zero plastiku – lekko jakby błyszczącą i bardzo, bardzo błękitną. Wszystko zaplanowałem! Z wyjątkiem urlopu. Bo już nie miałem.

W sobotę wczesnym rankiem swojego czasu Dasza wsiadła do samolotu linii LOT lecącego do Zurychu. Wiedziałem, że nie dało się inaczej, ale wszystkie zęby mnie bolały na myśl o tym, co jej się może przydarzyć. Od razu przypomniało mi się, jak kilkanaście lat temu wyjeżdżałem z Polski do Helen samolotem LOT-u do Nowego Jorku. To był IŁ-62M. Lewa strona dla palących, prawa dla niepalących. Albo odwrotnie. Piękny i jakże prosty pomysł. A, i jeszcze cukierki na rozluźnienie. Pełną garścią.

Nie wiedziałem, czy Dasza poradzi sobie z przesiadką w Zurychu. Miała na nią bardzo mało czasu. Nie chciałem zawracać jej głowy i prosić, żeby zadzwoniła po wylądowaniu w Szwajcarii. Nie miałem szans złapać jej komórką. Sam jej powiedziałem, żeby włożyła telefon do bagażu głównego, bo w tę stronę do niczego jej się nie przyda.

Próbowałem spokojnie czekać, pisać zaległy raport o tym, jak źle zabezpieczona jest wewnętrzna sieć komputerowa pewnej firmy telekomunikacyjnej. Jej zarząd dopiero ode mnie się dowiedział, że wyjście głównego węzła ich światłowodów znajduje się... na ulicy. Kable chroni jedynie metalowa płyta, dla ułatwienia oznaczona logo firmy. Każdy może ją podnieść i przeciąć światłowody byle nożyczkami. W innych okolicznościach rajcowałoby mnie to jak kryminał, ale cały czas popatrywałem na stronę, na której można było śledzić lot Swissairu z Zurychu do San Francisco. A kiedy trzy razy w ciągu pół godziny zajrzałem mimochodem do serwisu internetowego CNN, chcąc sprawdzić, czy nie ma informacji o katastrofie lub porwaniu samolotu, uznałem, że najlepiej będzie, jeśli po prostu pojadę na lotnisko i tam będę siedzieć. Do oporu.

Żałowałem, że nie ma już starego terminalu, gdzie z góry, przez wielką szybę można było obserwować ludzi odbierających bagaże, jeszcze zanim przejdą przez customs. Nie wiem, co by to zmieniło, ale wydawało mi się, że ta godzina, dwie, no niech będzie – trzy, mnie zbawi.

Samolot wylądował, ale nie miałem pojęcia, czy Dasza nim przyleciała, dowiedziałem się tylko, że na pokładzie był komplet pasażerów.

Miotałem się przy wyjściu z odprawy jak ranny niedźwiedź. Każde otwarcie automatycznych drzwi witałem jak objawienie. I nagle ją zobaczyłem: w sukience do kolan, z wielkim plecakiem. Była strasznie zła.

4

Nie byłam zła, tylko zmęczona. To była moja, wstyd powiedzieć, pierwsza w życiu podróż samolotem. Na lotnisku w Zurychu musiałam zmienić terminal, co wyczerpało moją zdolność koncentracji niemal do zera. Próbowałam spać podczas lotu do San Francisco, ale przez większość czasu za moim fotelem trwała balanga bułgarskiej drużyny szczypiornistek. Potem obudziło się niemowlę w rzędzie przede mną. Jeszcze nad Europą udało mi się zgubić obie zatyczki do uszu. Czy w ogóle można spać w samolocie? Mimo to, wysiadając, byłam w niezłej formie – adrenalina zadziałała. Czekało mnie jeszcze zapowiadane wieścią gminną maglowanie przez Immigration.

Dziwny kraj, gdzie przyjezdnych wpuszcza się lub nie po wielogodzinnej podróży. Zupełnie tak, jakbym ja decydowała, czy chcę kogoś wpuścić do domu dopiero po tym, jak zadzwoni domofonem i wdrapie się na czwarte piętro.

Urzędniczka, w mundurze opiętym na kamizelce kuloodpornej jak na dziewiętnastowiecznym gorsecie, miała długie ciemne włosy spięte w koński ogon. I wielki pistolet na lewym biodrze. Najpierw zapytała, a potem jeszcze upewniała się ze trzy razy, czy aby na pewno nie chcę tu zostać, czy nie zamierzam tu wyjść za mąż, dlaczego mam taki mały bagaż, no i kim dla mnie jest Marcin Zalewski.

Nazywała się „Gonzalez", tak przynajmniej głosiła tabliczka na jej prawej piersi. Wyjaśniłam, że Marcin to kolega ze szkoły i że będę u niego trzy tygodnie, bo we wrześniu zaczynam pracę. Pani Gonzalez przyglądała mi się długo i badawczo. Zapytała, czym się zajmuje mój „boyfriend".

– To nie boyfriend, tylko friend. Zajmuje się security – odpowiedziałam, jak umiałam, klnąc w duchu, że nie podeszłam do faceta na drugim stanowisku.

Kim jest dla mnie ten Zalewski?

Gdybym to ja wiedziała...

Wstemplowała pozwolenie na pobyt do listopada. Chyba mi jednak nie uwierzyła.

Przeszłam przez ostatnie drzwi obok celnika z nie mniej imponującą giwerą i mimo tłumu pchającego się ze wszystkich stron do barierek, od razu go zobaczyłam. W jasnej marynarce, jasnych spodniach, stał taki jakiś wielki, obcy, a ja pomyślałam: „Boże, co ja tutaj robię!".

– Naprawdę przyjechałaś – powiedział, gdy udało nam się wreszcie do siebie dopchać.

– Jeszcze w to nie wierzę – mruknęłam i była to szczera prawda.

Chwila była romantyczna, ale ja myślałam tylko o prysznicu po niemal dobie ochlapywania się w umywalkach samolotowych.

Wziął mój ciężki jak kamień plecak. Zachowywał się spokojniej, pewniej niż w Polsce, widać było, że jest u siebie, a może tak mi się tylko wydawało, bo ja z całą pewnością byłam w kraju nieznanym i dalekim.

Szliśmy korytarzami, jechaliśmy niekończącymi się ruchomymi schodami. Już myślałam, że wsiądziemy do pociągu, ale tylko minęliśmy wejście na peron w budowie.

Wyszliśmy na parking, pamiętam to uderzenie gorącego powietrza i zapach, jakiego nigdy wcześniej nie czułam. Zapach innego świata, zupełnie mi obcego, pełnego obcych dźwięków. Wiem, to był szum – samochodów, autokarów, klaksonów. Pachniało trochę spalinami, trochę oceanem, trochę upałem. A może wszystko mi się pomieszało i pamiętam tylko, jak pachniał Marcin.

Wsiedliśmy do samochodu, który wyglądał jak skrzyżowanie wielkiego żółwia z rozdeptaną biedronką. Marcin odpalił go nie ze stacyjki przy kierownicy, ale przy biegach! Jechaliśmy drogą równą jak stół, strasznie mocno trzymając się za ręce.

Poranek był pochmurny i nieco mglisty, co mnie zdziwiło. Byłam przekonana, że w Kalifornii słońce praży od świtu do nocy.

– Proponuję – odezwał się Marcin po chwili – żebyś się nie kładła, nie spała ani jakoś specjalnie odpoczywała, tylko spróbowała od razu wejść w tutejszy rytm.

– Jak uważasz.

Chyba żadne z nas nie kwapiło się do luźnej pogawędki.

Przez minutę dzwonił telefon Marcina. Nie odebrał go. Ani na chwilę nie wypuścił mojej ręki.

Czteropasmowa autostrada zwęziła się do swojskiej, choć nadal idealnie gładkiej jednopasmówki ciągnącej się wzdłuż dwóch prawie nieruchomych ścian sosnowego lasu. Te sosny i spowite mgłą góry na horyzoncie dodały mi nieco otuchy.

Zakręt, drugi, trzeci, nie wiem który. Jak w filmie.

Nie minęło dwadzieścia minut, kiedy samochód skręcił i wjechał w osiedle dziwnych piętrowych domów. Wszystkie miały garaże w parterze i schody, po których wchodziło się na piętro do mieszkania. Przez te rzędy identycznych garażowych drzwi domy sprawiały wrażenie magazynów czy czegoś w tym rodzaju.

– One są z drewna? – zdziwiłam się. – Te domy?

– Tutaj nie ma innych – odparł Marcin. – Ceglane czy betonowe popękałyby już przy średnich wstrząsach.

No tak. Znalazłam się w miejscu, gdzie trzęsienia ziemi zdarzają się częściej niż śnieżyce. Ciągle się zdarzają! Co ja tutaj robię?

Mieszkanie Marcina okazało się sporym apartamentem z dwiema sypialniami i łazienkami.

– To jest łazienka dla ciebie – wskazał drzwi po prawej – tamta jest moja – wskazał drzwi w głębi.

I sobie tam poszedł! Ot, tak. Usłyszałam odgłos spuszczanej wody. Zupełnie tak samo jak u nas w Olsztynie.

Trudno. Byłam zmęczona i skołowana, może potrzebowałam dowolnego pretekstu, żeby wreszcie poczuć coś konkretnego w całym tym zamęcie. Dość, że z miejsca poczułam się odepchnięta. Totalnie.

Przyjechałam do niego na drugi koniec świata, grozi mi trzęsienie ziemi, a on nie chce dzielić ze mną łazienki? Jak to! Dlaczego?

Oczywiście, nawet na drugiej półkuli człowiek zawsze pozostaje sobą, dlatego nic nie powiedziałam, tylko poszłam zmyć urazę pod prysznicem. Nie udało się, ale przynajmniej uświadomiłam sobie, że wcale nie chodzi mi o tę całkiem miłą łazienkę. Ale o co mi chodzi, tego nie wiedziałam!

Wyszłam z łazienki, Marcin postawił na stole bajgle z czymś, co udawało twarożek i nazywało się tofutti. Spróbowałam dość nieufnie, ale okazało się zupełnie smaczne. Bardziej zdziwiły mnie monstrualne woreczki z herbatą do zaparzania.

Za oknem kołysały się wierzby, za wierzbami była autostrada, za nią zatoka San Francisco. Za zatoką był ocean, a za oceanem Rosja, dużo Rosji, no i po chwili Polska. Tak to sobie wykoncypowałam. Japonia i Białoruś mi tylko mignęły.

Zjadłam dwa bajgle przypieczone w tosterze – moje ciało nadal jeszcze odmierzało czas olsztyński i panowało w nim sierpniowe popołudnie, pora raczej obiadowa. Wszystko mi się pomieszało. Nie pamiętam, o czym rozmawialiśmy, ale czułam się mocno zdystansowana, zupełnie jakbym dotarła tu ciałem, a mój duch nie nadążał. W końcu nie wytrzymałam:

– Po co ja tutaj przyjechałam? – zapytałam, starając się, by nie zabrzmiało to bardzo zaczepnie.

Przez chwilę przyglądał mi się z uwagą.

– Może jestem egoistą – powiedział w końcu – ale chciałem, żebyś była przy mnie, blisko.

Ładnie to powiedział.

Po południu poszliśmy na spacer to piaszczystą, to kamienistą ścieżką wzdłuż zatoki.

Szłam przodem i myślałam sobie: to niemożliwe, niemożliwe, że tu jestem, niemożliwe to niebo i ta woda. Czułam się jak w dekoracjach, w scenicznym pejzażu, który ktoś rozmyślnie pomalował w jaskrawe kolory, żeby nawet widzowie w ostatnim rzędzie mogli dostrzec każdy szczegół. Nie umiałam tego porównać z niczym, co znałam. Nie mogłam stanąć i powiedzieć: „Na tym zakręcie jest zupełnie jak na Helu", albo „takie trawy jak wokół jeziora w Dąbkach", czułam po prostu, jakbym wpadła z głową w ten kalejdoskop barw, dźwięków i woni. Okropnie się czułam.

Marcin opowiedział mi o pudełku Andrzeja, zdjęciach i liście Helen.

– Upiorna historia – przyznałam – ale właściwie nie jestem tym zaskoczona.

Roześmiał się wcale nie wesoło.

– To może wiesz więcej niż ja, bo ja nie mogę tego powiedzieć. Byłem bardzo zaskoczony, delikatnie mówiąc.

– A ja nie – powtórzyłam, niezbyt przejęta i trochę wyczerpana z nadmiaru wrażeń. Było mi wszystko jedno. – Właściwie można to całkiem prosto wytłumaczyć.

Przysiadł na połówce betonowego kręgu, którą porosty zamieniły w naturalne siedzisko pośród kamieni i traw. Przez chwilę wydawało mi się, że widzę szarą wiewiórkę uciekającą mu spod butów. Nie ma przecież szarych wiewiórek.

– Znałam Andrzeja od drugiej klasy podstawówki – przejechałam ręką po szorstkich porostach. – Nie wiem, kiedy wyście się poznali...

– W siódmej. Przyszedł do nas na jakieś zawody i zajął moje miejsce na trybunach w sali gimnastycznej. Powiedziałem mu, żeby spływał, a on mi na to, że to wolny kraj. Jak wolny, to bez zastanowienia dałem mu w ryj.

– To chyba pierwszy raz, kiedy Maziuk oberwał i nie zatłukł z marszu tego, kto mu to zrobił.

– Żartujesz sobie! To był niespotykanie spokojny człowiek.

– No to znaliśmy dwóch różnych ludzi – odparłam. – Bo ten, którego ja znałam, do połowy podstawówki był postrachem Skorupskiej i okolic. Dziewczyny nadkładały drogi i wracały ze szkoły z nami Okopową, żeby nie spotkać Maziuka i jego kumpli. Połowa z nich kończyła podstawówkę już w poprawczaku.

– Czyli co, kosmici go podmienili?

Obok nas przeszła para staruszków – nie starsi państwo, naprawdę staruszkowie – w identycznych szortach i białych koszulkach. Mężczyzna o ostrych, trochę ptasich rysach, z wysiłkiem stawiał lewą chudą nogę. Miał sportowe buty za kostkę ze sznurówkami zawiązanymi na podwójną kokardkę. Ciekawe, kto mu je wiązał? Czyżby ta przygarbiona szczupła kobieta o dłoniach z reumatycznymi zgrubieniami w stawach? Uśmiechęli się do nas, a ona bąknęła przyjaźnie: „Hi, how are you? ". Nie wiedziałam, co powiedzieć. Marcin jakby tego nie widział.

– No, nie wiem – pokręciłam głową, odprowadzając staruszków wzrokiem. – Ja chodziłam do równoległej, ale dużo lepszej klasy, nie interesowały mnie żule z Bojar. Mało nie padłam, jak go zobaczyłam na rozpoczęciu roku w liceum.

– Zaraz, zaraz, oboje mówiliście, że jesteście kumplami z podstawówki.

– Takie tam legendy – zaśmiałam się. – Długo się do niego przekonywałam. I powiem ci, że tak do końca przekonałam się dopiero wtedy, kiedy się zorientowałam, że to twój przyjaciel. Ktoś taki jak ty nie mógł się przyjaźnić z żulem.

Przez chwilę w milczeniu przyglądaliśmy się zabawie dwóch czarnych labradorów pławiących się w płytkiej wodzie. Towarzysząca im dziewczyna rzucała czerwoną piłeczkę, psy biegły łeb w łeb, ale już w wodzie zapominały o zabawce i zaczynały szaleńcze skoki. Podskakiwały na tylnych łapach, zderzały się, zupełnie jakby tańczyły w sobie tylko znanym rytmie. Dziewczyna ze śmiechem wyławiała piłeczkę, wychodziła na brzeg. Psy wybiegały za nią i wszystko zaczynało się od początku.

– No, dobra – zaczął Marcin – mówiliśmy o...

– Wiem – przerwałam mu. – Chodziło mi o to, że Andrzej przez całe życie chciał być taki jak ty. Nigdy mu się to tak do końca nie udawało, ale naśladował cię prawie we wszystkim. Pamiętasz to jego nałogowe czytanie przedwojennych gazet?

– No pewnie.

– Tak jakby chciał sobie stamtąd wyczytać jakieś ciekawsze korzenie, bo przecież wiadomo, że ojciec i matka przyjechali, czy może przyszli do Białegostoku za chlebem, gdzieś zza Zabłudowa. A ty miałeś dziadków z miasta.

– Chyba jesteś wobec niego niesprawiedliwa.

– A skąd! Mógł mieć za wzór któregoś z kryminalistów ze Skorupskiej, a wolał Marcina Zalewskiego, co pisał wiersze i cierpiał na nieistnienie.

– Ładnie powiedziane – pokiwał głową. – Ale to nie tłumaczy, dlaczego musiał uwieść moją żonę.

– Trochę tłumaczy. Poszedł do liceum tak jak ty, a nie do zawodówki jak koledzy z ulicy, pisał wiersze jak ty, czytał je na tych waszych wiosnach i jesieniach poetyckich, nie poszedł na studia do Warszawy, bo nie dałby rady finansowo, ale skończył je w Białymstoku, wyjechał do Stanów tak jak ty, a na koniec robił to samo i żył tak jak ty.

– To znaczy żył z Helen?

– Też. I tak jak ty zabawiał się jeżdżeniem durną drogą dla samobójców.

– A na koniec zagrał mi na nosie z zaświatów.

– Tak nie mów. To już była akcja jego rodziny.

– Miejmy nadzieję – westchnął, nie do końca przekonany.
– Bogu dzięki, że po drodze nie zakochał się w tobie jak ja.

– A skąd ta pewność? – powiedziałam i od razu tego pożałowałam.

Po co to odgrzebywać? Po cholerę? Dla riposty?

Zbaraniał. Naprawdę. Po raz pierwszy od początku rozmowy dotarło do niego, że niczego nie wymyślam i może mówię o tym lekko, ale wcale nie żartuję.

– Maziuk się w tobie podkochiwał? Kiedy?

– Tak dokładnie to nie wiem. Może od zawsze? Ale na pewno wtedy, jak wróciłam z Warszawy i zdałam na lalki.

– Wiedziałaś o tym?

– Jak miałam nie wiedzieć! Sam mi powiedział.

– Ja chyba śnię – mruknął Marcin bardziej do siebie niż do mnie. – A ja mu się całymi dniami zwierzałem, po pijaku i na trzeźwo! I co ty na to?

– Nic. Przecież byłam zakochana w Grześku.

– Jakim cudem ja tego nie zauważyłem? Że Maziuk...

– Raz, bo byłeś w Warszawie, dwa, bo nie patrzyłeś na niego, tylko na mnie.

Próbowałam obrócić to wszystko w żart, ale Marcin był poruszony bardziej, niż chciał to okazać. Wstaliśmy i ruszyliśmy dalej. Objął mnie mocno. Przez chwilę było trochę niewygodnie, ale zaraz wyrównaliśmy krok i dalej szliśmy już przytuleni.

Wzdłuż zatoki ciągnie się linia wysokiego napięcia. Potężne słupy stoją w wodzie niedaleko od brzegu. Pośród metalowych elementów, na poręczach i kratownicach uwijają się tysiące ptaków. Nigdy jeszcze nie widziałam, by ptaki miały gniazda tak blisko siebie, jedno obok drugiego, jedno nad drugim. Jeśli jednak popatrzy się w drugą stronę – widać domy, zabudowania, stłoczone jedne nad drugimi. Widać ptaki naśladują tutaj ludzi.

– Dziwne te ptasie osady prawie na drutach – powiedziałam.

– Żebyś wiedziała. Nic im nie przeszkadza, ani buczenie, ani wyładowania.

– Może w takim tłoku mniej to odczuwają.

– Może – zaśmiał się. – W tłumie zwykle mniej się odczuwa.

– I dlatego trzeba uciekać od tłumu.

– Ale na pewno nie do Kalifornii.

Wracaliśmy najkrótszą drogą obok remizy strażackiej. Okno dyżurki było całkowicie odsłonięte i widać było strażaka siedzącego przed dużym ekranem, na którym rozgrywała się właśnie ostro pornograficzna scena. Tak miało być za każdym razem, kiedy wracaliśmy tamtędy znad zatoki. Ciekawe, czy mając tak ustalony repertuar, facet był w ogóle w stanie odebrać jakikolwiek telefon z informacją o pożarze.

Na kolację poszliśmy do Hot Tub. Marcin był przygaszony, ja już porządnie zmęczona. Makaron ze wszystkimi warzywami świata rósł mi w ustach.

Początkowo usiedliśmy przy stoliku naprzeciwko siebie, ale przy tarcie z truskawkami przesiadłam się do niego na szeroką wyściełaną ławkę. Próbowałam się trochę przytulić, ale odsunął się jak nie on.

– Przestań – mruknął. – Tu nie ma takiego zwyczaju.

Gdybym była mniej zmęczona, pewnie bym się obraziła.

Wróciliśmy do domu i poszliśmy spać jak stare małżeństwo.

Obudziłam się w środku nocy. W półśnie sięgnęłam ręką tam, gdzie zawsze, od tylu tygodni. Ale to nie było moje olsztyńskie łóżko. Tym razem znalazłam to, czego szukałam – Marcin leżał przy mnie z otwartymi oczami. Tęsknota strząsnęła ze mnie resztki snu, a on tylko na to czekał. Czekał, aż sama się obudzę i sama go odnajdę po drugiej stronie łóżka.

Dalej było jak w całkiem młodym małżeństwie…

Następnego ranka pojechaliśmy do San Francisco. Marcin dał mi mapę i komórkę, którą można kontrolować elektrownię atomową (on to powiedział, ja nigdy bym czegoś takiego nie wymyśliła). W życiu jeszcze takiej nie widziałam, nie mówiąc o używaniu.

– Pozwiedzaj sobie – powiedział. – Ja muszę popracować parę godzin. Jakby co, to dzwoń.

Tego nie było w moim planie. O, nie! Mogłam chodzić i jeździć, ale z Marcinem. Nie sama! Poczułam się całkowicie sparaliżowana. Koniec. Dotąd tak, a odtąd nie.

Żeby było najprościej i żeby od razu nie zabłądzić, ruszyłam Market Street w stronę zatoki. Było dość wcześnie, ale już po godzinach porannego szczytu, więc ulice wydawały się nieco opustoszałe. Drapacze chmur zasłaniały słońce, było betonowo i trochę pustynnie. Przyglądałam się monumentalnym witrynom sklepów, których nazwy znałam z filmów, książek i kolorowych gazet przerzucanych w poczekalni u dentysty. Tuż obok jakiegoś paradnego wejścia budził się właśnie bezdomny, niespiesznie wyczołgując się z niegdyś żółtego śpiwora. Niemal dwumetrowy ochroniarz pobliskiego banku przyglądał mu się z nieruchomą twarzą. Ze sklepu spożywczego wyszedł czarny mężczyzna w śnieżnobiałym berecie, śpiewając na całe gardło. Nieźle śpiewał.

U wylotu ulicy zobaczyłam palmy i bulwar, ciągnący się wzdłuż zatoki. Przeszłam na drugą stronę szerokiej, ruchliwej jezdni i szybko usiadłam na ławce przy wejściu na przystań promów. Chciało mi się płakać. Wyjęłam notesik, bo wzięłam ze sobą notesik, który Pola kupiła mi na urodziny, i zapisałam: „Co ja tutaj robię? To jest tak, jakby poruszać się wśród dekoracji na scenie. Wszystko jest sztuczne i inne. Teraz rozumiem, dlaczego Marcin czuje się tu taki samotny. Całe szczęście, że to tylko trzy tygodnie i uciekać!".

Przechodzący obok chłopak z psem zerknął w moją stronę i uśmiechnął się, ot, tak sobie. Gdyby mnie zagadnął, pewnie bym umarła na miejscu, ale chyba nie miał takiego zamiaru. Gdzie on idzie z tym psem? Przecież tu nie ma ani skrawka trawnika, wszystko łącznie z palmami jest starannie i równo zabetonowane.

Pomyślałam sobie, że jeśli rozłożę mapę, będę się może trochę mniej rzucała w oczy na tej ławce. Rzecz jasna, nikt poza chłopakiem z psem nie zwracał na mnie uwagi, to tylko ja wyobrażałam sobie, że ściągam spojrzenia jak lej po bombie, a może czarna dziura, bo mniej więcej tak się czułam pod tym błękitnym niebem, w oślepiającym słońcu.

Po dłuższej chwili obracania mapy i rzucania spłoszonych spojrzeń to na lewo, to na prawo, zorientowałam się wreszcie, że muszę iść w kierunku przeciwnym niż czerwieniejący z oddali Golden (jaki golden?) Gate. Ruszyłam Embarcadero i szłam bardzo, bardzo powoli, żeby mi to zajęło jak najwięcej czasu i żebym za daleko nie doszła.

Bulwar ciągnął się wzdłuż ulicy, samochody jechały sznurem, nawet nie bardzo szybko, ale właściwie nieprzerwanie. Wszystko dookoła było obce i dziwne, ale najdziwniejsi wydawali mi się ludzie, którzy uprawiali jogging wzdłuż ścieżki dla rowerów. Niemal wszyscy biegali ze słuchawkami na uszach, jakby muzyka mogła ich oddzielić od całego tego hałasu i smrodu spalin. Nie mogłam pojąć sensu takiej rozrywki. Patrzyłam z przerażeniem na biegających facetów z ogolonymi nogami.

Gdzie ja jestem?

Szłam dość długo, a wokół mnie zaczęło się pojawiać coraz więcej ludzi. Raczej podążając za nimi, niż jakoś specjalnie o tym myśląc, skręciłam w stronę starego nabrzeża, najwyraźniej zamienionego w miniaturę dawnego San Francisco z wąskimi uliczkami i piętrowymi domami ze sklepem przy sklepie. Tłum zgęstniał do tego stopnia, że zaczęłam poruszać się w nieregularnej tyralierze, ósemką, dziesiątką, rząd za mną, rząd przede mną. Nie miałam ochoty ani na owoce morza na sto sposobów, ani na kawę, ani na włóczenie się po sklepach z pamiątkami.

Obróciłam się na pięcie i tą samą drogą chciałam wrócić do mojej ławki.

Tymczasem mgły opadły i słońce paliło już tak, jak się tego po nim spodziewałam. Na myśl o dwudziestu co najmniej minutach marszu rozprażonym, pozbawionym cienia bulwarem zrobiło mi się niedobrze. Przeszłam bohatersko na drugą stronę ulicy i ruszyłam zacienionym chodnikiem, czujnie popatrując na boki.

Mijając kolejny mur, usłyszałam muzykę i kobiecy głos, głęboki, melodyjny, lekko swingujący. Zajrzałam przez furtkę i poczułam się, jakbym odnalazła magiczne przejście do innego wymiaru.

Za szarym murem ukrywał się nieduży park z sadzawką, mostkiem, rozrośniętymi drzewami, kaskadą kolorowych krzewów i wypielęgnowanymi trawnikami. Siedzieli na nich i polegiwali ludzie w garniturach i dresach, starzy i młodzi. Na mostku rozłożył się zespół muzyczny z wielką, płomiennowłosą czarną wokalistką. Z boku, na trawie jakaś kobieta tańczyła w kółeczko z małą dziewczynką.

Usiadłam na ławce pod magnolią i uznałam, że jak na mnie dość turystyki na dzisiaj.

W przerwie koncertu wydobyłam z plecaczka cudo, z którego miałam zadzwonić do Marcina. Znowu miałam ochotę się rozpłakać i może bym się nawet rozpłakała, gdyby na końcu ławki nie przysiadła okrąglutka staruszka w granatowej bejsbolowej czapeczce. Usiadła, rzuciła mi przyjazne spojrzenie, jak oni wszyscy tutaj, zupełnie bez powodu, po czym z kieszeni baloniastych dżinsów wyciągnęła identyczną komórkę jak ta moja i po prostu zadzwoniła.

No nie, pomyślałam sobie, naprawdę jesteś głupsza od tej miłej babci? Tak! – zawołały chórem moje diabły. Nie! – odkrzyknęły anioły, a może odwrotnie, bo nadal przecież nie wiedziałam, jakie duchy przywiodły mnie do tego świata jak z obrazka. Wyszłam ze stuporu i po paru minutach prób i błędów dodzwoniłam się do Marcina.

– Czy już? – zapytałam.

Chyba niezupełnie, bo chwilę z kimś jeszcze szeptał, na coś się umawiał, po czym powiedział mi, że podjedzie za pół godziny.

Przez te pół godziny na krok nie ruszyłam się z mojej ławki.

Poszliśmy w stronę Golden Gate, Marcin chciał mi pokazać dzielnicę, którą odbudowano z ruin po ostatnim wielkim trzęsieniu ziemi.

– Chcesz powiedzieć, że one też są z drewna? – zapytałam, pokazując na stupiętrowe bankierskie twierdze.

– A skąd, są ze stali i szkła – odparł. – Tylko wszystkie mają fundamenty na specjalnych rolkach.

– I jak ziemia się trzęsie, to się kołyszą?

– Do pewnego stopnia.

No cóż, lepiej się zakołysać i wzburzyć, niż od razu złamać, czyż nie?

– Czym ty się właściwie zajmujesz? – zapytałam w drodze powrotnej. Może ciut późno, ale do tej pory inne pytania wydawały mi się pilniejsze.

Marcin się roześmiał.

– Zapewniam zdrowy sen przedsiębiorcom, akcjonariuszom i prezesom dużych firm.

Nic mi to nie mówiło, musiałam chyba mimowolnie wzruszyć ramionami, bo już niepytany wyjaśnił:

– Doradzam firmom, jak mogą zabezpieczyć swoje systemy komputerowe i bazy danych przed awariami, katastrofami i atakami z zewnątrz.

– A któż by je atakował?

– Każdy, kto chciałby wiedzieć, co w nich jest, a nie miał do tego uprawnień, każdy, kto chciałby się szybko wzbogacić, jeśli to systemy przepływu gotówki, a jest tego całkiem sporo. Większość naszych klientów to banki, korporacje, ale są też sklepy internetowe.

– I jak się atakuje taki sklep?

– To proste. Można na przykład zablokować cały system lawiną pytań z kilku zewnętrznych serwerów – rozkręcał się z każdym słowem – choćby z Rosji albo z Korei Południowej, co sprawi, że system będzie odpowiadał tylko na te pytania, a nie na pytania klientów.

– Jakie pytania?

– Choćby o najnowszego Kinga czy Clancy'ego, jeśli to księgarnia internetowa. Przychodzi na przykład w ciągu minuty milion bezsensownych pytań, a normalny klient nie ma szansy wejść na stronę sklepu i zamówić tego Kinga, bo serwery są zapchane.

– I to jest kłopot?

– Tak, księgarnia nic nie zarabia, bo nie dostaje zamówień. Taki atak nazywa się „denial of service". – Spojrzał na mnie. – No i wtedy się „prosi" o haracz.

Chyba nie wyglądałam na specjalnie przejętą.

Wieczorem znowu poszliśmy na spacer i wtedy doszło do poważnej kłótni.

– Dasza, czy chciałabyś mieć dzieci? – zapytał Marcin ni stąd, ni zowąd.

– Ja już mam dziecko – rzuciłam lekko.

– Szkoda – mruknął.

– Ja nie żałuję.

Przez chwilę szliśmy w milczeniu. Marcin włożył ręce do kieszeni, wysunął się do przodu, zawrócił i stanął z boku, przodem do mnie. Słońce prześwitywało mu przez rękawy niebieskiej koszuli, okulary. Stał w aureoli zachodzącego słońca.

– Mówiłem ci, że szukam kogoś, kto chce mieć dzieci. Chcę być ojcem. To jedyny warunek, jaki stawiam. Jeśli nie, to ja szukam dalej.

Poczułam, że robi mi się gorąco. Słońce zaszło, wszystko we mnie opadło.

– Nie wydaje ci się, że próbujesz mną manipulować? – zapytałam bardzo spokojnie, choć czułam, że głos zaczyna mi się trząść. – W takim razie co będzie, jeśli ja nie będę już chciała mieć dzieci?

– Może nie będziemy mogli być razem – odpowiedział, patrząc na mnie z powagą.

Myślałam, że szlag mnie trafi na miejscu.

– Co to jest? Co ty sobie wyobrażasz?

– Dasza...

– Ośmielasz się stawiać mi jakieś warunki? Za kogo ty się masz? – ruszyłam, nie oglądając się, w stronę domu. Jego cholernego domu!

– Dasza... – próbował chwycić mnie za ramię.

– Daj mi spokój! – krzyknęłam. – Niczego od ciebie nie chcę, wyjeżdżam stąd!

– Nie krzycz. Porozmawiaj ze mną! – zawołał.

– Już z tobą porozmawiałam – rzuciłam przez ramię i przyspieszyłam kroku. – Nie zamierzam przyjmować żadnego ultimatum.

Wróciliśmy do domu. Marcin położył się w swojej sypialni. Ja opadłam zmęczona na kanapę.

Odeszliśmy dość daleko, zanim się pokłóciliśmy, więc ten szybki powrotny marsz w kamiennym milczeniu trwał dłuższą chwilę. Zdążyłam uspokoić się na tyle, by dotarło do mnie, że Marcin próbował być ze mną szczery, do bólu szczery. Nie stawiał mi żadnych warunków, tylko po prostu wyraźnie powiedział, czego chce. Nie, czego chce ode mnie – czego on chce.

Nie wiem, co uderzyło mnie bardziej – ta bolesna dla nas obojga szczerość czy odwaga, z jaką Marcin próbował jasno postawić sprawę. Nic w moich dotychczasowych doświadczeniach nie przygotowało mnie na sytuację, w której wchodzi się w nowy związek, uczciwie określając, czego się od niego oczekuje.

Byłam mocno poobijaną specjalistką od pchania się tam, gdzie mnie średnio potrzebowali, od rozpaczliwego czepiania się złudzeń, wbrew temu, co oczywiste dla wszystkich poza mną. Byłam ślepą i głuchą na wszystko poszukiwaczką kogoś, kto będzie chciał być ze mną, gotową wiele znieść, byleby chciał. Nigdy nie zdarzyło mi się naprawdę zastanowić, czego ja chcę. Wystarczyło, że on chciał – że wszyscy oni po kolei chcieli.

Musiałam mieć to wypisane na twarzy. Nawet Petro jakimś cudem mnie wyczuł, skoro dwa miesiące po spotkaniu w Olsztynie, które odbiło mi się czkawką w sądzie, zadzwonił do mnie jak gdyby nigdy nic.

Właściwie w jego zachowaniu nie było nic dziwnego. Naprawdę dziwne było to, że bez namysłu i z entuzjazmem zgodziłam się na kolejne spotkanie. Aż wstyd mi się dzisiaj przyznać, ale byłam wtedy głęboko przekonana, że Petro jest mężczyzną mojego życia. Żona – pryszcz; Szczecin – drobiazg; spotkania po kryjomu na jedną noc – sama radość. Przez prawie dwa lata! Żebym chociaż sama zakończyła ten związek z doskoku, ale nie. To Petro za którymś razem, żegnając się ze mną na olsztyńskim dworcu, powiedział, ot tak, znienacka:

– Żegnaj, Dasza. Już więcej nie przyjadę, ale tu – położył rękę na sercu – będziesz zawsze.

I tyle. Gdyby ktoś mnie dzisiaj zapytał, co w nim takiego widziałam, nie umiałabym odpowiedzieć. Ale wtedy długo jeszcze tęskniłam. Boleśnie.

Tak, oto ja, dumna Dasza, co nie przyjmuje żadnych warunków.

Koń by się uśmiał!

Dźwignęłam się z kanapy i zajrzałam do Marcina. Leżał tam, smutny i cnotliwy. Weszłam i przysiadłam na brzegu jego wielkiego łóżka. Też smutna.

– Nie powiedziałam ci, że nie chcę mieć z tobą dziecka – szepnęłam.

– Wiem.

To ciekawe, pomyślałam, bo ja uświadomiłam to sobie dopiero na kanapie.

– Chyba się trochę nie zrozumieliśmy – mruknęłam.

– Wiem.

– I tym się tak martwisz?

– Tak – westchnął. – Trudno się z tobą rozmawia.

Gdybym wtedy o tym wiedziała, być może próbowałabym mu wytłumaczyć, że należę do rozmówców specjalnej troski. W chwili napięcia słyszę to, co słyszę, a niekoniecznie to, co się do mnie mówi. Ale jeszcze nie miałam o tym pojęcia. Dlatego położyłam się przy nim niespecjalnie cnotliwie i powiedziałam:

– To nie rozmawiaj. Wszystkiego się nie da obgadać.

Na szczęście dalej nie musiałam mu już nic tłumaczyć. Mimo że nadal byliśmy dla siebie lądem nieznanym i niezbadanym, niektóre szlaki przetarliśmy już wystarczająco, by ruszyć dalej.

Byłam z innego światła i cienia, z innej rzeczywistości, z innych częstotliwości. Wpadłam w obcy świat bez żadnego oparcia w czymkolwiek znanym i oswojonym. Musiałam mierzyć się z własnymi i nie tylko własnymi zawirowaniami. Intensywność na trzysta procent.

Śmiałam się, kiedy na samym początku Marcin dał mi rower i zaproponował, żebym pojeździła po okolicy, kiedy on będzie w pracy – przez te trzy tygodnie miał wolne tylko w weekendy. Ot tak – wsiąść na rower i ruszyć przed siebie po nieznanej planecie! Dopiero po jakimś czasie uświadomiłam sobie, jak zbawiennie działały na mnie te godziny pedałowania, coraz dalej i odważniej.

Redwood Shores położone jest na półwyspie, który można obejść lub objechać rowerem. Ścieżka biegnie jakieś pięć metrów od zatoki. Między bitym duktem a wodą nie ma plaży, tylko kamienisty pas porośnięty trawami we wszystkich odcieniach zieleni i brązu. I anyżem. Kiedy nie ma wiatru, zapach tego anyżu jest miejscami tak intensywny, że prawie nie czuć morza, wody, nic innego. No i te kilogramy mewich kup jak okiem sięgnąć.

Zarośla bliżej ścieżki o tej porze roku są już niemal całkowicie spalone słońcem. Gdzieniegdzie ścieżkę ocieniają drzewa, posadzone chyba kilka lat temu. Jest zupełnie płasko; woda olśniewająco błękitna, błękitne, błękitne, nieprawdziwe niebo, zupełnie przejrzysty daleki horyzont i podchodzące do lądowania samoloty. W tym pewnie i mój. Powrotny.

Zaczęłam się powoli zadomawiać u Marcina. Nauczyłam się obsługiwać jego zmywarkę z panelem do programowania rodem z laboratorium NASA. Podczas któregoś z jego wyjazdów rozpakowałam kartony zalegające w kącie salonu. Uporządkowałam książki. Zajęło mi to cały dzień, bo otwierając kolejne pudła, czułam się tak, jakbym odkrywała kolejne warstwy archeologiczne w amerykańskim życiu Marcina.

Najpierw kolorowe opasłe podręczniki dla informatyków, poradniki i materiały szkoleniowe dla administratorów baz danych, grubsze i chudsze broszury o bezpieczeństwie i niebezpieczeństwie. Pomiędzy nimi amerykańskie powieści autorów, o których w życiu nie słyszałam, i pojedyncze książki po polsku – może kupione w Polsce, może przesłane w prezencie. A potem dotarłam do książek, które musiały wyjechać z Marcinem do Stanów – zapomniana seria „plus minus nieskończoność", „Biblioteka Socjologiczna", ale i powieści. Pstrokata sterta, a pod nią karton w całości wypełniony kolekcją prozy iberoamerykańskiej, która była naszą odtrutką na zgrzybiałą listę lektur szkolnych.

Znalazłam sporo poezji, cienkich tomików z tych zamierzchłych czasów, kiedy ludzie kupowali wiersze. Dotarłam do wydania Stachury w pamiętnych dżinsopodobnych okładkach. Spędziłam nad nim dobre trzy godziny w słoneczne kalifornijskie popołudnie. „Zbiegną się wreszcie tory sieroce naszych dwu planet, cudnie spokrewnią się ciała nam", zaśpiewało mi w głowie.

Tego potrzebowałam.

Następnego dnia poukładałam ubrania w szafie Marcina. Boże, jaki tam był bałagan, wszystko ze wszystkim, zupełnie jak w mojej głowie. I tak jak w szafach udało mi się porozdzielać koszulki od skarpetek, potem połączyć skarpetki w pary, tak powolutku zaczęły mi się układać i porządkować myśli i uczucia.

Chwilami czułam się, jakbym po prostu zamieszkała u Marcina. Była tam. Z nim. Nawet moje niemal codzienne telefony do Polski przestały być takie nerwowe, mimo że Pola prawie w każdej rozmowie próbowała mnie karać.

– Co słychać, córeczko? – pytałam.

– Wszystko gra. Tylko gardło mnie trochę bolało, ale tata już mi coś na to dał.

– Gardło?

– No, mówiłam ci, jak wyjeżdżałaś – przypomniała Pola chłodno. – Lewy migdał mnie bolał. Nie załapałaś, taka byłaś zajęta.

– Ale...

– Nie ma sprawy. Tata ma świetny patent na ból gardła.

Albo:

– Co robicie? – pytałam, dzwoniąc po powrocie z rejsu po zatoce.

– Nic specjalnego. Luz.

– A ja...

– A, nie, no przecież byliśmy dziś z tatą w superkawiarni. Mówię ci, jeszcze czegoś takiego nie widziałaś. Szkoda, że my nigdzie nie chodzimy w tym naszym Olsztynie.

Do dziś nie wiem, czy naprawdę chciała mi dokopać, czy to ja miałam takie wyrzuty sumienia, że we wszystkim, co mówiła Pola, doszukiwałam się drugiego dna.

Jedno było pewne: tamten świat najwyraźniej nie walił się pod moją nieobecność, ten świat – powoli oswajałam.

Może to dziwne, może nawet trochę chore, ale wszystko dla mnie najważniejsze podczas tego pobytu zdarzyło się w domu i w najbliższej okolicy. Z tej perspektywy nie miało znaczenia, że przyjechałam do Kalifornii, równie dobrze mogłam odwiedzić Marcina w Bombaju czy Puerto Rico. Chyba kiepska ze mnie turystka.

Któregoś wieczoru, po całym popołudniu spędzonym w centrum handlowym, gdzie kupowałam – pomyłka, Marcin mi kupował – prezenty dla rodziny, już po kolacji, wręczył mi swój pożegnalny prezent.

Był to mały szarosrebrny laptop.

Marcin włączył go i powiedział:

– No to teraz się pobaw.

A mnie znowu sparaliżowało. Czarna magia! Gapiłam się w toto jak sroka w gnat, bo nigdy wcześniej nawet nie dotykałam komputera.

– Poradzisz sobie – pocieszał mnie Marcin. – Szybko się uczysz.

Mina mu trochę zrzedła następnego dnia, kiedy dwoma czy trzema ruchami udało mi się... żebym to ja wiedziała, co.

– Nie do wiary! – mruknął, zaglądając mi przez ramię. – Naprawdę odinstalowałaś Windows na amen. Nigdy nie...

myślałem, że to jedna z tych biurowych legend, że każdy może to odinstalować. Ciekawe.

Po tym wyczynie dotarło do mnie, że znowu się rozstajemy, a jeśli mamy być już naprawdę w stałym kontakcie, muszę się przełamać i opanować tę diabelską maszynkę. Za dużo spraw i decyzji majaczyło na horyzoncie, żeby nadal tkwić przy telefonie i prześladować listonosza.

W przededniu mojego wyjazdu pojechaliśmy do Greens, legendarnej knajpy wegetariańskiej w Fort Mason, z widokiem na przystań jachtową i Golden Gate. Gdzieś w połowie pizzy ze szpinakiem i endywią, a może przy drugim kieliszku wina, Marcin wziął mnie za rękę.

– Powiedz mi, jeśli mielibyśmy być ze sobą – zaczął ostrożnie – czy dopuszczasz taką możliwość, że obie z Polą przyjechałybyście tu do mnie?

Nie musiałam się zastanawiać.

– Nie, w ogóle sobie tego nie wyobrażam.

– Dlaczego?

– No bo nie. To nie mój świat, nie moja bajka.

Odchylił się na krześle i przyglądał mi się dłuższą chwilę, nic nie mówiąc.

– Zastanowisz się nad tym jeszcze? – zapytał w końcu.

Teraz to ja wzięłam go za rękę.

– Marcin, ja się nie droczę. Chcę być z tobą, bardzo, ale nie tutaj.

– A ja chcę być z tobą wszędzie – powiedział.

Wracaliśmy autostradą nad oceanem. Na San Francisco opadała już wieczorna mgła, było po zachodzie słońca. Milczeliśmy. Gapiłam się bezmyślnie w boczne lusterko. I nagle najwyraźniej wyjechaliśmy z tej mgły, bo zobaczyłam w lusterku spowite w chmury miasto na wzgórzach.

– Widzisz to? – mruknął Marcin.

– Jak w kinie – odparłam. Tak właśnie się czułam. Jak w kinie.

Znowu zamilkliśmy. Jechaliśmy jeszcze chwilę, zamknęłam oczy, żeby choć trochę zebrać myśli, a kiedy je otworzyłam, Marcin zatrzymywał się właśnie przy punkcie widokowym nad oceanem. Zeszliśmy drewnianymi schodami na plażę. Byliśmy tylko my i dwa ścigające się jastrzębie.

Śmiesznie wyglądał na pustej plaży, prosto z pracy, w garniturze i nieskazitelnych butach, z wiecznym piórem wpiętym koło guzika koszuli. Już miałam rzucić coś dowcipnego, gdy dotarło do mnie, że czasami milczenie jest złotem i to właśnie jest taka chwila. Chwila, kiedy wszystko już zostało powiedziane – i nic zarazem, bo tyle jeszcze chciałoby się powiedzieć, ale lepiej jest milczeć, bo za mało słów, za mało liter, a przede wszystkim za mało odwagi, by postawić kropkę nad „i".

Staliśmy tuż przy granicy, do której dobiegały fale. Słyszałam ich szum, słyszałam przelatujące samoloty, odległe frachtowce, ale wszystko to docierało stłumione, poprzez tę ciszę między nami, ciszę, w której nie ma już miejsca na to, by pleść jakieś banały. Więc staliśmy w milczeniu, trzymając się za ręce, aż zrobiło się zupełnie ciemno.

Wróciliśmy do samochodu. Marcin ruszył wolno, wolniutko, jakby nigdzie nie chciał dojechać, jakby nie chciał, by ten wieczór się skończył.

Cudownie jest tak sunąć powoli i trzymać się za ręce. Myślę, że właśnie po to wynaleziono automatyczną skrzynię biegów.

Następnego dnia wsiadłam do samolotu nieszczęśliwa i kompletnie rozbita. Tęskniłam za Polą i chciałam wracać, ale nie chciałam już rozłączać się z Marcinem.

Stało się.

Prosto z lotniska na Okęciu pojechałam do Białegostoku po córkę i psa.

Pola powitała mnie entuzjastycznie, grzecznie podziękowała za nowe martensy, jęknęła – nie wiem, czy z zachwytu, czy wręcz przeciwnie – na widok laptopa, ale o nic specjalnie nie wypytywała. Czuła już chyba, że jej jedynowładztwo chwieje się w posadach. Figa była śmiertelnie obrażona, nie przychodziła na wołanie i chowała się za nogi mojej mamy, skąd popatrywała na mnie z nieufnością.

Wróciłyśmy do Olsztyna. Dwa dni później zaczęła się szkoła i praca. Pola zaczęła ostatnią klasę gimnazjum. Ja rozpoczęłam próby z nowym reżyserem, który przyjechał do nas aż ze Szczecina. Proszę państwa, oto Petro Wołoszenko! Jakżeby inaczej.

Nie widzieliśmy się prawie pięć lat. Petro był nadal pięknym chłopcem o zmysłowej, szczupłej twarzy i ciemnych włosach, które – jak to często bywa u brunetów – zdążyła już przyprószyć siwizna. Być może posiwiał, bo rozstał się z żoną, o czym szeptał cały teatr, popatrując na mnie, jakbym miała z tym cokolwiek wspólnego.

– Jak mogłaś ściąć takie piękne włosy? – zawołał na mój widok.

– Znudziły mi się – odpowiedziałam, nie siląc się nawet na dowcip.

– Ale ja ci się nie znudziłem? – zapytał z tym samym uśmiechem, od którego jeszcze kilka lat temu głupiałam i godziłam się na wszystko.

– Nie. To ja ci się znudziłam – przypomniałam mu. – I dobrze się stało.

Nie zamierzałam w to grać. Byłam już gdzie indziej. Byłam kimś innym. Na szczęście, bo wcale nie mam pewności, czy tamta Dasza, którą Petro poznał aż za dobrze, byłaby w stanie w ogóle dostrzec kogoś takiego jak Marcin.

Petro szybko zaczął rozmowę z kimś, kto stał obok. Było oczywiste, że nie mamy sobie nic więcej do powiedzenia.

Moje starsze koleżanki ani przez chwilę nie dały się zwieść. Były chore z ciekawości, choć wcale nie z powodu mojej zamierzchłej afery miłosnej. Wiedziały, że wyjeżdżałam do Ameryki, tylko nie miały pojęcia do kogo i dlaczego, bo nikomu poza Elką i Marzeną się z tego nie zwierzałam. Niezdolne znieść stan, w którym czegoś nie wiedzą, wymyśliły sobie, że pojechałam tam z przedstawieniem, żeby zarabiać kasę. Zanim wróciłam, były już tego absolutnie pewne.

W przerwie pierwszej próby z nowym reżyserem Karolina, zasłużona artystka sceny lalkowej, nie wytrzymała.

– Jak było w Stanach? – zagadnęła.

– Dobrze – odparłam z uśmiechem.

– A opłaciło się?

Zastanowiłam się chwilę i odpowiedziałam:

– Tak, opłaciło się. Nawet bardzo.

Znowu nastąpiła chwila ciszy. Kątem oka widziałam, jak Marzena gryzie się w pięść, żeby nie wybuchnąć śmiechem.

– Kulturalne osoby to przynajmniej starają się podtrzymać rozmowę – pouczyła mnie Karolina.

Podtrzymywałam. Tyle że nie z nią.

Kochany mój,
tak bardzo za Tobą tęsknię. Wszystko we mnie biegnie do Ciebie. Jest mi ciężko. Jest mi pusto. Cała jestem oczekiwaniem. Chodzę jak zaczadzona. Szukam samotności. Noszę cały czas przy sobie Twoje listy i zdjęcia. Dowody na istnienie. Dowody na to, że to nie sen.

Tak bardzo chciałabym obudzić się obok Ciebie. Czuć Twoje ciepło. Na innej półkuli, w innym mieście, w innym domu i w innym łóżku – szukam Cię nad ranem.

Jestem szczęśliwa. Jest piosenka Osieckiej o tym, że mija młodość jak woda, czoło chmurzy się częściej –

a tu nagle pogoda
taka dobra pogoda
odpowiednia pogoda na szczęście.

Nie myślałam, że może być aż tak dobrze. Tak, że aż boli.

Liczę dni do Twojego przyjazdu. Myślę o naszym dziecku.
Całuję Cię w szyję i jestem blisko,
Dasza

Ledwie zdążyłam wysłać list, po południu listonosz przyniósł mi słowo na niedzielę. Pola patrzyła z lekkim politowaniem, jak płaczę, czytając list od Marcina. Było też w tym spojrzeniu trochę zazdrości i podziwu. A może mi się przywidziało.

Najmilsza moja,
tak się cieszę, że nie zabrakło Ci odwagi i przyjechałaś do mnie. Czuję się najszczęśliwszym i najsmutniejszym człowiekiem na świecie. Znowu jesteś daleko.

Jest noc. Czuję jesień w powietrzu. Wino, herbata, ciemność, smutek. Gdzie jesteś? Śpisz jeszcze. Kocham Cię w Twoim śnie.

Chyba jestem sentymentalny. Znalazłem Twój włos i się wzruszyłem. Pomiotało mną totalnie. Jeszcze miota. Patrzę na Twoje zdjęcie – i miota jeszcze bardziej. Nie patrzę – też miota. Jak sobie z tym poradzić?

Minął tydzień od Twojego wyjazdu. Poduszka leży nietknięta. Ciągle się budzę i sięgam po Ciebie z drugiej strony łóżka. To niesamowite, że Ty też o tym piszesz.

Miota. Tak bardzo mi Ciebie brakuje.

Jadę samochodem i łzy mi lecą, wycieraczki nie pomagają. Kiedy ktoś mnie pyta, „jak leci?", łzy kręcą mi się w oczach. Miota. Może powinienem brać prozac albo coś w tym rodzaju.

Jutro daję Helen czek, który kończy nasze rozliczenia majątkowe. Będzie ciężki dzień.

Już wkrótce będziemy razem. Aż do następnego rozstania. Miota,
Marcin

PS Dziś lecę do Bostonu na konferencję (coś tam nawet prezentuję, choć wolałbym raczej zaśpiewać...), a we wtorek do Santa Monica. Będę dzwonić jak zwykle.

Chyba będzie wczesna zima. Bociany już odleciały. Elka mówiła, że z Bączyna uciekały, jakby im się pod skrzydłami paliło. A ja nie mogłam się doczekać śniegu i Marcina pod choinką, za choinką, w choince. Zamiast spać, wyobrażałam sobie nasze życie, jak będą wyglądały nasze święta, u kogo najpierw (u mojej mamy), co mu dam w prezencie (to już ja wiem najlepiej). Skręcało mnie z tęsknoty. A to dopiero początek września...

We wtorek popołudniowa próba została odwołana. Miałam wolne na nicnierobienie, na rowerową wycieczkę na koniec świata, na oglądanie fotek z Kalifornii, z Bączyna, ze zjazdu. Dopiero na zdjęciu, na którym siedzimy lekko napruci i patrzymy radośnie Panu Bogu w okno, zauważyłam, że Marcin zezuje nieco na prawe oko. Wcześniej tego nie widziałam. Pobiegłam do kuchni. Na stole stało zdjęcie Marcina, które własnoręcznie zrobiłam. Eee, wcale nie widać. Może mu tak zezuje tylko po pijaku.

Robiłam herbatę, gdy zadzwoniła komórka.

Trześniewski? Co za niespodzianka!

– Dzwonił ten twój?

– O co ci chodzi, Grzesiek? Myślałam, że już to sobie wyjaśniliśmy. – Chciałam rzucić telefonem, ale było coś w jego głosie...

– Mam nadzieję, że nie leciał dziś w żadnym z tych samolotów. Włącz telewizor. W Ameryce wojna. Pół Nowego Jorku w gruzach. Samoloty wbite w drapacze chmur. Pewnie go tam nie było, ale cholera wie. Dasza? Słyszysz mnie?

Nie słyszałam. Powoli odłożyłam telefon.

Poczułam lekkość bytu w kolanach.

Znowu spojrzałam na zdjęcie Marcina. Starłam z ramki kurz, którego nie było. Ze zdjęciem w ręku podeszłam do telewizora. Zdążyłam na scenę zawalenia się jakiegoś budynku.

– „Dostaliśmy właśnie informację z CNN, że w wieżę południową uderzył samolot American Airlines lecący z Newark do Los Angeles. W budynek po stronie północnej uderzył najprawdopodobniej samolot United Airlines lecący z Bostonu do Los Angeles. Widzimy teraz powtórkę tej sceny".

Głos niewidzialnej komentatorki zlał się z odgłosami samolotów walących w budynki, krzykiem przerażonych tłumów, stłumionym dystansem tysięcy kilometrów i wielu stref czasowych. Po chwili zobaczyłam powtórkę ze skakania z okien. Dym i gruz. Samolot znikający w budynku i tysiące aniołów.

Marcin. Gdzie jest Marcin?

Był w Bostonie. Miał jechać do Santa coś tam.

Telefon. Spokojnie, gdzie jest telefon? Przed chwilą tu był.

Próbowałam wybrać numer na domowym. Nie pamiętałam, nie trafiałam palcami.

Komórka.

Oddzwoń na ostatni numer.

Dzwonię.

Pii-paa-puu. „All circuits are busy now. Please hang up and dial again later".

Jaki cyrk? Nie ma later. Jeszcze raz. Jeszcze raz. Jeszcze.

Nawet nie ma nagrania, tylko sygnał pulsujący szybciej niż moje serce.

Dzwoni. Domowy. Mama.

– Nie, nic nie wiem. Nie, nie miał być w Nowym Jorku. Jakieś inne samoloty? Z Waszyngtonu? Nie. Boston, jest w Bostonie. Napisał, zaraz: „we wtorek do Santa Monica".

Dziś jest wtorek. U mnie jest popołudnie, a u niego? Gdzie jest do cholery Santa Monica?

Dzwoni Elka.

– Santa Monica? W Kalifornii, gdzieś na południu, koło Los Angeles. Na pewno wszystko jest w porządku, tylko nie ma jak zadzwonić. Nie martw się. – Nie miałam siły wypowiedzieć nawet słowa. – Daj mi jego numer, ja też będę dzwonić. Wiesz co, przyjadę do ciebie. Gdzie Pola?

– Zaraz przyjdzie – szepnęłam.

– To jeszcze lepiej. Razem zaczekamy. Przecież zadzwoni powiedzieć, że jest cały i zdrowy. Dasza, no co ty? Już jadę.

Trzasnęły drzwi wejściowe. Pewnie znowu tynk się posypał.

– Jesteś, córeczko? – To ja mówię tym drżącym głosem?

– No, co ty, mamo!

Mówię, ruszam ustami, ale ten głos… Nowy Jork. Samoloty. Katastrofa. Marcin.

– Co: Marcin? Był w Nowym Jorku?

– Nie, w Bostonie.

– To co?

– Ale samolot z Bostonu…

– Mama, takich jak on to nie biorą do nieba za szybko – roześmiała się zadowolona z dowcipu.

Dziecko, a co ty wiesz…

Do nieba! Boże. Dotarło do mnie.

Stałam, wyrwana z własnych objęć, z telefonem w ręku, pewnie siwa.

To nie tak. To niesprawiedliwe. Ja... To nie tak miało być.

Może zadzwonił do rodziców, a do mnie już mu nie starczyło… Pieniędzy? Czasu?

– Mówi Dasza. Ja się bardzo niepokoję o Marcina, czy mu się nic nie stało. Może dzwonił? Nie? Pewnie wszystko jest w porządku. Tak, wiem. Proszę powiedzieć panu Zalewskiemu, że ja bardzo… I bardzo proszę zadzwonić, gdyby... tak, rozumiem.

Pola podkręciła dźwięk w telewizorze. Po całym domu dudniło:

– „Trudno opisać bezmiar tragedii, jakiej dzisiaj doświadczył Nowy Jork, i jak się dowiadujemy Waszyngton...”.

Trudno opisać bezmiar mojej...

Elka weszła bez pukania. Popatrzyła pytająco. Pokręciłam głową.

Nie dzwonił.

Zabrałam się do robienia kanapek, rozsmarowywania serka topionego, podgrzewania chleba w tosterze, zaparzania herbaty w czajniczku, dzwonienia łyżeczkami na trwogę.

Czekamy. I nic. Nie dzwoni.

Umarły by zadzwonił, a on nie!

Już ja mu powiem, jak się wreszcie odezwie.

Niech go szlag trafi z tym całym byciem razem, skoro nie potrafi zadzwonić w takiej chwili.

5

Jak miałem zadzwonić?

Jechałem ostatnim wynajętym samochodem do Kalifornii. Wpadłem na ten pomysł, gdy tylko się dowiedziałem, że zamknęli przestrzeń powietrzną nad USA. Dopiero po kilku godzinach dotarło do mnie, że gdybym się sprężył i chciał polecieć wcześniej, to pewnie bym znalazł miejsce na tamten poranny rejs United 175 do LAX. Ale się nie sprężyłem i jechałem teraz przez obrzeża Massachusetts autostradą nie do nieba, tylko I-90 na zachód.

W przyhotelowej wypożyczalni Hertza okazało się, że mój pomysł nie był zbyt oryginalny. Spotkałem kolegę z konferencji i konkurencji, który właśnie negocjował odstawienie samochodu w San Francisco. Pieprzę Los Angeles. Zgodził się, żebym zapłacił mu połowę kosztów i teraz jechaliśmy w milczeniu, każdy z telefonem w ręku, próbując się dodzwonić.

Udało mi się dopiero w okolicach Springfield.

– Danka? Nie, nie jestem duchem. Cały i zdrowy. Nawet nie byłem blisko, tylko nie mogłem się dodzwonić, no i teraz jadę samochodem do Kalifornii. Ile? Nie wiem, dwa, trzy dni, choć jak będziemy prowadzić na zmianę, to szybciej. Czy dzwoniła...? Tak, zaraz do niej zadzwonię. Daj ojca, co? Tato? Wszystko OK. Ja nawet nie bardzo wiem, co się stało. Nikt tego nie wie. Ty wiesz? Islamiści? Dlaczego oni? Zobaczymy. Nie, jeszcze nie wiem. Dobrze, kończę. Dzwonię do Daszy.

Minęliśmy właśnie stojący przy wjeździe na most samochód z żołnierzami z M16. Tyle wiedziałem. Żołnierze? To chyba mało możliwe? Pewnie Gwardia Narodowa. Odezwał się we mnie konstytucjonalista za dychę.

Nick, bo tak się nazywał kolega z konkurencji, rozmawiał z żoną (czy kochanką?) i w pół słowa się rozpłakał. Zacząłem się bać. Nie znałem nikogo, kto pracował w Twin Towers w Nowym Jorku, ale on przeniósł się stamtąd do San Francisco zaledwie pół roku temu. W końcu Nick pokazał, że wszystko z nim OK. Nie było OK. Teraz już szlochał. Ale zwolnił. Na szczęście.

Dasza. Sygnał. Drugi.

– Halo?

– Daszka!

6

Chciałam go zabić, zasztyletować, powiesić, utopić. Jak mógł?! Tak zwlekać!

Won z mojego życia!

Dopiero po minucie dotarło do mnie to, co mówił.

Samochodem z Bostonu do San Francisco? Telefony nie działają w większych miastach!? No, nie działają już także w mniejszych, jak Olsztyn.

Jakie to wytłumaczenie, że nie zadzwonił?

Rozpłakałam się, wściekłam się, lub odwrotnie. Tak, też go kocham. I co z tego? Jak mógł mnie tak zostawić? W takiej rozpaczy? Co ja myślałam? A skąd niby miałam wiedzieć, że nie poleciał z samego rana? Ja bym poleciała.

Boże, z kim ja się zadaję! Jak można być tak nieczułym. I co z tego, że nie rozumie, czemu tak krzyczę?

– Nienawidzę cię! Kocham cię. Ja już nie chcę... Jak się dowiedziałam? Trześniewski zadzwonił... Bardzo śmieszne!

Pola, milcząc wymownie, stała w drzwiach do dużego pokoju, gdzie przyniosłam telefon na długim kablu i ładowarkę do komórki. Patrzyła na mnie z pobłażliwością, jakiej mogłabym oczekiwać od kogoś dużo starszego. Tkwiła tam, w piżamie w różyczki, tak jakby miała znowu siedem lat. I wiem, że za tą pobłażliwością był niepokój o mnie.

– Byleby wojny z tego nie było – mruknęła Elka, wyciszając kolejnego dyżurnego głosiciela prawd słusznych w telewizyjnym studio.

– O czym ty mówisz? – jęknęłam.

– Masz rację – odpowiedziała, raczej własnym myślom niż mnie. – Wojny nie będzie, ale utrudnienia w podróżowaniu na pewno, kto wie, jak długo...

Na swoje, a może na moje szczęście przymknęła się i poszła po coś do kuchni.

No pewnie, to logiczne. Skoro raz w życiu coś mi się mogło udać, to oczywiste, że musi nastąpić ogólnoświatowy kryzys. Tym razem nie zdążę nawet nic spieprzyć. Wystarczy, że Amerykanie zawieszą loty do Europy! Na przykład na rok.

Zaledwie za Elką zamknęły się drzwi, zasnęłam, jak stałam. Z nieumytymi zębami i w ciuchach poplamionych ginem. Ach, bo po telefonie Marcina był gin, dużo ginu.

Obudziła mnie Pola wychodząca do szkoły.

Tym razem uśmiechała się z politowaniem.

– No wiesz, mamo...

– Wiem.

7

W ostatnich dniach października, kiedy już można było jako tako latać, przyjechałem do Polski na rozmowę o pracy w warszawskim oddziale CBDQ, wielkiej międzynarodowej firmy audytowej. Dostałem kilka innych ofert – no dobrze, dwie – ale ta mile połechtała moje ego. Wiedziałem, że jeśli mi się uda tutaj, to dalej zawodowo poszybuję już jak rakieta. Choćby w kosmos. Choć ostatnio miałem pewne obawy przed lataniem.

O dziwo, samolot wylądował bez opóźnienia. Nie było delegacji powitalnych. Była za to brygada anyterrorystyczna. Cóż za gościnność.

Wypożyczyłem samochód na Okęciu. Boże, ile to tutaj kosztuje! I ruszyłem... nie, stanąłem.

To jest jedyne w swoim rodzaju przeżycie – nagle przesiąść się do samochodu z ręcznymi biegami i sprzęgłem w miejscu, w którym zwykle jest hamulec. Dobre sto metrów przejechałem żabimi skokami, zanim na nowo skoordynowałem nogi i ręce, i zacząłem dostrzegać nazwy ulic, których – tradycyjnie – niemal nie sposób przeczytać z jadącego samochodu.

Spocony jak ruda mysz podjechałem do hotelu nieco się ogarnąć.

Trzy godziny później, punktualny do bólu, cudem zaparkowałem przed wieżowcem strzelającym w niebo niemal ze środka ulicy Jana Pawła. Może jednak trzeba było jechać tramwajem. Wszedłem do recepcji CBDQ. Mimo stosunkowo wczesnej godziny biurowiec wydał mi się wyludniony. Dopiero po chwili dotarło do mnie, że to po prostu ludzie zachowują się mniej hałaśliwie. Byłem w Polsce.

Zaakceptowali mnie w trakcie jednej rundy. Było to pięć rozmów z partnerami, managerami i szefową HR, znaczy kadrową. Do późnego wieczoru.

Podpisałem kontrakt. Pracę zaczynałem od pierwszego marca. Świat przyspieszył, choć jeszcze nie zdawałem sobie sprawy z tego, jak bardzo.

Na razie wróciłem do hotelu. Byłem tak zmęczony, że nie zadzwoniłem nawet do Daszy pochwalić się sukcesem. Oglądałem telewizję, bardziej skupiając się na ruchu warg prezydenta, komentarzu kogoś z opozycji, koncercie Pavarottiego. Kupiona w podziemiach hotelu flaszka whisky, z lodem z automatu na korytarzu, to grzała, to chłodziła znakomicie. Zasnąłem przy hymnie narodowym. Czułem się spełniony, doskonały, kochany i pożądany. I to jak.

Następnego dnia z samego rana ruszyłem do Olsztyna po Daszę, Polę i Figę.

I zaczęła się bonanza.

Wyglądało na to, że wszyscy poza mną uczyli się jeździć, oglądając wysokobudżetowe filmy sensacyjne. Na prawdziwej amerykańskiej wylotówce z dużego miasta nikomu z nich nie udałoby się przejechać w tym stylu nawet pięciu kilometrów, bo natychmiast zatrzymałby ich policyjny patrol, zawiadomiony przez innych kierowców.

Byłem siny z przerażenia, nogi i ręce znowu zaczęły mi się plątać. Co za kretyn wymyślił ręczne biegi? Znowu jechałem żabimi skokami. To za szybko, to za wolno. Nie, bynajmniej nie byłem samobójcą. Nie teraz, dziękuję bardzo.

Odetchnąłem nieco, gdy już odbiłem z drogi gdańskiej w stronę Olsztyna. Dalej trafiłem jak po sznurku.

Zgodnie z planem skręciłem z wylotówki na Nagórki, dojechałem i... nic.

Niby rozpoznawałem osiedle i bloki, ale byłem zupełnie bezradny. Poprzednio Dasza prowadzała mnie za rączkę do domu i z domu, dopiero teraz z przerażeniem stwierdziłem, że ulica Orłowicza po prostu nie istnieje. To tylko zbiorowa nazwa kilkunastu bloków rozrzuconych na wzgórku.

Trafiłem za szóstym podejściem. Tak, zapytałem panią w kiosku o drogę. Bolało.

Czekały na mnie gotowe do wyjazdu.

Pola powitała mnie grzecznie, ale z dystansem. Ten jej dystans na długo określił kształt naszych wzajemnych stosunków, pełnych uprzejmości, nawet rewerencji, ale bez prób podchodzenia bliżej. Byłem wdzięczny Daszy, że nie udaje, nie próbuje niczego rozgrywać, oszukiwać mnie ani Poli. Na powitanie po prostu rzuciła mi się na szyję. Figa przyjęła to pełnym oburzenia szczekaniem.

Już naprawdę byliśmy razem. Już nie trzeba się było upewniać. Jechaliśmy wszyscy na Święto Zmarłych do Białegostoku. Przede wszystkim jednak chcieliśmy razem powiedzieć mamie Daszy i moim rodzicom, że trochę się zmieniło. O ile mama Daszy od początku była w miarę na bieżąco, o tyle moi starzy... Cóż, zobaczymy. Cokolwiek zrobią i powiedzą, już i tak to niczego nie zmieni.

Mama Daszy od progu powitała mnie tak, jakbym był co najmniej jej zaginionym synem.

– Babciu, nie zaduś – rzuciła Pola, trochę zdziwiona i trochę zazdrosna.

Dasza nic nie powiedziała, ale widziałem, że szczęka jej omal nie wypadła z zawiasów.

– Co jest? – zapytałem cicho.

– Potem – mruknęła tylko.

Zainstalowaliśmy Polę i Figę u babci, wypiliśmy rytualną herbatę z kanapkami z żółtym serem i ruszyliśmy na Kraszewskiego. Ledwie zeszliśmy ze schodów, Dasza wybuchnęła śmiechem:

– Już mniejsza z tym, że nigdy, nawet na ślubie, tak się nie ściskała z Grześkiem – powiedziała – ale ona nawet ze mną tak się wita tylko od wielkiego dzwonu. Ja się, kurczę, czuję zazdrosna.

– Przeżyjesz – rzuciłem lekko, choć czułem, że cały się spinam przed spotkaniem z moimi. Tu byłem pewien jednego: przytulania nie będzie.

Witały nas, może bardziej mnie, nieśmiertelna pomidorowa, tylko z makaronem, i gołąbki z samym ryżem i vegetą, na których zaczynał się i kończył repertuar dań wegetariańskich w kuchni Danki. I rozmowa o niczym, którą twardo zabawiał nas nieoczekiwanie ożywiony ojciec, jakbyśmy byli znajomymi z sanatorium albo kimś równie blisko związanym. Właściwie nie o niczym. A to o Nowym Jorku, a to zaletach kina domowego, które pyszniło się na środku salonu jak ołtarz cyfrowego bóstwa. No i o polityce.

O tym mogę w każdej chwili i wszędzie, ostatecznie codziennie grzebię w serwisach internetowych. Ojciec zawsze się dziwił, że wiem, jak się nazywa aktualny polski premier.

Po drugim daniu poszedłem za macochą do kuchni.

– Daj mi, proszę, klucze od Podedwornego, chciałbym tam przenocować z Daszą.

Danka zamarła z wielkim nożem do krojenia ciasta w ręce.

– A tobie co, seks na mózg się rzucił? – zapytała prawie szeptem.

– Tak – odpowiedziałem z powagą. I zgodnie z prawdą.

– No wiesz! – prychnęła i zaczęła kroić ciasto z taką pasją, jakbym to ja leżał na tej ciepłej blasze, albo może raczej Dasza.

Wiedziałem, o co chodzi. Rozwódka! Z dzieckiem! Do tego jeszcze aktorka! Wiadomo. Ciach, ciach, ciach! A miało być tak pięknie z piękną i młodą weterynarką. Ciach!

– Dobrze – powiedziałem – w takim razie przenocujemy w Cristalu.

To był celny cios w czuły punkt Danki. Nastąpiła chwila namysłu, bo w końcu nie o błahostkę chodziło, tylko o pryncypia. Czy zaryzykować, że ktoś ze znajomych zobaczy mnie, jak grzeszę w hotelu w centrum miasta, czy lepiej, żebym grzeszył w jej starym mieszkaniu, gdzie zobaczą mnie najwyżej dawne sąsiadki, z których zdaniem nie ma się już co liczyć.

– Wiszą w przedpokoju. Te z żółtym breloczkiem – wycedziła w końcu.

– Dziękuję – omal się nie ukłoniłem.

Może nie spodziewałem się „ochów", „achów" i długich nocnych rozmów od serca, ale poczułem się zdrowo zmrożony tą wizytą. Żyłem w tym czasie w jakimś uniesieniu, wszystko dookoła szło jak z płatka i nawet jeśli nie miało prawa się udać, udawało się bez komplikacji. Moje czarnowidztwo i pesymizm poszły wreszcie na zasłużony wypoczynek, a może jak zawsze czaiły się za rogiem, tylko ja przestałem ciągle spoglądać w tamtą stronę. Nie wiem, chyba wyobrażałem sobie, że skoro wszystko w moim życiu zmienia się jak za dotknięciem czarodziejskiej różdżki, to i tu nastąpi jakaś cudowna, nieprawdopodobna przemiana.

Jak widać, nie nastąpiła.

Rozmowa przy deserze dotyczyła wyłącznie spraw ogólnych, niezwiązanych z nami i nową sytuacją rodzinną. Ojciec na swój sposób próbował być miły. Zaproponował nawet, żebyśmy razem obejrzeli wiadomości. Obejrzeliśmy. Tylko prezenter nie stanął na wysokości zadania, bo mu się szczęki mocno rozjechały na panoramicznym ekranie. Dobrze mu tak.

Danka postanowiła niczego nie udawać. Znowu jej nie wyszło. Cóż, każdy nosi w sobie jakiś ideał życia rodzinnego. Dla mojej macochy była to najwyraźniej monarchia absolutna, choć niezbyt oświecona.

Nic dziwnego, że moja siostra wolała wynajmować mieszkanie w Zielonej Górze, rodzinnym mieście swego męża, niż korzystać z dawnego mieszkania macochy. W swoim czasie zostało ono przepisane na Jolkę ze względu na jakieś regulacje prawa spółdzielczego – Danka nie miała własnych dzieci. Teoretycznie siostra była więc jego właścicielką, ale nigdy nim nie dysponowała.

Mieszkanie stało puste „na wszelki wypadek, żebyś miała do czego wracać", o czym Danka przypominała Jolce przy każdej wizycie. W pewnym sensie był to z jej strony przejaw matczynej troski, ale nie zazdrościłem swojemu szwagrowi, szczególnie że macocha mówiła o tym swobodnie również w jego obecności.

Nie zazdrościłem też Daszy, która z nieprzeniknioną miną dopijała właśnie herbatę. Ona jakoś tak potrafi. W końcu jest aktorką.

W każdym razie miałem tu już dożywotnio przegwizdane, więc bez specjalnych ceregieli dałem jej znak, że wystarczy tych rodzinnych serdeczności i spadamy.

To była nasza pierwsza noc od wyjazdu Daszy ze Stanów. Niezwykła noc po tygodniach tęsknoty i fantazji pomieszanych ze wspomnieniami. Nic nam nie przeszkadzało, ani smutek kompletnie urządzonego, ale od dawna bezpańskiego mieszkania, ani rozkładana kanapa i dziecko płaczące za ścianą, ani miarowy stukot dobiegający z ledwie ciepłych kaloryferów.

Piękna noc, choć początek zwiastował burzę z przelotnymi opadami łez. Przeze mnie.

Przywiozłem ze Stanów pakiecik różnokształtnych prezerwatyw i pokazałem je Daszy, mówiąc:

– Pomyślałem sobie, że moglibyśmy tymczasem wstrzymać się z dzieckiem.

Chciałem, żeby było dowcipnie i lekko. Ale się przeliczyłem. Nie wziąłem pod uwagę, że Dasza spędziła upojne popołudnie w towarzystwie moich starych. Trudno było to uznać za wyrafinowaną grę wstępną.

– To już nie chcesz być ojcem? – zapytała takim tonem, że powinienem był w tym momencie zakończyć temat i nie wiem, zacałować ją albo załaskotać na śmierć. Ale się w porę nie zorientowałem.

– Chcę. Tylko nie chcę dowiedzieć się przez telefon, że jesteś w ciąży.

– A co to za różnica?

Co to za różnica? To zasadnicza różnica, bo… Bo inaczej to sobie wyobrażałem. Chciałem, żeby wszystko było tak, jak sobie wymyśliłem, wymarzyłem. No dobrze – zaplanowałem: romantycznie, szczególnie, wyjątkowo, w czasie i okolicznościach, które zdążyłem już sobie obmyślić. Nie jak z jakiegoś romansu. Czy watykańskiej ruletki. Żadnej improwizacji.

– Po prostu nie chcę dowiadywać się przez telefon – powiedziałem.

– Bo co? Bo inaczej to sobie zaplanowałeś? Bo nie będziesz miał nad tym kontroli od pierwszej minuty?

Rozgryzła mnie jak fistaszka. Zapomniałem, że zdążyliśmy się już co nieco poznać.

– O czym ty mówisz? – wzruszyłem ramionami i próbowałem zabrać jej ten nieszczęsny pakiet w neonowych kolorach.

– O twojej potrzebie planowania i kontrolowania – odparła.

– Mojej potrzebie kontrolowania? To ja się zaparłem, że za żadne skarby nie wyjadę z Polski, bo straciłbym kontrolę nad sytuacją?

Przyglądała mi się chwilę tym swoim spojrzeniem, które na ogół zwiastowało atak i natychmiastowy odwrót. Okulary zdjęte, oczy duże i wymowne. Na wszelki wypadek też zdjąłem okulary. Energicznie podeszła bliżej. Już się przestraszyłem, ale nie, nie trzasnęła mnie w pysk ani nie wyszła.

– Przypominam ci – powiedziała zupełnie spokojnie – że mam córkę, całkiem podrośniętą i niegłupią. Przede wszystkim to ona nie chciała wyjechać do Stanów.

Co racja to racja, pomyślałem. Powiedziała Daszy: „Po moim trupie". – Wesoła dzieweczka! Zawstydziłem się, ale tylko trochę, bo trochę się też ucieszyłem. To była zupełnie inna rozmowa. Dasza zaczynała wyjaśniać nieporozumienia. Zrobiła milowy krok, ku mnie, ku naszemu wspólnemu życiu. Tak to rozumiem, tak mogliśmy iść dalej, z nią mogłem się kłócić i godzić do końca świata.

– Zresztą, o czym my mówimy – ciągnęła. – W moim wieku już się tak szybko nie zaskakuje.

– Czym nie zaskakuje? – nie zrozumiałem.

– Nie zachodzi się w ciążę ot tak – pstryknęła palcami. – To może potrwać.

Wróciłem do Stanów spokojniejszy i upewniony w swoich decyzjach.

Plan był precyzyjny: składam wymówienie w TGR, przyjeżdżam do Polski, CBDQ wynajmuje mi mieszkanie, weekendy spędzam w Olsztynie, szukam mieszkania dla nas wszystkich, Pola kończy gimnazjum, ja pilotuję sprawę liceum w Warszawie, w czasie wakacji przeprowadzamy się i urządzamy.

To był dobry plan. W końcu zawodowo zajmowałem się risk management, czyli podejmowaniem decyzji po analizie wszelkich możliwych zagrożeń, ich prawdopodobieństwa i przewidywalnych skutków. Wszystko na stół!

Zaczynało się na poważnie. Sam tego chciałem.

Tymczasem na początku grudnia Dasza pojechała na tygodniowy objazd, czy jak to się nazywa, w każdym razie przez tydzień tułała się z całym swoim zespołem po jakichś wiejskich szkołach i świetlicach. Dawali przedstawienie za przedstawieniem, czasami cztery jednego dnia. Tłukli się nieogrzewanym gruchotem w dwudziestostopniowym mrozie. Kierowca na co drugi spektakl spóźniał się kilka godzin, bo rozpalał ognisko pod autokarem, żeby rozmrozić paliwo. Swojskie klimaty, czyli po mojemu czysty horror.

Porozumiewaliśmy się z konieczności SMS-ami. Dasza narzekała na samopoczucie, osłabienie, ogólne rozbicie. Byłem pewien, że skończy się grypą albo i czymś poważniejszym.

Po precyzyjnych wyliczeniach dokonanych na hotelowej serwetce – byłem w tym już niezrównany – zadzwoniłem do niej z samego rana, po tym jak wreszcie wróciła do domu. Chyba nawet ją obudziłem, bo przez chwilę odpowiadała mało przytomnie, ale nie mogłem czekać ani chwili dłużej. I tak przewracałem się z boku na bok w hotelowym łóżku w Chicago.

– Jak się czujesz? – zapytałem, kiedy wreszcie dotarło do niej, kto i po co dzwoni.

– Średnio – mruknęła. – I w ogóle, wiesz co, zaczekaj parę sekund.

– Ale...

– Zaczekaj – powtórzyła i chyba gdzieś sobie poszła.

Nie wiem, ile to trwało, jak dla mnie, o wiele za długo.

– Marcin? Jesteś tam jeszcze? – usłyszałem w końcu stłumiony głos.

– Dasza, co się dzieje?

– Muszę ci coś powiedzieć.

Wolałbym nie pamiętać, co mi wtedy przeleciało przez głowę. Poczynając od nie tak już młodego, ale nadal ponoć przystojnego ukraińskiego reżysera, poprzez nagły i niespodziewany powrót Grzegorza Trześniewskiego, propozycję objęcia posady dyrektora teatru w Kiszyniowie, wyjazdu na roczne solowe tournée do Japonii, po kłębowisko niespodziewanych a dotkliwych przypadków losowych, z których każdy mógł mnie rozdzielić z Daszą.

Cóż, przydział optymizmu życiowego odbywa się drogą losowania.

– Nie bój się – powiedziała, bezbłędnie odczytując moje milczenie. – To nic...

– Co się stało? – wydusiłem.

– Jakby ci to powiedzieć... Jestem w ciąży – wypaliła i parsknęła nieco nerwowym śmiechem.

– To żart?

– Tak, taki żart losu.

– Pewna jesteś?

– Przed sekundą zrobiłam test. Dlatego chciałam, żebyś poczekał.

– Ale jak…

– Myślałam, że już wiesz, jak się robi dzieci.

Przypomniały mi się tamte fikuśne prezerwatywy, tamta kłótnia i to, jak długo i solennie godziliśmy się z Daszą. Kolorowy pakiecik przeleżał całą noc obok naszych okularów. Nietknięty.

Tego chciałem, prawda? Chciałem mieć dziecko z Daszą.

No to miałem.

Pogadaliśmy jeszcze chwilę, nie wiem o czym, bo nic do mnie nie docierało, ale nie mogłem przecież przerwać rozmowy w pół zdania. W końcu odłożyłem słuchawkę, wstałem z łóżka, ubrałem się w to samo, co poprzedniego dnia, i zjechałem na dół.

Wszedłem do pustego o tej porze hotelowego baru. Nie mogłem popłynąć tak, jak bym chciał, bo przed południem miałem kolejne spotkanie z klientem. Musiał mi wystarczyć gin z tonikiem. Trzy giny, dla ścisłości.

Przypomniało mi się, jak w jednym z pierwszych listów Dasza napisała: „Nie chcę sobie wyobrażać, jak będzie. Nigdy nie jest tak, jak sobie wyobrażamy”.

Powinienem był od razu uwiecznić sobie tę złotą myśl na ścianie. Albo na czole.

„Cudne manowce”

styczeń 2002 – maj 2003

1

Byłam szczęśliwa, młoda, pożądana, jedyna, ale czułam się jak na diabelskim młynie. Nie tylko dlatego, że męczyły mnie mdłości poranne i ciągła senność na przemian z falami irytacji. Przede wszystkim męczyło mnie to, że z trudem dotrzymuję kroku własnemu życiu, a nie zanosiło się, żebym miała w najbliższym czasie odpocząć. Świat wokół mnie zaczął obracać się trzy razy szybciej. Dzień był za krótki, wieczory wypełnione telefonami od Marcina. Poranki – wiadomo czym.

Czasami miałam ochotę usiąść w bujanym fotelu, zapatrzyć się na świat i pozwolić mu popłynąć, pięknie, na pełnych żaglach. A ja bym sobie tak siedziała, przykryta kocem, i popijała herbatę. A może bym się porwała na największe sprzątanie, z myciem okien i odtykaniem wiecznie zatkanej wanny. Wszystko wirowało. I było piękne jak nigdy. I straszne. Ale tylko trochę.

Na Zaduszki pojechaliśmy do Białegostoku. Wtedy powiedziałam mamie i Poli o naszej decyzji. Ale nie pamiętam, jak to powiedziałam. Może, że chcemy być razem, czy że jesteśmy razem. Coś w tym rodzaju.

Mama wiedziała już wcześniej, co się święci, ale chciałam, żeby Pola dowiedziała się dopiero wtedy, kiedy wszystko będzie już pewne. Z rozmysłem też powiedziałam jej o tym w obecności mamy, żeby dać jasny sygnał, że nie ma tu żadnej tajemnicy, intrygi ani kombinowania.

– Czy tata o tym wie? – To było pierwsze pytanie Poli.

Moja mama milcząco wzniosła oczy ku niebu.

– Nie. Jeszcze nie wie. Chciałam, żebyście najpierw wy się dowiedziały.

– Ale mogę mu powiedzieć?

– Oczywiście. To żadna tajemnica.

Chwyciła telefon, smycz, zawołała Figę i już jej nie było.

– Padnie trupem – mruknęła mama.

– Przeżyje – machnęłam ręką.

Nie pierwszy raz obie miałyśmy rację.

Grzegorz trawił nowinę przez dwa tygodnie. Zadzwonił w sobotni wieczór krótko przed świętami. Oglądałyśmy z Elką nagranie z jej wakacyjnego wyjazdu do Wenecji. Ściślej mówiąc, było to dzieło jej męża, który nie dość, że filmował, to jeszcze przez cały czas komentował wszystko, co widział w kadrze: „A tu, ten, gondolier, z wiosłem. Zaraz się walnie w głowę tym wiosłem. A nie, nie. O cholera, ptak mi narobił na rękę. Elka! Masz chusteczki? A tu się nasz kanał łączy z tym, no...". I tak w kółko.

Absolutny koszmar! Kiedy po kwadransie tego bełkotu Elka bez słowa wyłączyła fonię, miałam ochotę rzucić jej się na szyję. Wtedy zadzwoniła moja komórka.

– Cześć – usłyszałam Grześka. Dziecko musiało mu podać mój dość starannie strzeżony numer. – Nieźle się urządziłaś, pogratulować.

– Słucham?

– A ty w ogóle wiesz, kto to jest, ten twój? Z tej Ameryki to czasami taka szumowina przyjeżdża, że aż strach. Może to jakiś CIA? Mafia? Pedał? Sama wiesz, jak tam jest.

– Słucham?

– Rób co chcesz, dorosła jesteś, ale wiesz, zastanów się. Ja wiem, co mówię. Ty go prawie nie znasz, jak mi dziecko zmarnuje, to gołymi rękami zabiję jak...

Rozłączyłam się.

– Co się stało? – zapytała Elka, widząc moją minę.

Pokręciłam głową, próbując zebrać myśli. Nie udało mi się, więc powtórzyłam jej słowo w słowo, co usłyszałam, w nadziei, że tym sposobem uda mi się coś zrozumieć.

– Nieźle. Najpierw ci pogratulował, a potem wypowiedział cztery zdania na krzyż i w każdym cię obraził – podsumowała. – Musiał to mieć starannie przemyślane.

Od naszego rozwodu minęło osiem lat. Osiem lat! Różnie bywało, ale co najmniej od czterech nasze stosunki były wręcz modelowe. Grzesiek regularnie płacił alimenty, nie było problemu z nadzwyczajnymi wydatkami typu aparat ortodontyczny czy wakacyjne wyjazdy – może się nie rwał, ale bez dyskusji dokładał połowę. Nie miałam na co narzekać.

Oczywiście, musiałam wysłuchiwać krytycznych uwag na temat swoich metod wychowawczych, dyskutować śmiałe pomysły pedagogiczne – tym śmielsze, że to przecież ja miałam na bieżąco pilnować ich realizacji. Dawałam się przesłuchiwać na okoliczność najróżniejszych wpadek mojej córki w charakterze głównej podejrzanej. Gdyby nie to, że Pola była zdrowa jak rydz, pewnie byłabym winna każdego jej kataru. Nieważne. Pryszcz w porównaniu z wyczynami znanych mi rozwiedzionych par i – powiedzmy sobie szczerze – pryszcz w porównaniu z tym, co wcześniej wyczyniał Grzegorz jako mój mąż. Nie miałam pojęcia, jak mu się układa z Jagodą, ale małżeństwo trwało, reszta mnie nie obchodziła.

– Nic z tego nie rozumiem – westchnęłam.

– A czego tu nie rozumieć! – Elka wyłączyła nagranie i spojrzała z rozbawieniem. – To oczywiste. Jest zupełnie zdezorientowany, bo coś ci się wreszcie udało.

– Ależ jemu od lat się udaje! – zaprotestowałam. – Ma żonę, dorastającą córkę, mieszkanie, samochód, pracuje w swoim zawodzie, jest w nim świetny, o co chodzi?

– On to on – wyjaśniła Elka. – A ty miałaś być nieszczęśliwa i samotna do końca swoich dni. Nie rozumiesz? Miałaś klepać biedę i tkwić w tym samym miejscu, w którym cię zostawił. Bieda z nędzą i przede wszystkim samotność. Tak miało być. Dzięki temu on mógł coś tam sobie udowodnić.

– Co na przykład?

– Na przykład, że z was dwojga to ty jesteś niezdolna do stworzenia trwałego związku.

Przez chwilę docierał do mnie sens jej słów.

Tak naprawdę nie chciałam o tym myśleć. Z zakamarków pamięci wypłynął obraz Grzegorza z żoną na koniach gdzieś pod Wrocławiem, jaki zapamiętałam ze zdjęcia, które Pola upodobała sobie od pewnego czasu. Uśmiechnięty, zalotnie spoglądający w obiektyw, za którym stała jakaś pewnie młodo-piękna fotografka. Grzegorz nie przepuści żadnej.

– No tak – przyznałam w końcu. – Ja w szczęśliwym związku. To faktycznie niespodzianka.

Walnęło mnie i przez chwilę ogarnęła mnie totalna depresja. Czy los rzeczywiście się do mnie uśmiechnął? Czy to chwila, czy tak ma być? Co ja teraz czuję? Co powinnam teraz czuć?

– Żebyś wiedziała, Dasza – Elka wyciągnęła się w fotelu. – Nawet ja jestem zaskoczona.

Wyciągnęłam się w fotelu obok.

– Wiesz, co ci powiem? Ja też. – Chyba mi trochę przeszło.

– Nie przejmuj się Grześkiem, jakoś to łyknie. Nie ma wyjścia. Wie już, że jesteś w ciąży?

– Nawet Pola jeszcze nie wie.

– Tym się dopiero chłopina zadławi – parsknęła.

Jakoś nie było mi do śmiechu, ale nie czułam też zdenerwowania ani napięcia. Świat należał do mnie, choć przed chwilą czułam się beznadziejnie.

Coś się definitywnie zakończyło, coś się nieodwołalnie zmieniło. W świecie i we mnie. Było mi całkowicie i kompletnie obojętne, co myśli o mnie mój były mąż. Najchętniej bym zapomniała, że taki facet istnieje. Był prehistorią, dinozaurem z dużym ogonem i maleńkim móżdżkiem. Nie sądziłam, by cokolwiek z tego, co mi naopowiadał, mógł sprzedać Poli – Elka miała rację, to była rozgrywka ze mną. Tylko że ja zeszłam już z boiska! Mógł sobie dalej obmyślać strategie, mógł nawet wbijać te swoje dobrze wymierzone gole, ale tylko Panu Bogu w okno.

Następnego ranka, kiedy Pola przyszła jak zwykle w niedzielę do mojego łóżka, powiedziałam jej, że jestem w ciąży z Marcinem i że wyprowadzamy się z Olsztyna. Tak zwyczajnie.

– Chyba sobie żartujesz, mamo. A moja szkoła?

– Od drugiego semestru pójdziesz do gimnazjum w Warszawie – odpowiedziałam, przygotowana na wszystko. Szczerze mówiąc, bardziej bałam się reakcji Poli na wiadomość o zmianie szkoły, niż tego, jak przyjmie moją ciążę.

– Ale ja mówię o muzycznej.

– Rozmawiałam z twoim panem od gitary – powiedziałam, bardzo z siebie dumna. – Dał mi namiary na trzy miejsca, gdzie mogłabyś dalej uczyć się grać i śpiewać.

– No to dobrze – mruknęła Pola, przytulając się do mnie. – Bylebyś ty była szczęśliwa, ja zawsze będę przy tobie.

Nie było sensu czekać do nowego roku. Zaczęłam szukać mieszkania i gimnazjum w Warszawie. Całe noce siedziałam w Internecie, Elka – zginęłabym bez Elki! – uruchomiła swoje młodsze siostry. Jedna pracowała w gimnazjum na Ursynowie, mąż drugiej był agentem w warszawskim biurze nieruchomości.

W rzadkich chwilach oddechu próbowałam się zastanowić, co to wszystko dla mnie znaczy: wyjeżdżałam do obcego miasta, gdzie nie znałam nikogo poza Marcinem. Wracałam tam, skąd wiele lat temu uciekłam z krzykiem.

To prawda, nie wybierałam Olsztyna, choć okoliczności sprawiły, że spędziłam w nim całe dorosłe życie. Nie można powiedzieć, żebym czuła się jakoś mocno związana z tym miastem, po prostu się przyzwyczaiłam. Powoli oswoiłam się z miejscami i ludźmi, chociaż najbliższą mi osobą była Elka, przyjezdna tak jak ja.

Przez wszystkie te lata nie przyszła mi nawet do głowy myśl o wyprowadzce z Nagórek, zmianie teatru, wyjeździe do innego miasta. Nie czułam takiej potrzeby. Małżeństwo, które było nieustanną huśtawką, nauczyło mnie czerpania siły z niezmienności miejsc, małych rytuałów, tego, co działo się w moich czterech ścianach i na co miałam realny wpływ. Potem długo tęskniłam za kimkolwiek, kto chciałby dzielić ze mną życie. Byłam sama, pojedyncza, a tego stanu nie mogła zmienić żadna nowa przestrzeń. Kiedy w końcu pogodziłam się ze swoją samotnością, przestałam szukać i czekać na jakąś cudowną odmianę. Nie bez powodu mędrcy Wschodu powtarzają – wyrzeknij się, a otrzymasz.

A teraz całe moje życie stanęło dęba. Nie czułam się dynamiczna ani przebojowa, zmiany napawały mnie lękiem. Ale może tak było lepiej. Lepszy był lęk i pokora niż zamykanie oczu i entuzjastyczne płynięcie z falą, która tyle już razy obiecywała rajskie plaże, a i tak wynosiła mnie na kolejne bezludne wyspy.

Święta i sylwester minęły mi jak we śnie. Mogę powiedzieć tylko tyle, że odbyły się w tym samym terminie co zawsze. Marcin do ostatniej chwili nalegał, żebym wsiadła w samolot i przyleciała do Redwood Shores, ale nie chciałam nawet słyszeć o prawie dwudziestogodzinnym locie. Było mi smutno, że powitamy nowy rok na różnych półkulach, ale poranne nudności weszły właśnie w fazę apogeum. Popołudniami zasypiałam tam, gdzie stałam. Nie chciało mi się nawet jechać do Białegostoku. Mama przyjechała do nas, na ostatnie święta w starym składzie, jak sama to określiła.

Wigilię przegadałam z Marcinem. Sylwestra przespałam przed telewizorem. Pola bawiła się na trzyosobowym piżamowym balu sylwestrowym z koleżankami ze szkoły muzycznej. Wróciła i od progu oświadczyła:

– Nigdzie nie wyjeżdżam. To głupota.

– Być może – powiedziałam – ale klamka już zapadła.

– Totalna głupota – oznajmiło moje dziecko i powędrowało do swojego pokoju.

Tydzień po sylwestrze, po milionie maili i tysiącu telefonów, pojechałam z Elką do Warszawy oglądać mieszkania do wynajęcia. Miałam duszę na ramieniu, pamiętając klitki, w jakich gnieździły się niegdyś moje koleżanki z polonistyki, które nie dostały akademika (też niezłej nory, przynajmniej wtedy).

Szwagier Elki w pięć minut rozprawił się z moimi obawami.

– Nie te czasy, Dasza – uciął, zdmuchując pyłek z biurka wielkości lotniskowca. – Mieszkania na wynajem to teraz biznes dla zupełnie innych ludzi. Pewnie, że można trafić jakieś przybytki rodem z lat osiemdziesiątych, ale my w agencji takich w ogóle nie przyjmujemy do obrotu. Ludzie nakupowali nowiutkich mieszkań, jak była, pamiętacie, ta ulga podatkowa na lokale do wynajęcia. Tyle ich naraz weszło na rynek, że standard musiał podskoczyć. No i klientela się zmieniła. Tak jak ten twój, no, partner. Facet, co przyjeżdża tu ze Stanów do pracy w międzynarodowej firmie, nie będzie zaczynał od malowania i szorowania sracza.

To prawda, nie będzie. Marcin, który chodził już na rzęsach, odliczając dni swojego trzymiesięcznego wymówienia, spełniał się w tym, co najbardziej lubił, czyli w planowaniu. Określił ze szczegółami, czego, jego zdaniem, powinnam szukać. Bardzo mnie to bawiło i żartowałam z niego niezbyt delikatnie, ale tylko do chwili, kiedy dzięki tym do śmieszności ścisłym danym, nie ruszając się z Olsztyna, odrzuciłam trzy czwarte ofert. Przyjechałam właściwie na pewniaka.

Obejrzałam cztery mieszkania. Wszystkie były przestronne, jasne, miały w pełni urządzone i wyposażone kuchnie i łazienki, przy których moja własna wyglądała jak strup. Nie mogłam się zdecydować aż do chwili, kiedy wdrapałam się na trzecie piętro do ostatniego, piątego mieszkania.

Właściwie prosiło się o malowanie. Kuchnia nie była nawet w połowie tak nowoczesna jak w tych poprzednich. Ale miało dwa poziomy, solidne, choć podniszczone, sosnowe schody, okna z widokiem na brzozowy zagajnik i dziesięciometrowy balkon, a przede wszystkim obszerną garderobę na górze i zamykany schowek pod schodami na dole. Koniec z łażeniem do piwnicy! Koniec z upychaniem rzeczy po szafach!

– Byłoby idealne dla nas – szepnęła Elka, wchodząc do sypialni z oknami w ukośnym dachu.

– Ty już masz idealne mieszkanie – przypomniałam. – Ja biorę to.

– Nie lepsze byłoby tamto z windą? – oprzytomniała Elka.

– Ale przy samej ulicy.

– No wiesz, najpierw ciąża, potem wózek i maluch.

– Elka, tu jest ciszej niż u mnie na Orłowicza. Dwa kroki do metra. Przez łączkę. Figa oszaleje tu ze szczęścia. A ten balkon...

– Masz rację. Ja też bym brała.

Właściciel zgodził się na malowanie. Zlecił je na mój koszt swojej ekipie remontowej, a to, co zrobili, stanowiło dowód, że zaufane ekipy naprawdę – jeszcze lub już – istnieją. Podpisałam umowę od lutego. Na pół roku. Zgodnie z instrukcjami z Kalifornii.

Dwa dni później stanęłam w drzwiach gabinetu dyrektora mojego teatru. Nie był to ten sam szef, który swego czasu wypróbowywał na mnie nowatorskie koncepcje pedagogiczne i socjotechniczne. Ten był młodym technokratą, który tylko złośliwym zrządzeniem losu trafił do teatru lalek. Międzynarodowa sława – może bardziej w byłych demoludach, ale zawsze. Jego przeznaczeniem był prawdziwy show-biznes, kukiełki go denerwowały, jak nam to od czasu do czasu powtarzał. Lalki w jego teatrze pojawiały się coraz rzadziej. Taka awangarda z kompleksami. Rozmawiałam z nim rzadko i krótko, bo też i nie za bardzo było o czym. Ta rozmowa też była krótka.

– Panie dyrektorze, chciałabym wziąć bezpłatny urlop. Od lutego. Roczny.

– A co się niby stało? – łypnął na mnie mało życzliwie.

– Z powodów osobistych.

– To niemożliwe.

– Ale...

– Bez ale, niemożliwe, powiedziałem.

– Jeśli tak... w takim razie – zająknęłam się nieco.

– Tak?

– W takim razie muszę zrezygnować z pracy.

– Wymawia mi pani przed świętami?

– Zostanę do końca grudnia.

– Proszę natychmiast stąd wyjść – wycedził – bo powiem pani coś naprawdę nieprzyjemnego!

Myślałby kto, że jestem jego perłą w koronie!

Wyszłam. Ale tylko do sekretariatu. Poprosiłam o kartkę i długopis. Napisałam na kolanie wymówienie – drżącą ręką, z błędami ortograficznymi – i zostawiłam je na biurku sekretarki. Po południu odebrałam papier już z podpisem. I z podkreślonymi błędami!

Pracowałam do połowy stycznia, dalej poszłam na zwolnienie. Czułego pożegnania nie było.

Pod koniec miesiąca Pola wyjechała na ferie, ja pakowałam nasz dom i organizowałam przeprowadzkę. Wahałam się, co zrobić z mieszkaniem, byłam już nawet o krok od wynajęcia. W końcu wystraszyły mnie roszczenia ewentualnych kandydatów. Byli to niby znajomi bliskich znajomych, ale oczekiwali ode mnie niemalże dożywotnich zobowiązań. No i chcieli z jakichś powodów się zameldować. Na stałe. W życiu!

Po namyśle zdecydowałam się sprzedać, nie natychmiast, nie na siłę, ale przy pierwszej korzystnej okazji. Namówiona, a właściwie przymuszona przez Marcina, który twierdził, że tak właśnie się to robi, nie kombinowałam, tylko zgłosiłam mieszkanie do dużej agencji nieruchomości. Wyjeżdżając, zostawiłam im klucze i konieczne upoważnienia. Po trzech tygodniach znaleźli kupca. Rozwiedzionego księgowego po pięćdziesiątce, którego żona zostawiła dla dwudziestoparoletniego ratownika na basenie.

Agencja wszystko wie. Ciekawe, co powiedzieli kupcowi o mnie. Co ja bym o sobie powiedziała?

Wynajęłam firmę przeprowadzkową, która zniosła cały mój dobytek z czwartego piętra, przewiozła mnie, rzeczy i psa do Warszawy, a następnie wniosła wszystko na trzecie piętro. Mieli w ofercie także rozpakowywanie i ustawianie, włącznie z kwiatkami i bibelotami, ale to wolałam powolutku zrobić sama. Bez przesady z tą pomocą.

Malowanie odmieniło i odmłodziło mieszkanie. Kremowe ściany odbijały zimowe światło wpadające z trzech stron. Okna wychodziły na drzewa i niezabudowaną jeszcze przestrzeń.

Byłam w euforii. Nareszcie nikt nie będzie mi zaglądał w okna. Nareszcie nie będę zmuszona podziwiać tych arcydzieł gorseciarstwa, w jakich uparcie paradowała sąsiadka z mieszkania naprzeciwko. No i jej męża, który chodził bez gaci i był z tego dumny. A nie było z czego.

Moje sfatygowane olsztyńskie meble ginęły w czterech pokojach. Figa ze swoim legowiskiem w pysku wędrowała z góry na dół, nie mogąc się zdecydować. Mama dzwoniła codziennie rano, Elka codziennie po południu, Marcin codziennie wieczorem. Wszyscy zadawali mnóstwo pytań o sklepy, pralnie, przychodnie i całą okolicę, ale przez pierwszy tydzień udało mi się dojść tylko do sklepu spożywczego po drugiej stronie ulicy.

Chciałam pod koc, z herbatą. Przeczekać.

To co zwykle. Paraliż.

2

Nie tylko Dasza czuła się sparaliżowana. Kiedy w końcu uświadomiłem sobie, że naprawdę jadę do Polski, że znowu mam bilet w jedną stronę, że nie wrócę zaraz do Kalifornii, bo to tam, w Polsce jest od teraz moje nowe życie, dotarło do mnie, że nic z tej polskiej rzeczywistości nie rozumiem. Nic nie wiem. Co innego tam bywać, co innego znowu zamieszkać na stałe.

Gdzieś w okolicach Islandii zapragnąłem, tak po cichu, porwać samolot, zawrócić, cokolwiek. Bałem się. Bałem się jak jasna cholera.

Wysiadłem z samolotu ciężko przestraszony.

Było strasznie zimno, padał mokry śnieg, który oblepiał okulary i wpadał do nosa. Nic nie widziałem. Czułem się samotny i bezdomny.

Co ja najlepszego robię? W co ja się pakuję? Co ja wiem o Daszy?

W moim biznesie nie ufa się nikomu, tylko temu, co się zobaczyło w logach komputerowych, zapisach z kamer, co wyszło w „rozmowach" z podejrzanymi. Ostatnio w jednej z firm okazało się, że najwięcej kradł (co z tego, że po kilka centów, ale na milionach transakcji) jej szef od bezpieczeństwa baz i danych.

I jak tu ufać?

Szedłem z samolotu do autobusu. Dlaczego samolot nie mógł przykołować do rękawa? Bo mu nie było pisane. Zaczynałem się uczyć mojej odzyskanej rzeczywistości.

A jeśli oni wszyscy tylko czyhają na pieniądze, których nie mam? Jak mi się ułoży z Polą? Nie pała do mnie nawet udawaną sympatią. I ten jej ojciec, którego nie chciałbym spotkać. Jak ja sobie tam poradzę?

Dobrze, że Pola za lat kilka się wyprowadzi i ułoży sobie życie na własny rachunek. Jak moje dziecko będzie miało osiemnaście lat, to ja ile będę miał? Złom! Próchno!

Myślałem, że się rozpłaczę.

Dasza wyszła po mnie na lotnisko. Pierwszy raz ktoś po mnie wyszedł! Chciałem to poczuć jakoś specjalnie i nie wychodziło. W taksówce złapaliśmy się nieco histerycznie za ręce i trzymaliśmy się tak przez całą drogę do domu, zupełnie jak po przylocie Daszy do Kalifornii.

Cieszyłem się, że jestem z nią, ale strach przed tym, co dalej, był chyba większy.

Mieszkanie na Ursynowie nie podobało mi się, ale nawet się na ten temat nie zająknąłem – ostatecznie przyjechałem na gotowe, byłoby świństwem wyskakiwać z krytyką. Trzecie piętro bez windy, w sytuacji gdy można było przebierać w ofertach, wydawało mi się pomysłem, delikatnie mówiąc, nieprzemyślanym.

Nie podobał mi się Ursynów, ani ten stary, wielkopłytowy, ani ten nowy, ściśnięty i wyniesiony ku niebu zupełnie jak tutejsze ceny. Śmieszyły mnie ekskluzywne ponoć Kabaty, gdzie opętani deweloperzy pobudowali bunkry z widokiem na inne bunkry, a równie opętani ludzie zadłużali się do końca życia, byleby w nich zamieszkać. Jedyne, co mi odpowiadało, to bezpośredni dojazd metrem do pracy i względna bliskość lasu. Będzie gdzie uciekać.

Nic to, myślałem, urodzi się dziecko, będziemy się zastanawiać, co dalej. Najważniejsze, że się urodzi – ta myśl nadal mnie uskrzydlała, choć to już był czwarty miesiąc. Uskrzydlała i przerażała. Gdzie by się miało urodzić? Jaki szpital znaleźć? Czy mogę tu komukolwiek zaufać?

Pola wróciła z ferii do nowego domu. Odwiózł ją ojciec. Wtedy po raz pierwszy zobaczyłem go z bliska. Prawdziwego Artystę.

Był trochę niższy ode mnie, ale bardziej nabity w policzkach, podobny do chomika, z bródką jak u Koziołka Matołka, w obcisłych ciemnopurpurowych spodniach. Te spodnie najbardziej mnie zaskoczyły. Może prosto z przedstawienia? Tak czy tak, Dasza miała bardzo osobliwy gust. A może nadal ma? To by wiele tłumaczyło.

Trześniewski zachowywał się przedziwnie. Wstawił córkę w drzwi, odmawiając przestąpienia nawet progu mieszkania. Gdyby mógł, podałby mi rękę przez chusteczkę albo w ogóle nie podał, ale dziecko patrzyło. Bardzo uważnie. Więc w końcu uścisnął mi dłoń, ale z taką miną jakby nie wiem kogo dotykał. Zadżumionego. Trędowatego.

Pola bez słowa zlustrowała mieszkanie, w końcu stanęła w progu swojego pokoju na poddaszu.

– No, w porządku – rzuciła, a Dasza uśmiechnęła się, jakby spłynęła na nią ostateczna łaska.

W porządku, pomyślałem, ale nieco przedwcześnie, bo schodząc ze schodów, usłyszałem, że Pola dzwoni do ojca. Pewnie tylko co zszedł na dół. Coś tam mu entuzjastycznie opowiadała, a ja uświadomiłem sobie, że były mąż Daszy ma w naszym domu swojego człowieka.

Moje rojenia o odcięciu się od przeszłości i budowaniu wszystkiego na nowo były właśnie tym – rojeniami. Wprawdzie wiążąc się z Daszą, wiedziałem, że wiążę się też z jej córką, ale myśl, że oznacza to również długoletni związek z Grzegorzem Trześniewskim, była dla mnie jak grom z jasnego nieba. Pierwszy z wielu.

Następnego ranka Pola zjawiła się na śniadaniu w piżamie z kolorowym napisem na piersi: „Barbie does it with open eyes", czy jakoś tak. Z wrażenia zakrztusiłem się herbatą.

– Mamo, gdzie termometr? – jęknęła na powitanie.

Dasza bez słowa wyjęła termometr z szuflady – niesamowite, jak szybko zapanowała nad wszystkim. Gdybym to ja się przeprowadził z innego miasta dwa tygodnie temu, zapewne głośno klnąc, włożyłbym buty i poszedł do apteki po termometr, bo nie wierzę, że cokolwiek byłbym w stanie znaleźć.

Pola włożyła termometr pod pachę i zasiadła przed telewizorem.

– Źle się czuje? – zapytałem cicho.

– Nie, dlaczego? – zdziwiła się Dasza. Dopiero widząc moją minę, dodała: – To normalne. Od siedmiu lat nie chorowała, nie miała nawet kataru, bardzo by chciała, ale nie. Potrafi codziennie mierzyć temperaturę albo narzekać, że coś ją bierze.

– Może tym razem bierze?

– Nie. To tylko nerwy przed nową szkołą.

Jak tak, to tak. Już po tygodniu się przyzwyczaiłem. A termometr odkładała zawsze na swoje miejsce. Nie było do czego się przyczepić.

– Czy ty wiesz, co ona ma napisane na piżamie? – zapytałem Daszę po paru dniach. Miałem nadzieję, że nie wie.

– Wiem. Że Barbie skacze ze spadochronem z otwartymi oczami. Na plecach jest narysowany spadochron – wyjaśniła spokojnie. – To jest piżama jeszcze z czasów, kiedy moja córka twierdziła, że tak naprawdę nazywa się Barbie Trześniewska.

Mogłem mieć tylko nadzieję, że to odległe czasy.

Zacząłem pielgrzymkę po urzędach. Jej celem było uczynienie mnie na powrót pełnoprawnym, a raczej zarejestrowanym gdzie się da, obywatelem. Przede wszystkim musiałem pojechać do Białegostoku, żeby odzyskać dowód osobisty. Bez dowodu mnie nie ma. Tak to miałem zakodowane od lat. Wybrałem się pociągiem pospiesznym. Koło Małkini poczułem, że zaczynam naprawdę wracać do Polski. Byłem jedynym niepalącym w przedziale dla niepalących. Uczyłem się.

Prosto z dworca pojechałem do biura ewidencji na Warszawskiej.

– Dzień dobry, chcę odebrać swój dowód – powiedziałem urzędniczce za szybą.

– Jak to, odebrać? To gdzie on jest?

– Nie wiem. Zabraliście mi go, jak emigrowałem.

Popatrzyła na mnie jak na idiotę, poszła do koleżanek obok, chwilę poszeptały, w końcu podeszła jakaś inna, starsza, co nie takie numery widziała w urzędzie.

– Nazwisko.

– Zalewski.

Nie zapisała. O imię nie zapytała. Widać coś było na rzeczy.

– Gdzie pan zostawił swój dowód?

– W komendzie na Bema – odparłem spokojnie.

Spokojnie! – powiedziałem sobie w myślach.

Czego ja się boję? Wystraszony petent. Nie ma co ukrywać. Jestem jednak stąd. Bardzo stąd.

Poszły we dwie szukać po kartotekach. Dziwne, bo obok stał komputer, ale widać mało używany. Wyszło im, że nie ma takiego dowodu, został zniszczony, ocalała tylko strona ze zdjęciem, tym w kufajce, na złość władzy ludowej, i muszę się starać o nowy. Ale to i tak dobry znak – istnieję, choćby w stopniu ograniczonym.

– To znaczy co mam zrobić?

– Wypełnić i złożyć wniosek.

– OK. To poproszę formularz.

Wypełniłem. Poszedłem do automatu i cyknąłem przepisowe zdjęcia. Wróciłem do okienka. Podałem wniosek.

– To jeszcze książeczkę wojskową poproszę – mówi urzędniczka.

– Nie mam. Książeczkę też mi zabrali na Bema.

– No, to trzeba iść do WKU na Lipową. Bez książeczki nie możemy.

Jak trzeba, to trzeba. Idę. Ja mogę.

– Dzień dobry, chciałbym odzyskać książeczkę wojskową. – Znowu patrzą na mnie jak na wariata. Jeszcze niegroźnego.

– Nie trzeba było gubić – mówi urzędnik czy wojskowy, nie wiem, jakoś dziwnie ubrany, w swetrze z brązową czy czarną plakietką „Poleszuk L.". To teraz noszą takie mundury? Jaki on ma stopień? Z kim ja w ogóle gadam?

– Nie zgubiłem, sami zabraliście.

– Słucham?

– Jak emigrowałem. W osiemdziesiątym ósmym roku.

Cisza. Widać pamiętał tamte czasy.

Uuuu, chyba niedobrze, pomyślałem, bo spojrzenie w okienku stało się dużo uważniejsze.

– A jaka to była kategoria?

– E – rzuciłem, mimowolnie poprawiając okulary.

– Dowód osobisty, proszę.

Westchnąłem.

– Nie mam dowodu.

– Jak to? Bez dowodu się nie da.

– Żeby dostać nowy dowód, muszę przedstawić książeczkę wojskową. A wy nie chcecie mi jej wydać, bo nie mam dowodu – wyrecytowałem. – To co ja mam zrobić?

Rozstrzygnięcie zajęło im jakieś czterdzieści minut. Wyglądało na to, że nie ma procedury na taką okoliczność. Mało wraca takich frajerów jak ja, czy co? Całe szczęście, że dostałem tę kategorię ze względu na wzrok – żeby nie wiem jak bardzo chcieli, nie nadawałem się do strzelania. Teraz też się nie nadaję. A próbowałem. Słowo honoru.

W końcu dali mi papier z pieczęciami, że nie podlegam, nie nadaję się, jestem taki sobie, i że nie muszę mieć książeczki wojskowej, by żyć.

Jednak jestem felerny. Potwierdzone urzędowo.

Jakbym nie wiedział.

Wróciłem do biura dowodów. Ożywczy spacer pozwolił mi obejrzeć wystawy księgarń (muszę tu wrócić), sklepów z biżuterią (no, z brylantem dla Daszy to się może jeszcze wstrzymam), ubraniami (jestem jednak łachmaniarzem), o, i sklepu z gadżetami erotycznymi w dawnej Składnicy Harcerskiej (dziękuję, na razie nie potrzebuję). Postałem refleksyjnie w krótkiej kolejce (znak czasu). Znowu obejrzeli podejrzliwie najpierw mnie, potem papier, gdzieś chodzili, dzwonili, patrzyli uważnie, coś szeptali – dać mi, nie dać. W końcu dali – kartkę, z którą miałem zgłosić się po odbiór nowego dowodu. Za dwa tygodnie. Osobiście. Na nieśmiałą prośbę o przesłanie go pocztą zostałem pouczony, że takich rzeczy poczcie się nie powierza. Należy osobiście i jeszcze trzeba się podpisać dokładnie tak jak na wniosku. Żebym o tym pamiętał.

Zapamiętałem. Wtedy po raz pierwszy pomyślałem sobie: po jaką cholerę wróciłem? Przecież tu się nic nie zmieniło!

Oczywiście byłem głęboko niesprawiedliwy. Schody do urzędu były marmurowe, na biurkach stały komputery, koronowany orzeł toczył dumnym wzrokiem po sali.

Tylko herbata w szklance taka sama. Z łyżeczką. Na sztorc...

Dwa tygodnie później przyjechaliśmy z Daszą do Białegostoku odebrać mój dowód i w celach towarzyskich. Nasz wspólny kolega szkolny, Gryckiewicz, zaprosił kogo się da na wielkie oblewanie swojego nowego domu. Uznaliśmy, że to dla nas szansa, żeby odnowić dawne kontakty już w nowej konfiguracji, że tak powiem, uczuciowej. Długo się nie zastanawialiśmy. Pola z pieśnią na ustach pojechała na weekend do ojca, innych przeszkód nie było.

Mieliśmy trochę kłopotów z odnalezieniem domu Gryckiewicza w plątaninie świeżo wytyczonych i tylko symbolicznie utwardzonych uliczek na wyrastającym dopiero osiedlu domów przy drodze wyjazdowej na Supraśl i Krynki. Po sześciu nerwowych telefonach dotarliśmy jednak po wertepach sprzed stu lat do rezydencji o rozmiarach iście kalifornijskich. Trochę nas zatkało. Mnie najbardziej.

W środku nadal milczeliśmy nabożnie, bo okazało się, że wszystko, co można zrobić w trzystumetrowym domu, nasz kolega zrobił, nie wiem, ze dwa razy.

Nie, nie mam nic przeciwko domom perfekcyjnie wykończonym pod dyktando architekta wnętrz. Dopóki nikt nie każe mi w takim zamieszkać. Zdziwiłem się tylko, że komuś chce się wywalać aż takie pieniądze na wnętrze, które tak czy tak będzie mu służyć do dość prozaicznych czynności. Oczywiście można brać kąpiel cztery razy dziennie, za każdym razem w innej łazience i z innym programem biczowania wodnego, ale ja bym chyba jednak wolał za te pieniądze pojechać w podróż dookoła świata. Nie wiedziałem też, że można ekspres do kawy wbudować w ścianę obok industrialnej lodówki, dosyć przydatnej, na przykład, w prosektorium.

Poczułem się maluczki. Dotarło do mnie, że tu jednak zaszła zmiana.

A i tak nie miał sracza z podmywaniem i suszeniem, którego, hm, doświadczyłem w Japonii.

Impreza snuła się leniwie, bo dwadzieścia zaproszonych osób większość czasu spędzało na wzajemnym poszukiwaniu się po zakamarkach domu. Wino z Kalifornii, jakby na moją cześć. Niezłe. Dasza narzekała na spuchnięte nogi, więc zakotwiczyliśmy się w salonie o rozmiarach iście gotyckich i przytulnym jak Malbork w środku zimy. Ledwie usadziłem ją w gigantycznym skórzanym fotelu koloru jajecznicy, do salonu wpadł siwiuteńki, senatorsko brodaty, spowity w czernie facet, rzucił się na kolana i zaczął ściskać i całować Daszę jak cudem odnalezioną córkę czy siostrę.

– Tylko na was czekałem! – wołał pośród cmoków i uścisków, a echo odbijało jego baryton od katedralnych marmurów. – Pięknie wyglądasz, pięknie!

Przez chwilę musiałem mieć głupią minę, bo zerwał się z kolan i krzyknął:

– A tobie co, amerykański sen o potędze pamięć nadpsuł?

Skąd wiedział? Prześwietlił mnie na wskroś.

W końcu skojarzyłem, kto to taki i dałem się wyściskać jak pluszak.

To był Falkowski, miejscowy poeta i krytyk literacki, który dwadzieścia lat temu, jako młody, ale już uznany twórca, opiekował się mną i Maziukiem, wówczas aktywnym narybkiem młodopoetyckim. Parę razy pobiłem go nawet w konkursach poetyckich. Maziuk go potem przebił i zgasł tak samo gwałtownie. A Falkowski trwał na fali takiej i owakiej. Wierny sobie i swoim ideałom. Ideał. Jakże ja mu zazdrościłem tej pewności siebie, asertywności poetycko-życiowej.

Maziuk go unikał. Dasza z kolei znała go z niezliczonych konkursów poezji śpiewanej, które Falkowski zaszczycał jako juror, a ona jako wschodząca gwiazda wokalistyki. Podobno była nawet u niego na konsultacjach przed egzaminem do szkoły teatralnej. Nie wiem, czy dlatego, że był poetą, czy dlatego, że większość jego zachowań mieściła się w konwencji teatru jednego aktora z ADHD.

Przyglądałem mu się nieco zawistnie, bo, no cóż, ja byłem specjalistą od zabezpieczania firm, a on nadal poetą. Rozmawiał z nami jakieś pół godziny o polityce, kościele, podatkach, dramacie, lalkach, Ameryce (wiedział więcej niż ja i był pewien, gdzie skrywa się Osama – na Białorusi) niemal jak członek rodziny, czuły wuj, troskliwy ojciec, po czym oznajmił:

– Wiecie, wydaję swój tomik.

– Wspaniale – odezwałem się, z trudem przełykając kolejną falę zawiści. – A w jakim wydawnictwie?

Podał nazwę, która mi nic nie mówiła, ale nie musiała, w końcu długo mnie tu nie było.

– Cieszę się. Naprawdę. Gratuluję – mruknąłem.

– No tak, tak – powiedział – ale wiesz, oni wydadzą, jak się za to zapłaci.

– OK. A ile to kosztuje? – zapytałem naiwnie.

– Straszne pieniądze! – zawołał, wyrzucając ręce do nieba. – Ale słuchaj, może chciałbyś zostać współwydawcą? Wiesz, napiszemy, że to dzięki twojej hojnej pomocy. Może nawet na okładce?

Przez chwilę nie rozumiałem, o co mu chodzi, ale kiedy w końcu do mnie dotarło, poczułem się tak, jakby mi napluł w gębę. O żeż ty, pomyślałem, wygrywałem z tobą w konkursach, a ty do mnie jak do wuja Sama z walizką dolarów?

– Nie, nie chciałbym być współwydawcą. Ani wydawcą. Przykro mi – dodałem szybko.

– Dlaczego? – zapytał szczerze zdziwiony.

– Po prostu nie chcę – odpowiedziałem już spokojnie.

Dzięki ci, Helen, za lata treningu, pomyślałem, bo to moja była żona nauczyła mnie odmawiać bez usprawiedliwiania się ani tłumaczeń.

Falkowski klepnął mnie w ramię przyjacielsko. Ktoś nowy wszedł do salonu, więc pomachał do niego i zaczął się z nami żegnać. Znowu wycałował się z Daszą.

– Piękna jak zawsze! – westchnął i już miał odchodzić, ale zatrzymał się jeszcze i zapytał: – Ale, wybacz, jak ty właściwie masz na imię? Bo zapomniałem.

– Da-a-a-sza – wyjąkała z rzadką miną.

– Pięknie! – skwitował, ściskając mi dłoń.

To spotkanie powiedziało mi więcej o tym, jak mnie teraz widzą, niż milknące na nasz widok rozmowy i szepty po kątach.

Dziwnie się czułem, ale trudno, nieważne. Wróciłem, bo chciałem być z Daszą, a nie, żeby szukać wczorajszego dnia.

Zacząłem pracę. To był szok, przecież nigdy dotąd nie pracowałem w Polsce! No, chyba że jako wychowawca na kolonii przez jeden turnus. Dalej już sobie darowałem, bo ganiając kopcących podrostków (wtedy to były tylko papierosy), sam się tak rozpaliłem, że potem kilka lat rzucałem.

Zatrudnili mnie na stanowisku o stopień niżej od partnera. Zacząłem od wypełnienia sterty papierów, z których połowy nie rozumiałem. W poprzedniej pracy na tym samym stanowisku miałem swój własny gabinet z drzwiami i „używalnością" sekretarki. Tutaj dostałem miejsce przy stole we wspólnej sali.

Ludzie na kupie, brak prywatności, ale za to wszyscy dzień w dzień pod krawatem – czułem się zupełnie jak w kwaterze głównej FBI. Do tego bizantyjsko-brytyjskie umiłowanie hierarchii, a w tym wszystkim odwieczni ex-pats niemówiący po polsku i ci, którzy uważają, że się już nauczyli, traktowani jak mroczne bóstwa na szczytach szczytów. Feudalizm w czystej postaci. I wielkie pieniądze.

Zajmowałem się tym samym co w Kalifornii – bezpieczeństwem sieci komputerowych i baz danych, szacowaniem stopnia ich zagrożenia, budowaniem systemów i procedur zabezpieczających.

Większość naszych klientów stanowiły banki i sklepy internetowe w Europie. W Polsce takie usługi dopiero raczkowały, a ich właściciele liczyli na cud albo na swoich genialnych panów Ziutków, Mańków i innych, którzy przeczytają parę książek, stron w internecie i coś wymyślą za półdarmo.

Ludzie słuchali o hakerach, wirusach i programach szpiegujących niemal z taką samą obojętnością, z jaką słucha się o katastrofach ekologicznych w Ameryce Południowej – przykra sprawa, ale nas nie dotyczy. Kto by nas atakował? Panie, co pan? Tutaj? Dopiero kiedy zaczynaliśmy rozmowę, w której krok po kroku pokazywałem, co się stanie – bo ja już wiedziałem, że atak na niezabezpieczoną sieć, taką jak ich, jest tylko kwestią czasu – łapali się za głowę. Nie musiałem nawet wspominać o demonicznym Osamie.

Po takiej rozmowie musieli ocenić, czy taniej jest nic nie robić i tracić klientów, płacić odszkodowania lub pokrywać straty, czy jednak lepiej wydać grube pieniądze na system zabezpieczający, a najpierw też niemałe na audyt, czyli opis obecnej sytuacji i czyhających niebezpieczeństw oraz propozycje, co można zrobić, żeby im zaradzić.

Na ogół zwyciężał niezastąpiony pan Ziutek albo Maniek, bo nasze usługi były dość drogie jak na polskie warunki. A kryzys dotarł już i tutaj. Zgłaszały się do nas jednak duże spółki giełdowe i wielkie państwowe firmy, których zarządy po pierwsze dysponowały większym budżetem, a po drugie potrzebowały nie tyle gwarantowanej jakości usług, ile papieru z certyfikatem firmy o światowej renomie – na wszelki wypadek. I mimo kryzysu.

Sam tego chciałem. Zaczęło się.

Przede wszystkim jednak zaczęło się testowanie i docieranie z Polą.

Początkowo wszyscy bardzo się staraliśmy. W praktyce oznaczało to, że Dasza zachowywała się normalnie, a my z Polą schodziliśmy sobie z drogi i omijaliśmy się tak szerokim łukiem, żeby w żadnym razie o siebie nie zahaczyć. Kiedy nie dało się już uniknąć „zahaczenia", zachowywaliśmy się tak uprzejmie i ceremonialnie, że czasami dopiero Dasza musiała nam przerwać wzajemne rewerencje i przypomnieć, o co właściwie chodziło. Długo to trwało, bo oboje mieliśmy dużo dobrych chęci. Naprawdę.

Pola poszła do gimnazjum na Ursynowie i z marszu wsiąkła w swoją nową klasę. Bardzo nas to ucieszyło. Zdawaliśmy sobie z Daszą sprawę, że mogło być jej ciężko, bo przesadziliśmy dziewczynę jak pietruszkę, i to bez znieczulenia.

Tymczasem Pola ze swoją gitarą, oczytaniem, ortodoksyjnym wegetarianizmem i długimi sukienkami z konopi trafiła w dziesiątkę. Miała sporo szczęścia. Na pierwszej lekcji z nową (dla całej klasy) polonistką okazało się, że jako jedyna wie, kim był Stachura i w dodatku zna jego wiersze. Równie dobrze mogło jej to wyjść bokiem, ale z jakiegoś powodu nowe stado uznało to za niegroźny element jej ekscentrycznego wizerunku.

Wpadała ze szkoły pędem, niemal zawsze w towarzystwie dwóch nowych koleżanek, niejakiej Laszuk (niedużej i biuściastej brunetki) i Doti (całkiem OK, muszę bezwstydnie przyznać), brała psa i wybiegała na wielogodzinne spacery. Pies, wiadomo, świadek idealny, żeby nie wiem co, pary z pyska nie puści.

Wieczorami urzędowała w swoim pokoju na górze. Zaanektowała laptop matki i stanowczo twierdziła, że jest jej potrzebny do odrabiania lekcji. Ja na to nic. Bo co? Mój?

– Tu jest inaczej, mamo – tłumaczyła Daszy. – Tu się lekcje odrabia z Internetem, nikt nie lata po bibliotekach.

W porządku. Szkoda.

Z tygodnia na tydzień wracała ze szkoły coraz później, pies wracał z wielogodzinnych spacerów, podpierając się ogonem, a z laptopa na okrągło rozlegał się sygnał zgłoszeniowy kolejnych rozmówców z Gadu-Gadu, para-bum-para-bam. Lekcje odrabiały się same. Zajęcia w sekcji gitarowej w domu kultury okazały się zbyt nudne, by je kontynuować. Tyle dobrego, że z jej pokoju nadal rozbrzmiewał nostalgiczny głos Cohena na przemian ze schrypniętym Tomem Waitsem.

Aż wreszcie pewnego miłego popołudnia Pola oświadczyła:

– W piątek idę na imprezę.

– Fajnie. Do kogo? – zapytała Dasza.

– Mamo, tu się nie łazi po domówkach. Idziemy z Doti do klubu.

– Słucham? – Dasza przerwała czesanie psa i spojrzała na córkę z osłupieniem.

– No, do klubu, na koncert – wyjaśniła Pola, ale już rzuciła mi złe spojrzenie, bo nie ruszyłem się z miejsca, a ona nie mogła pogadać z matką w cztery oczy.

Co tu się teraz zdarzy? Czy mam prawo coś powiedzieć? To przecież nie jest moje dziecko.

– Coś ci się pomyliło, dziewczynko – odezwała się Dasza spokojnie. – Jesteś jeszcze za młoda na imprezy w klubach.

– Mamo, o czym ty mówisz? Wszyscy chodzą – Pola zerwała się i z kieszeni spodni wyciągnęła dwa świstki. – Proszę bardzo, to jest wejściówka, kupiłam za swoje, a to musisz podpisać.

– Muszę? – mruknęła Dasza.

– Pokaż – nie wytrzymałem. – Proszę.

Dasza bez słowa podała mi wąski papierek: „Wyrażam zgodę na udział syna/córki w zamkniętej imprezie w klubie Candy Bar. Przyjmuję również do wiadomości, że podczas imprezy sprzedawany będzie alkohol. Candy Bar nie ponosi odpowiedzialności... ".

– Co to ma być? – jęknąłem. – Przecież jest zakaz sprzedaży alkoholu niepełnoletnim.

– No to co? – Dasza wzruszyła ramionami. – Tu się codziennie produkuje przepisy, których nikt nie zamierza przestrzegać.

– Gdzie indziej za taki numer bar traci licencję na alkohol. Na bardzo długo.

– A tu wystarczy dupokryjka na świstku i jest impreza dla małolatów.

– Podpisz, mamo, bo potem zapomnimy – włączyła się Pola, patrząc na mnie z nieukrywaną nienawiścią i pogardą. Więc jednak.

– Chyba żartujesz! – parsknąłem. Kto by wytrzymał?

– Rozmawiam z moją mamą – przypomniała mi.

I słusznie. W zasadzie.

Od razu się zamknąłem. Nie mój problem. Niech sobie skaczą do oczu, ja idę poczytać.

– Nie pójdziesz tam, córeczko – powiedziała Dasza.

– Ale mamo!

– Nie ma mowy. Jeszcze za wcześnie na chodzenie po klubach.

– Mamo, posłuchaj, Doti mówi...

– Nie. Nie interesuje mnie, co mówi Doti. Ona nie ma jakiegoś normalnego imienia?

– Dorota.

– Więc mów normalnie.

– Mówię normalnie, ty jesteś Daria, a wszyscy mówią Dasza.

– Dasza to zdrobnienie od Darii.

– A Doti zdrobnienie od Doroty.

Dasza odetchnęła głęboko. Mnie by dawno szlag trafił na miejscu i zapeklował przy okazji.

– Rozumiem. Zatem nie obchodzi mnie, co mówi twoja nowa przyjaciółka Dorota. Ty mnie obchodzisz. Nie pójdziesz. To jest po prostu niebezpieczne dla dziewczynki w twoim wieku.

Pola rozpłakała się i pomaszerowała na górę, poskarżyć się swojemu laptopowi.

– Ja nie jestem, kurwa, dziewczynka! – udało nam się usłyszeć. I tak za dużo.

A to była zaledwie przygrywka.

Odziedziczyłem po swoim poprzedniku grupę konsultantów, ludzi raczej niedoświadczonych, którzy z ramienia firmy prowadzili rozmowy z potencjalnymi klientami, próbując ich zachęcić do skorzystania z naszych usług. Kończyło się na próbach. Świeżo upieczeni managerowie tej grupy oduczyli ją właściwie pracy zespołowej, a chwilami wydawało się, że i pracy w ogóle. Ludzie byli zastraszeni, przyzwyczajeni do „robótki", „rzeźbienia" i ogólnie „kilowania czasu", czyli spędzania długich godzin u klientów bez specjalnych efektów.

Każdy, kto kiedykolwiek uczestniczył w profesjonalnej prezentacji kosmicznego odkurzacza, który kosztuje cztery średnie krajowe, albo patelni za równowartość miesięcznych poborów, wie, jaka to ciężka robota namawiać ludzi do zakupu ponad ich możliwości. Patrzą na ciebie jak na urodzinowego clowna, a w duchu i tak myślą o ukochanym dwudziestoletnim odkurzaczu i patelni z supermarketu. A ty wiesz, że to dla nich ogromny wydatek, ale wiesz również, że ten ich odkurzacz i patelnia powinny natychmiast wylądować na wysypisku. Więc tokujesz jak uliczny sprzedawca śledzi, mając nadzieję, że komuś jednak podziałasz na wyobraźnię.

Ale managerowie byli bardzo zajęci monitorowaniem „kilowania" i czysto papierowymi wynikami. Raczej ilość niż jakość. Najważniejsze były słupki. Spędzali całe dnie, przerabiając raporty konsultantów na swoją modłę, ale nie przychodziło im do głowy, że można poprosić autora raportu o zrobienie poprawek, jakie uznawali za konieczne. Nie wpadli też na to, że dowodzenie grupą ludzi wymaga komunikowania się z nimi, a nawet mówienia im „dzień dobry" i „do widzenia".

Po paru tygodniach pracy zorientowałem się, że managerowie narzekają bez przerwy na konsultantów, ale nikt z tymi ludźmi nie rozmawia. Latają jak kot z pęcherzem od klienta do klienta i bardzo niewiele z tego wynika poza statystykami.

Początkowo konsultanci traktowali mnie bardzo nieufnie – wiadomo, przyjechał niby Polak, ale z Ameryki, będzie się mądrzył. Powoli jednak zaczynali rozumieć, że nie jestem tu kolejnym chętnym do ustawiania ich pod ścianą. Od nich dowiedziałem się, co wyrabiają obaj managerowie i jak to wygląda z perspektywy konsultantów – z perspektywy zarządu wyglądało tak, że dwaj pracowici managerowie mają pod sobą gromadę leniwych bałwanów.

Zacząłem od zaproszenia obu na lunch do knajpy, gdzie było także coś bez mięsa (trochę zadbałem o swoje interesy), w okolicach Puławskiej. Pod pretekstem rozmowy o strategii rozwoju grupy – to idealne w takich sytuacjach słowa klucze – poruszyłem temat konfliktu z konsultantami. Omal się przystawkami nie udławili ze zdziwienia. Oni tego nie widzieli i nie wiedzieli. W ogóle nie zdawali sobie sprawy, jak ich zachowanie może wpływać na staff. Bez oporów zgodzili się wypróbować parę sposobów na unikanie sytuacji konfliktowych i wyrażać swoje opinie bez obrażania ludzi.

Jakoś za prosto to poszło. Wrodzony pesymizm zaczął mi się znowu dawać we znaki.

Tydzień później, w piątek wieczorem, okazało się, że Pola musi jechać do centrum po jakiś bardzo ważny zeszyt, który miała jej oddać Doti. Z jakichś tajemniczych powodów to Pola musiała jechać do niej, a nie odwrotnie. Musiała i to natychmiast.

Było już niemal ciemno, Dorota, która mieszkała na Mokotowie, czekała na ten zeszyt na Chmielnej – brzmiało to mało przekonująco. Dasza się nie zgodziła. Szczęśliwie nie było mnie przy tym, bo Pola dostała furii i zamknęła się w schowku pod schodami, blokując składane drzwi kijem od szczotki.

Kiedy wróciłem z pracy, nadal okupowała schowek. Dasza dość teatralnym szeptem wyjaśniła mi, co się dzieje. Nim zdążyłem się odezwać, zdjąć marynarkę i zająć się problemem, spod drzwi schowka wysunęła się kartka – Pola zamknęła się we wściekłym szale, wszelako wcześniej profilaktycznie zaopatrzyła się w przybory do pisania. Bardzo ciekawe!

Rodzice i Legalni Opiekunowie!

Skoro świat jest taki niebezpieczny i okrutny, to ja pozostanę w schowku pod schodami, bo tylko tu nikt mi nic złego nie zrobi.

– OK. Siedź, dzieciaku, jak chcesz – powiedziałem, ale tak, żeby mnie nie usłyszała. – Schowek oświetlony, ogrzewany, składane krzesła do dyspozycji.

– Ty sobie możesz żartować – pokręciła głową Dasza.

– A ty nie?

– Jakoś mnie nie bawi, że moja córka na mnie wrzeszczy. Ty wiesz, co tu się działo?

– I wszystko o ten zeszyt? Ostatecznie mogę tam podjechać.

– Słyszysz, Pola? – zawołała Dasza. – Marcin może pojechać z tobą na Chmielną.

Spod schodów odpowiedziała nam kamienna cisza.

– Sam widzisz, że nie chodzi o zeszyt.

– A o co?

– Nie wiem.

– A wiesz coś w ogóle o tej całej Doti?

– Dziewczyna jak dziewczyna, rogów nie stwierdziłam.

– Może pogadać z jej rodzicami?

– Rozmawiałam z matką. Nie widzi problemu, bo ufa swojej córce.

– A ty nie ufasz?

– Nie ufam temu światu.

To mamy kłopot, pomyślałem. Niezależnie od tego, czy Doti przypadkiem nie ukrywa rogów pod bujnymi lokami.

Od przeprowadzki do Warszawy Dasza właściwie nie ruszała się z Ursynowa. Tutaj znalazła sobie lekarza, tutaj spędzała całe dnie, spacerując z psem, robiąc zakupy. Z rzadka zapuszczała się do centrum, a jej życie towarzyskie ograniczało się do rozmów telefonicznych. Od czasu do czasu umawiała się z jedną z sióstr Elki. Najlepiej jednak czuła się w domu, i to z córką w zasięgu wzroku.

Ale Pola miała piętnaście lat. Dopóki mieszkała w Olsztynie, biegała po koleżankach, przesiadywała godzinami w swojej szkole muzycznej, chodziła do kina, łaziła po sklepach. To samo chciała robić tutaj, tylko skala się nam nieco zwiększyła.

Poza tym – i to była ważna odmiana – Pola, która w Olsztynie była raczej outsiderką, tutaj nadal nią pozostała, ale nie budziło to niczyjej agresji ani chęci dokuczenia. Klasowe królowe traktowały ją pobłażliwie, jako istotę niegroźną, Pola też nie szukała konfliktu, być może nauczona doświadczeniem.

To wszystko nieoczekiwanie uwolniło w niej jakieś niesłychane pokłady pewności siebie. Co miało swoje dobre strony – w szkole nie czekała, aż ktoś złapie ją na jakichś zaległościach, tylko sama zgłaszała się do nauczycieli, bieżące klasówki i sprawdziany zaliczała przyzwoicie i bez specjalnych wysiłków. I nikomu nawet nie przychodziło do głowy nazwać jej kujonem. Z drugiej strony jednak, przestała schodzić mi z drogi i przystąpiła do regularnej wojny o terytorium.

Nic z tego nie rozumiałem. I wszystko było jasne.

Opuściła schowek pod schodami w środku nocy, kiedy oboje z Daszą poszliśmy już spać. To znaczy ja zasnąłem jak kamień, mama czuwała. Kiedy dom pogrążył się w ciszy i ciemności, wyszła z łóżka i zeszła na dół. Talerz z pierniczkami i szklanka mleka, które Dasza zostawiła na podłodze pod schowkiem, zniknęły – nawet zbuntowana Pola nadal bardzo lubiła słodycze.

Okazało się jednak, że kiedy coś znika, czasami w tym samym miejscu można się natknąć na coś innego.

Parę tygodni później Dasza zagoniła mnie do wieszania obrazków. Sporo tego było, w dodatku mieliśmy dwa rodzaje ścian – normalne ceglane i gipsowo-kartonowe. Pojechałem do marketu budowlanego i trochę mnie poniosło. Nakupiłem narzędzi, gwoździ i wkrętów, jakbym miał co najmniej budować arkę przed potopem. Wlazłem z tym wszystkim pod schody, w poszukiwaniu miejsca na warsztacik budowniczego arki. Przesunąłem trzy kartony w rogu i zobaczyłem... paczkę fajek, a ściślej mówiąc, czarnych cieniutkich cygaretek.

3

Co jakiś czas pytałam Polę prewencyjnie, czy nie zaczęła przypadkiem palić, bo kiedy wracała do domu, czułam na jej ubraniu zapach papierosów. Uważałam, że to pytanie pro forma, a Pola za każdym razem odpowiadała, że to Doti pali. Któregoś dnia, wyjmując coś z jej torby, znalazłam zapalniczkę. Spytałam, skąd to się wzięło, a ona mi powiedziała, że schowała na prośbę Doti i zapomniała oddać. A potem znalazłam pety w metalowej rynience biegnącej tuż przy oknie dachowym w pokoju Poli, ale w naiwności swojej uznałam, że to zwiane przez wiatr niedopałki sąsiada, o którym wiedziałam, że pali jak smok, nawet wyprowadzając psa.

W końcu bania pękła.

Zaczęło się od kłótni z Marcinem.

Następnego dnia Pola miała jechać z klasą na wycieczkę rowerową.

– Napompuj dziecku koło w rowerze – poprosiłam.

– Dlaczego ja? – mruknął znad komputera.

– Ja jestem w za dużej ciąży – poklepałam się po brzuchu.

– Ale ja nie o tobie mówiłem.

– To nie jest takie proste.

– Napompować koło? Bez przesady. Niech sama spróbuje.

Wściekłam się, ale nic nie powiedziałam. Nawet że w Olsztynie zwykle prosiłyśmy o pomoc sąsiada, bo było to naprawdę trudne.

Pola wyciągnęła rower ze schowka i jakoś wespół w zespół napompowałyśmy to cholerne koło. Złość mi opadła, czy raczej została wypompowana, wzięłam się do obiadu. Coś smażyłam, włączyłam wyciąg, który buczał jak traktor, usłyszałam tylko, że Marcin mówi podniesionym głosem, a Pola krzyczy:

– To nie jest fair! Tak się nie robi!

W tamtym czasie albo się do niego nie odzywała, albo krzyczała, bo ścinali się ostro i właściwie o wszystko, od wczorajszych majtek porzuconych na podłodze po pryncypia.

Mnie, osobę nawykłą do milczącego przeżuwania urazy, awantury połączone z krzykami wprawiały w panikę i drżenie. Ale Pola nie była mną – na szczęście – i nie krępowała się wywalać z siebie wszystkiego, co ją uwierało. Marcin przyjmował to ze spokojem – dzieciństwo i młodość spędzone z młodszą siostrą w pokoju o rozmiarach naszego schowka pod schodami wystarczająco przygotowały go do tej nieustającej wojny terytorialnej.

Po ich pierwszej poważnej awanturze Marcin wyłożył mi swoją koncepcję: Kiedy w zamkniętym układzie pojawia się ktoś nowy, to są dwie teorie – jedna, że zawsze będzie dla niego miejsce, bo wszechświat jest nieograniczony, i druga – że miejsca jest tyle, ile jest i ani trochę więcej, a zatem zawsze ktoś komuś coś zabiera.

Ja byłam przekonana o słuszności tej pierwszej teorii – nadal kochałam moje dziecko, ale kochałam też Marcina i małe życie rosnące we mnie. Marcin i Pola najwyraźniej wyznawali jednak tę drugą i walczyli mniej lub bardziej otwarcie o każdy skrawek gruntu. Malutkiej w brzuchu szczęśliwie było to na razie obojętne. Mnie niestety nie.

– Pokrzyczy i przestanie – tłumaczył Marcin – a co wykrzyczy, to twoje. Przynajmniej będzie wiadomo, o co chodzi. Byleby nic w środku nie kisiła.

– Jak jej mamusia – podpowiedziałam.

– Jak jej mamusia – zgodził się.

Tym razem nie miało dla mnie znaczenia, o co znowu może chodzić. Byłam rozżalona na Marcina i zaczynałam być zła na Polę, bo na moje ucho, tym razem przeholowała. Wyłączyłam wyciąg i w tej samej chwili usłyszałam huk zatrzaskiwanych drzwi na górze.

Po chwili Marcin wszedł do kuchni, podszedł do mnie, objął – na tyle, na ile mój brzuch pozwalał – i powiedział:

– Przepraszam. Nie wiedziałem, że to taki diabelski rower. Zachowałem się jak idiota.

Zgadza się, pomyślałam.

– Twoja córka mnie ochrzaniła i miała rację.

Urwał, spojrzał w górę i zaczął węszyć.

– Co?

– Nic. Spokojnie...

Figa, która dotąd leżała cichutko w nadziei na jakieś skrawki szykującego się obiadu, podeszła bardzo zainteresowana.

– Marcin, co... – zaczęłam.

– Czuję fajki – mruknął, wskazując ruchem głowy kratkę wentylacyjną.

Ten sam szyb wentylacyjny przylegał do pokoju Poli na górze.

– Idę – rzuciłam. – Przytrzymaj psa.

Nie mogę powiedzieć, że wbiegłam leciutko po schodach, bo to była połowa czerwca i nie widziałam już własnych kolan bez lustra. Weszłam więc powolutku, ale cicho, bo nogi mi puchły i kiedy się dało, chodziłam boso, chociaż Marcin ciągle narzekał, że to niebezpieczne.

Otworzyłam drzwi i zobaczyłam Polę, jak stoi na stołku, do połowy wychylona z okna dachowego, i pali, strzepując popiół do metalowej rynienki.

Zbaraniałyśmy obie.

– Dlaczego to robisz, dziewczynko? – zapytałam, siadając na jej łóżku.

– Oj, mamo, to nic wielkiego – mruknęła bez przekonania.

– Ja nie pytam, czemu palisz, pytam, czemu mnie okłamujesz?

Wyrzuciła peta przez okno, zeskoczyła ze stołka i stanęła przede mną z rękami na biodrach. Nie wiem, jak wyglądałam w indyjskiej sukience, a raczej namiocie, siedząc z ośmiomiesięcznym brzuchem na jej niskim łóżku – może jak stóg siana, może jak kupka nieszczęścia, dość że po chwili zrezygnowała z wojowniczej pozy.

– Bo ty się tak wszystkim denerwujesz, że strach – oświadczyła.

– Co: strach?

– No strach coś powiedzieć. Z tobą się w ogóle nie da rozmawiać.

Skąd ja znałam ten tekst?

Dotarły do mnie dwie prawdy – jedna stara, druga nowa. Stara, że gdzie dwóch się bije, tam zawsze oberwie ten trzeci. I zupełnie dla mnie nowa: że stoi przede mną córka, która – tak się składa – jest również córką swojego ojca. Nie, nie była kłamczuchą, choć właśnie przyłapałam ją na kłamstwie, ale jedno musiała odziedziczyć wraz z jego połową chromosomów – instynktowną umiejętność odwracania kota ogonem i błyskawicznego przerzucania nawet najsłuszniejszego zarzutu na tego, kto stoi najbliżej. Czyli na mnie.

Niezłe. Ale nie ze mną.

– Na twoim miejscu mimo wszystko bym próbowała – wydusiłam po chwili.

Nie wiem, czy udałoby się nam wtedy porozmawiać, bo do pokoju wszedł wściekły Marcin.

– Co ty sobie do cholery wyobrażasz? – zaczął bez ogródek. – Masz mnie i matkę za jakichś kompletnych kretynów?

– Nie wiem, o co ci chodzi – odparła Pola swobodnie.

– Chodzi mi o twoje zachowanie.

– A kto ty jesteś, żeby mi mówić, jak mam się zachowywać?

– Pola! – włączyłam się.

– Co: Pola! – krzyknęła. – On nie jest moim ojcem.

– Ale mieszkam z tobą pod jednym dachem i...

– Przepraszam bardzo, nikt mnie nie zapytał, czy ja chcę mieszkać pod tym jednym dachem – warknęła Pola.

Wyszła z pokoju, gwizdnęła na Figę i tyleśmy ją widzieli.

– Tak jakby jeden zero dla niej – mruknął Marcin.

– Tak jakby – westchnęłam i zaczęłam podnosić się z o wiele za niskiego tapczanu mojej córki. – W ogóle nie dopuściła do rozmowy o tym, co zrobiła. Najpierw postawiła do kąta mnie, a potem ciebie.

– A potem sobie poszła.

– Nie wiem, co ja sobie wyobrażałam...

– No, co sobie wyobrażałaś? – Marcin jednym ruchem ustawił mnie w pionie, o ile w ósmym miesiącu ciąży można mówić o pionie.

– Że się nam jednak uda.

– To znaczy co?

– No, że uda się stworzyć szczęśliwą rodzinę.

Spojrzał na mnie z szerokim uśmiechem.

– Takie rodzinne szczęście to masz w reklamach margaryny. Nasza rodzina będzie normalna.

– Będziemy się żreć, krzyczeć i trzaskać drzwiami?

– To też – objął mnie. – Zrozum, ona walczy o zachowanie swojego starego miejsca w nowej sytuacji, a nie rozumie, że musi tę walkę przegrać. Nie utrzyma waszego starego układu, bo on już nie istnieje.

– To rozumiem – machnęłam ręką zniecierpliwiona. – Mnie tylko bokiem wychodzą te ciągłe wrzaski.

– Wolałabyś, żeby się do mnie słodko uśmiechała, a intrygowała po cichutku? – zapytał.

Tu mnie miał. Bo ja zapewne wybrałabym właśnie taką ścieżkę wojenną. Byłoby cichutko, miło i... nie do zniesienia.

Parę dni później nastąpiło apogeum buntu mojej córki.

W połowie tygodnia Pola zapowiedziała, że w piątek wybiera się na piżamowe party do koleżanki z klasy, o której mówiła wyłącznie Laszuk – żadna z jej nowych znajomych nie miała imienia – tylko pseudo, w ostateczności nazwisko. Nie widziałam problemu, piżamowe przyjęcia były czymś, co znałam z naszego dawnego życia. Wiem, że to głupie, ale chwilami, wrzucona na obrzeża kolejnej awantury, naprawdę tęskniłam do tych dawnych spokojnych czasów, kiedy ja czułam się średnio szczęśliwa, ale przynajmniej w domu był święty spokój.

Poprosiłam Polę o numer telefonu domowego owej Laszuk i zajęłam się szykowaniem kolejnej wersji bojowej torby do szpitala – w tamtym czasie było to moje ulubione zajęcie.

Marcin wrócił właśnie z dwudniowego wyjazdu do Brukseli, nawet nie wypytywał o Polę, która już zdążyła wyjść.

Próbował mnie namówić na kino, ale ja byłam już na ostatnich nogach, biegałam, pomyłka, toczyłam się do łazienki co kwadrans i wychodzenie z psem uważałam za szczyt mojej aktywności poza domem.

Po kolacji, która dla Marcina była obiadem, po prostu rozłożyliśmy się na kanapie przed telewizorem. Około dziesiątej zadzwoniłam życzyć Poli dobrej nocy. Telefon – dzwoniłam na numer domowy – odebrała jej koleżanka.

– Dobry wieczór, mówi mama Poli, czy mogę ją prosić?

– Dobry wieczór. Pola jest w łazience – poinformował rezolutny głos. – Powiem, jak wyjdzie, że pani dzwoniła.

– Dobrze – powiedziałam i odłożyłam słuchawkę.

– Co u niej? – zapytał Marcin, przerywając pasjonującą wędrówkę po kanałach.

– Nie rozmawiałam z Polą. Była w łazience.

Spojrzał na mnie z zainteresowaniem, ale w tej samej chwili zadzwoniła Pola. Z komórki.

– Cześć mamuś. Chciałaś coś? – spytała wesoło.

– Dzwoniłam życzyć ci miłych snów.

– Ale my się jeszcze nie wybieramy spać.

– No to miłej zabawy.

– Dobra. No, to pa – rzuciła i się rozłączyła.

– Gdzie, mówiłaś, ona jest? – zapytał Marcin.

– U koleżanki z klasy – powiedziałam, ale już w chwili, gdy to mówiłam, byłam pewna, że coś jest nie tak. Jeszcze nie wiedziałam co, ale poczułam się nieswojo.

– Co się dzieje? – zapytał Marcin. – Jedziemy rodzić?

– Nie, nic mi nie jest – mruknęłam i zaczęłam oglądać film.

Po jakiejś półgodzinie zorientowałam się, że wprawdzie gapię się w ekran, ale nie mam pojęcia, co to za film, kim są ci przejęci ludzie ani czym się tak przejmują. Nic nie mówiąc, zadzwoniłam do koleżanki Laszuk. Odebrała natychmiast, zupełnie jakby warowała przy telefonie.

– Pola się właśnie myje – odpowiedziało dziewczę. – Zaraz do pani oddzwoni.

Rozłączyłam się. Ale Pola nie oddzwoniła. Zadzwoniłam na jej komórkę. Milczała. Po paru minutach spróbowałam jeszcze raz, z takim samym rezultatem.

Marcin wyłączył telewizor.

– Idziemy – zakomenderował.

– Gdzie?

– Na górę. Do komputera. – Popatrzyłam na niego tępo. – Chodź, chodź, jeśli mogę za duże pieniądze włamywać się do systemów bankowych, to chyba dam radę rozpracować Gadu-Gadu, nie sądzisz?

Nie sądziłam. Szczerze mówiąc, w tym momencie dotarło do mnie, że o nowej pracy Marcina wiem tyle, że zaczyna się rano i kończy późnym popołudniem, i że zbyt często wiąże się z wyjazdami.

Powlokłam się za nim na górę, ale zrezygnowałam z siadania na tapczanie. Marcin, widząc to, podsunął mi obrotowy fotel Poli, a sam pracował na stojąco.

– Naprawdę tym się teraz zajmujesz? Włamywaniem do komputerów?

Zatańczył palcami po klawiaturze.

– Głównie to gadaniem o tym, że takie włamanie jest możliwe.

– I co? Bardzo się boją?

– Nie bardzo – powiedział, nie odrywając oczu od ekranu. – Tak naprawdę to wyobraźnię uruchamia dopiero wiadomość, że pracownik firmy może zainstalować po kryjomu szpiega na cudzym komputerze.

– Jakiego szpiega?

– Taki szpieg monitoruje klawiaturę i zrzuca na dysk albo gdzieś do sieci wszystko, co się pisze i klika. W ten sposób spryciarz może się dowiedzieć, co właściciel klawiatury pisze w mailach do szefów albo kontrahentów, ukraść wyniki jego pracy, poznać hasła dostępu i temu podobne dane. A wiesz, co jest najśmieszniejsze?

– Nie mam pojęcia.

– Czasami zadają tak szczegółowe pytania, jakby już im w głowach kiełkowała myśl, komu by tu coś takiego po cichu zainstalować.

– W pierwszej kolejności chyba mojej córce.

– Poradzimy sobie i bez szpiegów. Sierotka, archiwizuje wszystkie rozmowy – mruknął. – Ależ, kurczę, ma tych kontaktów, ona tu gada chyba z połową...

– Szukaj Doti – przerwałam.

– Jasne! O, cholera.

Chwilę później dzwoniliśmy do matki najbliższej przyjaciółki mojej córki. Szybko opowiedziałam jej, co ustaliliśmy, i że z całą pewnością ani Pola, ani Dorota nie balują teraz w piżamach w domu państwa Laszuk, ponieważ obie poszły do Candy Baru na osiemnaste urodziny jakiegoś nieznanego nam osobnika.

– Jadę tam – rzuciła matka Doti.

– Proszę na nas zaczekać, my też już jedziemy.

Zapisałam adres i próbowałam zerwać się na równe nogi, ale Marcin chwycił mnie za rękę i przytrzymał w fotelu.

– Ktoś musi zostać przy telefonie – wyjaśnił. – Poradzę sobie.

– A jak nie będzie chciała z tobą wracać?

– To ogłuszę i wyniosę na plecach – mruknął i wyszedł.

Zostałam sama ze wszystkimi swoimi lękami i z dzieckiem w brzuchu, które właśnie tę porę krótko przed północą zazwyczaj wybierało na swoją dziarską gimnastykę wieczorną. Mały łokietek albo kolanko przywaliło mi w wątrobę tak, że od razu przestałam sobie wyobrażać wszystkie możliwe nieszczęścia i wróciłam do rzeczywistości. Postanowiłam wyjść z psem i trochę ochłonąć.

Wróciłam ze spaceru, po czym pół godziny odsiedziałam, wpatrując się w komórkę, niezdolna podjąć decyzji, do kogo dzwonić: do Poli czy do Marcina. Nigdzie nie zadzwoniłam, za to Marcin przysłał SMS: „Wszyscy zdrowi. Jedziemy do domu".

Pola weszła z rzadką miną, wystrojona w błyszczący srebrzyście, kusy top, który z całą pewnością nie pochodził z jej szafy, dżinsowe rybaczki i buty na wysokim do śmieszności czarnym koturnie.

– Nie pozwoliłem jej się przebrać w samochodzie, żebyś to sama zobaczyła – mruknął Marcin.

Spod nieporadnego makijażu wyzierała mocno przestraszona buzia. Nie było śladu po tej hardej pannicy, która od tygodni rozstawiała nas po kątach, jak chciała. Marcin wskazał jej krzesło przy stole, sam usiadł po przeciwnej stronie. Opadłam na krzesło pomiędzy nimi.

– Masz nam coś do powiedzenia? – zapytałam.

– No, chyba powinnam was przeprosić – mruknęła moja córka.

– To przeproś – powiedział Marcin.

Spojrzała na niego, może nawet miała ochotę się odgryźć, ale chyba zrezygnowała, spojrzała na mnie i oświadczyła:

– Przepraszam, że was oszukałam. I że tak wam utrudniam życie.

Chciałam się odezwać, ale ubiegł mnie Marcin.

– Nam nic nie utrudniasz – powiedział. – Sama sobie utrudniasz. Tak jak ci powiedziałem w samochodzie, ja cię rozumiem, ale ty też spróbuj chociaż trochę nas zrozumieć.

– Mogę już iść? – zapytała Pola.

– Prosto do łóżka – odparłam. – Jutro wrócimy do tej rozmowy.

– Ale mamo…

– Muszę porozmawiać z twoim ojcem o tym, co się dziś stało. To już nie są żarty, dziewczynko.

Tego się nie spodziewała. Przyjrzała mi się z zastanowieniem, ale nic nie powiedziała. Zawołała Figę i obie poszły na górę.

Marcin wstał od stołu i zaczął robić herbatę.

– Jak ją znalazłeś? – zapytałam.

– Nie chcieli mnie wpuścić – zaśmiał się, wskazując niedbałym gestem swoją spraną koszulkę z Garfieldem. – Jakaś bardzo przejęta rolą panienka zaczęła mi tłumaczyć, że to nie jest miejsce dla mnie. Ja bym z nią nawet podyskutował, bo zaciekawiło mnie czemu, ale matka tej drugiej zrobiła takie piekło, że przyleciał manager klubu, ochroniarze go zaalarmowali. Osobiście dopilnował, żebyśmy znaleźli panienki i zmyli się z nimi możliwie szybko.

– Co robiły?

– One? Tańczyły na barze.

– Co?

– Nic, czego by nie mogły podpatrzyć w teledyskach. – Jakbyś zobaczyła, co wyrabia reszta, to byś wiedziała, że to było najbezpieczniejsze dla nich miejsce. Ale jeśli miały oczy otwarte, a miały, to dostały szczegółowy instruktaż, bo towarzystwo było mieszane i już nieźle popłynęło.

Nie miałam więcej pytań.

– Nawet się specjalnie nie opierały, chociaż szczęki im obu opadły, jak nas zobaczyły. Słowa nie zamieniliśmy tam w środku, zabraliśmy je i wyszliśmy w eskorcie dwóch ochroniarzy.

– Ciekawe, co powiedziała matka tej całej Doti – westchnęłam.

– Oj, chyba nic. Ledwie wyszliśmy na zewnątrz, tak natrzaskała dziewczynie po gębie, że tylko głowa latała.

– Żartujesz!

– A skąd! Żałuj, że nie widziałaś miny swojej córki, jak na to patrzyła. – Roześmiałam się, chociaż wcale nie było mi do śmiechu. – Ja nie mogłem niestety zastosować kary cielesnej. Za to porozmawialiśmy sobie trochę o risk management.

– O czym?

– O zarządzaniu ryzykiem – wyjaśnił z pobłażliwym uśmiechem – czyli ocenianiu stopnia zagrożenia, opłacalności pewnych zachowań i możliwych konsekwencjach, w tym również karach.

– Na razie to ja zostałam ukarana – mruknęłam. – Będę musiała opowiedzieć o tym Trześniewskiemu.

– Jak uważasz.

– Wolę, żeby się dowiedział ode mnie.

– Jakoś mi się nie wydaje, żeby się paliła do opowiadania mu akurat o tym.

– Nieważne, muszę z nim pogadać – westchnęłam po raz tysięczny tego długiego wieczoru. – Za chwilę wyjeżdża z nią na dwa tygodnie, musi wiedzieć, co jest i co się może zdarzyć. Już sobie wyobrażam te komentarze.

– Nie przejmuj się – machnął ręką. – Przecież to i tak wszystko moja wina.

Po raz kolejny nie mylił się, niestety.

4

Dwudziestego lipca wyjrzała na ten świat – niechętnie i bez pośpiechu – moja córka, Ula, nazwana tak po mojej matce, Urszuli.

Pierwszy raz w życiu dałem łapówkę. Przyjęła ona szlachetną postać dobrowolnej wpłaty na fundację przyszpitalną. Tak, zdaje się, było OK. Zapłaciliśmy trzy i pół tysiąca złotych – to były duże pieniądze, ale inwestycja słuszna. Kupowało się za to poród rodzinny, pojedynczy pokój z własną łazienką, opiekę anestezjologa, położnej i lekarza.

Dla mnie to był normalny standard, ale Dasza widziała to inaczej. Jeszcze pamiętała, jak piętnaście lat temu najpierw rodziła Polę, marznąc samotnie w wielkiej hali na tak zwanym stanowisku porodowym, które wyglądało jak katafalk, a potem spędziła blisko tydzień w ośmioosobowej sali z jedną łazienką i trzema prysznicami na cały oddział kobiet po porodzie.

Przyjechaliśmy do szpitala po pierwszych niewyraźnych skurczach. Minęły już dwa wyznaczone terminy porodu, więc lekarz prowadzący ciążę zdecydował, że nie ma na co czekać. Oksytocyna, znieczulenie i akcja.

Po czterech godzinach czerwony kulfonik (nos dokładnie taki jak mój – biedne dziecko!) wyjrzał, rozpłakał się niezadowolony, a ja poczułem, że nic już nigdy nie będzie takie samo.

Przecinałem pępowinę, myłem, ważyłem, ręce mi się trzęsły, płakałem jak bóbr. Położne patrzyły na mnie dziwnie, ale miałem to gdzieś. Byłem ojcem. Nareszcie. Patrzyłem na rozkrzyczane ciałko, ważone i mierzone, i wiedziałem, że od dzisiaj nie będę już musiał zadawać wzniosłych pytań o sens życia ani swoje przeznaczenie. Już wiedziałem. Miałem już wszystko, czego mi brakowało. Wszystko, czego potrzebowałem. Byłem ojcem!

Dasza leżała jeszcze na obserwacji, a ja wyszedłem na korytarz i zadzwoniłem do Poli. Dwa dni wcześniej wróciła z wyjazdu z Trześniewskim, bo plan był taki, że Ula urodzi się pod jej nieobecność, żeby odsunąć ją od całego tego niemożliwego do uniknięcia zamieszania. Nie udało się, a raczej Ula zdecydowała inaczej.

– Wsiadaj w metro i przyjeżdżaj zobaczyć swoją przyrodnią siostrę. Rudą jak marchewka.

– No, nie wiem – odpowiedziała Pola ostrożnie. – Musiałabym jeszcze umyć głowę.

– To przyjedź z brudną.

– Nie, muszę umyć, tylko strasznie mi się nie chce. Nie, chyba nie przyjadę.

Jak nie, to nie. Nie miałem zamiaru dać się ściągać na ziemię humorami Poli. Zacząłem rozsyłać SMS-y na pół świata. I łzawo czytać odpowiedzi.

– Gdzie Pola? – zapytała Dasza, jak już mogłem znowu do niej wejść.

– Odcięła się – powiedziałem. – Ja ci muszę wystarczyć.

– Na to wygląda – szepnęła mocno rozczarowana.

Biedna Dasza, nadal nie potrafiła się rozstać z tymi swoimi idyllicznymi wyobrażeniami. W tej sprawie nie mogłem jej pomóc. Mogłem ją potrzymać za rękę i już nie płakać z zachwytu nad różowym pakunkiem śpiącym w rynience z pleksiglasu obok łóżka Daszy.

Nie wiem, czy to w reakcji na zachowanie Poli, czy mimo wszystkich tych luksusów zadziałał instynkt samozachowawczy, dość że zanim minęła doba od porodu, Dasza zażądała, by wypisać ją ze szpitala. Nie chciała słuchać żadnych tłumaczeń, chciała tylko wstawać i uciekać. Lekarz dyżurny patrzył na mnie jak na idiotę, pielęgniarki jak na potwora, nic to.

Następnego dnia po porodzie byliśmy już w domu i poszliśmy na spacer. Z mocno zdziwionym psem i dwudniowym dzieckiem w wózku. Było słonecznie, Dasza nie miała problemów z chodzeniem, spacer był długi, cudny. Jeśli nosiłem w sobie jakiekolwiek idylliczne wyobrażenia, to właśnie mi się spełniły. Goniłem wiewiórki i ogłupiałe w lipcowym upale wrony. Chciałem połknąć świat tu i teraz. A Ula spała.

Ja byłem kompletnym ignorantem, ale Daszy, mimo że była już matką, nie przyszło do głowy, że zachowujemy się dość nieodpowiedzialnie. Uświadomiła nam to dopiero pielęgniarka środowiskowa, która przyszła na wywiad do noworodka i położnicy. Ochrzaniła nas jak bure suki, chociaż nikomu nic się nie stało. Ale pewnie gdzieś to ktoś nam zapisał w szarej teczce.

Narodziny dziecka niemal z tygodnia na tydzień zmieniły układ sił w naszym domu.

Dasza skoncentrowała się na Uli. Jak sama mówiła, to macierzyństwo było dużo mniej nerwowe niż pierwsze, ale i zasoby energii – na te nerwy i na całą resztę – były dużo, dużo mniejsze. Nie miała siły ani czasu przejmować się mną i Polą. A ja musiałem nimi wszystkimi. Szlag mnie trafiał dwa razy dziennie.

Wielka wojna na wszystkich frontach niepostrzeżenie przekształciła się w podjazdową wojenkę na obrzeżach. Nie powiem, co chwila stawaliśmy na progu wzajemnego, wyczerpującego wszystkie opcje ataku nuklearnego. Pola stawiała mi się o cokolwiek, dla zasady, ja – nadal zachowywałem się wobec niej jak ojciec, którym nie byłem, o czym skrupulatnie mi przypominała, ale jakoś nie przyjmowałem tego do wiadomości.

Żadne z nas nie umiało rozwiązywać konfliktów pokojowo. Żadne z nas nie wiedziało, jak złożyć broń i zachować twarz. Co rusz zachęcała mnie, żebym może wrócił do „tej swojej Ameryki", a ja jej proponowałem dłuższy pobyt we Wrocławiu, czy gdzie tam mieszkał Trześniewski. Ale powolutku, od czasu do czasu, zdarzało się nam już spokojnie porozmawiać o czymś więcej niż śmieci zakwitające w kuble czy nieśmiertelne majtki na podłodze. Na przykład o zaletach stoicyzmu.

Swoją przyrodnią siostrę Pola omijała szerokim łukiem. Nie podejmowała żadnych nowych akcji, siedziała w domu, zdarzało jej się pomóc w tym lub w owym, ale nawet nie patrzyła w stronę niemowlęcego łóżeczka. Dopiero po miesiącu, dwóch, zaczęła ją traktować z czymś, co można by nazwać „pogodną obojętnością". Od czasu do czasu podchodziła, coś tam ćwierkała, ale to wszystko. Nie zmuszaliśmy jej do niczego, a ja byłem nawet wdzięczny, że od czasu tamtej historii z wyprawą do klubu trochę nam odpuściła. W dodatku w pełni ją rozumiałem.

Była straszliwie i beznadziejnie zazdrosna o Ulę, zresztą o tej zazdrości sama mi powiedziała, potem, kiedy już trochę jej przeszło. Pamiętam tę rozmowę nie tylko dlatego, że wtedy Pola po raz pierwszy w życiu z czegoś mi się zwierzyła, ale i dlatego, że rozmawiając z nią, uświadomiłem sobie własną zazdrość.

No tak, szalałem z radości, że mam córkę, ale jednocześnie czułem się odsunięty – nie tyle od stołu, ile od łoża, w którym królowało niemowlę, bo Daszę dopadły kłopoty z kręgosłupem i nie miała siły w nocy wyjmować małej z łóżeczka do karmienia. Nie prowadziła ze mną długich rozmów wieczornych, bo zasypiała tam, gdzie siedziała, do następnego karmienia, a w środku moich zwierzeń sprawdzała, czy małej się nie ulało, czy nie ma mokro albo co tam jeszcze, słowem, zachowywała się jak normalna matka.

Ja tymczasem czułem się jak egocentryczny sukinsyn. Tym sposobem raz jeszcze udało nam się wyrobić normę jako szczęśliwa rodzina.

Nie za bardzo miałem z kim o tym porozmawiać. Po raz pierwszy od ponad roku znowu zatęskniłem boleśnie za Maziukiem, jego czarnym humorem i gotowymi odpowiedziami na wszystko.

Gdybym wiedział, że nasza przyjaźń skończy się tak niespodziewanie i nieodwołalnie, może zainwestowałbym w kogoś jeszcze. Ale nie wiedziałem. Teraz wszelkie próby reanimowania starych znajomości z liceum czy ze studiów rozbijały się o lata spędzone w Kalifornii i moją demonizowaną pensję w CBDQ. „Ty nic nie rozumiesz”, słyszałem najczęściej. Może i tak, ale nikt nie palił się, żeby mi cokolwiek wyjaśniać. Wszyscy pytali tylko, gdzie płacę podatki, bo przecież wiadomo, że nie w Polsce. Może na Kajmanach? To, że w wolnych chwilach tarzam się w forsie, było dla nich oczywiste. Czy ktoś taki może w ogóle mieć jakieś problemy? Chyba tylko wymyślone!

Moi rodzice trzymali się raczej na dystans. Pomysł nazwania małej imieniem matki nie przyniósł żadnych magicznych skutków. Ojciec w pierwszej chwili się wzruszył, ale potem – jak zawsze – nie wychylał się i czekał, co zrobi, powie i zdecyduje Danka. Ona z kolei ostentacyjnie policzyła tygodnie, dni i miesiące, a nawet raz czy dwa zapytała mimochodem, czy jestem pewien, że to moje dziecko. Uważała, że znów okazałem się frajerem, który utrzymuje babę, a do tego jej dzieci. Zdążyła zapomnieć, że rok wcześniej murem stanęła za poprzednią babą, którą utrzymywałem – za bezdzietną Helen. Na temat Daszy miała wyrobione zdanie, co wiedziałem od mojej siostry. Uważała ją za spryciarę, która złapała mnie na brzuch, nim zdążyłem policzyć do trzech. Nie była zresztą w tej opinii odosobniona. Niektóre koleżanki Daszy w sposób bardziej zawoalowany, ale nie mniej bolesny, również dawały jej to do zrozumienia.

Nic dziwnego, że w pół roku po wyjeździe z Olsztyna zaniechała prób podtrzymywania kontaktu. Nie chciała słuchać o tym, jak się wygodnie urządziła, wyrzekając się sztuki i twórczego życia dla amerykańskiej mamony i dla mnie, wulgarnego Amerykanina – mało kto wiedział, że znamy się od czasów liceum.

Może nawet naprawdę by się tym przejęła, gdyby nie Elka, która nie prostowała ani nie komentowała plotek, za to przy pierwszej skardze Daszy na ludzką zawiść i niesprawiedliwość losu spokojnie popukała się w czoło i zmieniła temat.

Zawsze lubiłem Elkę!

W końcu sierpnia wyjechałem na Mazury na off-site, zwany tutaj wyjazdem integracyjnym, z grupą świeżo przyjętych konsultantów. Towarzyszył mi Amerykanin w moim wieku – jeden z partnerów i jednocześnie mój bezpośredni przełożony. Było – jak zawsze na takich wyjazdach – dużo alkoholu, były działania zespołowe, szukanie skarbów, rodzaj biegu na orientację i temu podobne. I zdarzyło się takie spokojne letnie popołudnie, kiedy konsultanci w kilku grupach pracowali nad swoimi zadaniami, a my siedzieliśmy sobie pod lasem na jakiejś ławce i gadaliśmy o wszystkim i o niczym. Nie wiem, jak to się stało, że poskarżyłem mu się, że w moim łóżku rządzi noworodek, bo jego matka ma problemy z kręgosłupem.

– Normalne – roześmiał się. – Jest na to bardzo prosty sposób.

Zgłupiałem, bo dopiero w tej chwili dotarło do mnie, że naprawdę to powiedziałem. Musiało mnie rzeczywiście mocno uwierać.

– Dziecko wraca do swojego łóżeczka – zaczął wyliczać, odginając palce – matka dziecka śpi z tobą i budzi się do karmienia, a ty budzisz się razem z nią, wstajesz, przynosisz jej dziecko do karmienia, czekasz, aż skończy, i odnosisz z powrotem do łóżeczka. I po sprawie. Masz znowu żonę. He, he.

Wracając znad jezior, opracowałem precyzyjny scenariusz wyprowadzenia Uli do własnego łóżka i do jej własnego pokoju.

Faktycznie. Proste jak drut. Szczególnie powtórzone trzy razy każdej nocy.

Po jednej z nocy wypełnionych owymi, by tak rzec, aktami przerywanymi, musiałem wziąć udział w dorocznym zebraniu gremium zajmującego się oceną pracowników. Dotarłem tam, ledwie powłócząc nogami, otumaniony i śpiący. Na szczęście, bo nie wiem, jak przeżyłbym to żenujące widowisko, gdybym był w swojej normalnej formie roboczej.

Teoretycznie takie roczne oceny odbywają się według bardzo szczegółowych i ujednoliconych kryteriów. Tutaj ujednolicone były wyłącznie stroje obecnych, reszta wyglądała mniej więcej tak:

– Ja tego Kowalskiego nie lubię, bo oddaje mi raporty bez marginesów. A poza tym, to on jakoś za wcześnie wychodzi z pracy. No i zębów nie myje. Nie zasługuje na podwyżkę.

Albo:

– Ta Kowalska jest za młoda, żeby ją awansować. Jeszcze rok w tym samym miejscu dobrze jej zrobi.

Welcome home! Wszędzie to samo.

Czy ja już zawsze będę tylko marzyć o innym świecie z innym ładem i przejrzystymi strukturami? Przynajmniej w pracy. Może bym poszukał innej pracy?!

Już po miesiącu wciągania wózka na trzecie piętro Dasza przestała opowiadać o pięknym widoku z okna i psiej łączce, idealnej dla Figi. Zaczęliśmy myśleć o kupieniu domu. Nie musiałem nawet specjalnie namawiać, Dasza sama zadzwoniła do agencji, przez którą wynajęliśmy to mieszkanie.

Mieli dom na sprzedaż. W Michałowicach. Kawał drogi, ale nie aż tak tragicznie, bo jeździ tam WKD.

Obejrzeliśmy sobie mapę okolic Warszawy, po czym pojechaliśmy z dzieckiem przy piersi, entuzjastyczni i napaleni.

Właścicielem domu z zapuszczonym ogrodem okazał się znany ponoć rzeźbiarz mieszkający z dwoma nastoletnimi synami. Facet owdowiał rok temu. Nic w jego zachowaniu nie wskazywało na to, żeby przez ten rok udało mu się ruszyć z miejsca. Synowie wyglądali tylko trochę lepiej. Jeśli dobrze zrozumiałem, ich matka zmarła po dziesięciu latach wyniszczającej, obłożnej choroby. Z punktu widzenia tych chłopaków musiała chorować od zawsze, od kiedy pamiętali. Wszyscy trzej wyglądali jak ludzie w ciężkiej depresji. Depresję miał również dom, w którym panował półmrok, bo nikt w nim nie odsuwał zasłon. Dasza odsłoniła jedną z nich – okno było tak brudne, że chyba rzeczywiście nie sprawiło to różnicy.

Nie miałem pojęcia, w czym rzeźbi właściciel, ale wokół domu i w garażu walały się tony odłamków jakichś kamieni i butwiejących kawałków drewna. Niektóre zdążyły już szczelnie obrosnąć rozpanoszonym zuchwale dzikim winem. Jeżeli o ogrodzie można było powiedzieć, że jest nawet stylowy w tym swoim zapuszczeniu, to dom był po prostu brudny, przesiąknięty smrodem papierosów i niepranych skarpet. Ale miał też piękne drewniane schody, zakamarki, wielką pracownię od parteru po strop z ogromnymi bocznymi oknami, salon z widokiem na taras i zdziczałe krzewy jaśminu. I mimo wszystko jakieś ciepło wyczuwalne pod całym tym zaniedbaniem, depresją i brudem. Było tam coś, co mnie ujęło.

Wyszliśmy, agent z biura nieruchomości wyglądał na lekko zakłopotanego.

– Możemy jeszcze obejrzeć dwa inne – zaproponował.

– Dobrze – zgodziliśmy się i ruszyliśmy do naszego samochodu.

Wsiedliśmy, spojrzeliśmy po sobie.

– Wygląda strasznie – powiedziała Dasza – ale myślę, że to jest to. Tylko wiesz, jaki jest problem.

– Szkoła Poli?

– Ciężka sprawa – westchnęła Dasza.

Obejrzeliśmy tamte dwa domy i jeszcze jakieś, ale ciągnął nas ten pogrążony w depresji. Wahaliśmy się przez miesiąc. Dom nie znalazł w tym czasie kupca, co powinno było nas ostrzec, ale uznaliśmy to za cudowny zbieg okoliczności i palec przeznaczenia, który wskazywał nam drogę do Michałowic.

Zarabiałem wtedy całkiem OK. Miałem jednak na utrzymaniu rodzinę, płaciłem najwyższe polskie podatki, w tym coś, co się nazywa ZUS, na emeryturę, której nigdy tu pewnie nie zobaczę. No i płaciłem kalifornijskie alimenty Helen. Uzbierałem tylko na zadatek, konieczny przy umowie wstępnej. Musiałem zaprzedać duszę za kredyt.

Początkowo wydawało mi się to tylko zgrabnym sformułowaniem, ale po dwóch tygodniach rozmów w bankach zorientowałem się, że „zaprzedanie duszy" to niezwykle eleganckie określenie bandyckiego procederu, jakim jest udzielanie pożyczki na zakup domu. W euro! Co za idiota! Ale nie było innego sposobu, by się porwać na taką inwestycję.

Nikt mi nie wierzył, na wszystko potrzebowałem taczki papierów z pieczęciami, bo tutaj urzędnicy bankowi niezmiennie wierzą w magiczną moc pieczęci. Najlepiej okrągłej.

Jakbym sam sobie takiej nie mógł wyprodukować na kolorowej drukarce! Pieczęć i procedura. Nie wiem, może specjalnie tak ich dobierają, żeby nawet przez przypadek nie podjęli jakiejś niestandardowej decyzji. Nikogo nie obchodził mój potencjał, moje przyszłe zarobki – tu, zaraz, z marszu musiałem oddać pod zastaw dom, swoją polisę na życie i cesję ubezpieczenia na dom. Tylko tak mogliśmy dostać ten cholerny kredyt. Nie wiedziałem, śmiać się czy płakać, ale w końcu podpisałem wszystkie cyrografy.

Tymczasem wymyśliliśmy z Daszą, że kiedy właściciel domu i jego synowie się wyprowadzą ze swoimi regałami, szafami, komodami, które wypełniały szczelnie wszystkie pokoje, to posprzątamy gruntownie i pomalujemy ściany. Potem powolutku zaczniemy remontować, a wprowadzimy się, jak się wprowadzimy. Ostatecznie nie tylko Pola musiała dojeżdżać do szkoły, dla mnie też oznaczało to dużą zmianę po wygodach metra. Ale ciągnęło mnie do domu przy cichej uliczce, o rzut kamieniem od lasu, bez zgiełku blokowego osiedla i samochodów jeżdżących pod oknami.

Pamiętam jesienne popołudnie, kiedy pan Słucki zabrał już stamtąd prawie wszystko, a my przyjechaliśmy tylko we dwoje.

Dopiero wtedy zobaczyłem, jak ten dom wygląda naprawdę, po zdjęciu zasłon i dywanów, odkręceniu regałów, wyniesieniu mebli. Zrobiło mi się słabo na widok wypaczonych okien, popękanych ścian, nadgniłych tu i ówdzie podłóg, zmurszałych futryn i kilometrów rur pociągniętych na zewnątrz, po ścianach. Dasza omal nie zatruła się środkiem grzybobójczym, którym musiała spryskać po sufit obie łazienki. Były zarośnięte brudem. Dosłownie. Drzwi od kabiny prysznicowej zostały mi w rękach po tym, jak udało mi się je otworzyć.

Zamiast zabierać się do malowania, trzeba było szykować pieniądze na generalny remont.

Rozejrzeliśmy się po ogrodzie. Wszedłem do pustego garażu, a tam, na środku, stał zdezelowany wózek inwalidzki, zapewne używany przez zmarłą właścicielkę domu. Przejmujący widok.

– Widzisz to? – zapytałem Daszę.

– Jak wykadrowane – powiedziała. – I straszne. Brr.

Zaczęliśmy remont. Spłukaliśmy się do minus jeden.

Byłem bankrutem z długiem jak stąd na Alaskę. Do dziś nie rozumiem, jak to się mogło stać.

Ale miałem, co chciałem.

5

Cudownie było znowu mieć małe dziecko. Cudownie było kupować pampersy, a tetrowe pieluszki wykorzystywać wyłącznie w charakterze ściereczek, spokojnie karmić piersią na żądanie bez niczyich uwag o głodzeniu i rozpuszczaniu dziecka oraz o nadzwyczajnych właściwościach przecieranej marchwianki. Cudownie było wiedzieć, że niektóre z dzisiejszych niewzruszonych zakazów piętnaście lat temu stanowiły najnowocześniejsze zalecenia – jak choćby układanie dziecka na brzuszku, dawniej lekarstwo na trawienie, problemy ze stawami i parę innych, obecnie – pierwsza przyczyna zespołu nagłej śmierci łóżeczkowej.

To dawało zdrowy dystans do aktualnie obowiązujących niewzruszonych zakazów.

Starałam się nie porównywać i nie przeżuwać na nowo starych żalów z poprzedniego życia, ale rozpływałam się cała, kiedy Marcin wracał z pracy i zajmował się Ulą. Nie pytał, co niby takiego robiłam przez dzień cały i czym niby się tak zmęczyłam.

Będąc w ciąży, nasłuchałam się o tym, jaki to w tym wieku cudowny zastrzyk energii, ale po paru miesiącach swoje wiedziałam. Niewiele mnie denerwowało, niewiele mnie nękało – w porównaniu z tym, co działo się po urodzeniu Poli, byłam wręcz flegmatyczną matką – ale fizycznie dostawałam w kość. Znowu miałam bicepsy. Znowu miałam problemy z kręgosłupem.

Najbardziej lubiłam niedzielne popołudnia, kiedy Pola brzdąkała na gitarze, ja podrzemywałam, a Marcin siedział z Ulą i przyglądał jej się z miną: „To moje dzieło!".

Powolutku docieraliśmy się z Marcinem. Mawiał: „Ja to najbardziej lubię to docieranie. Ty wiesz, co mam na myśli...". Najbardziej pomógł nam w tym czas kupowania i remontowania domu, kiedy sytuacja zmieniała się z dnia na dzień, afera goniła aferę, sprawy wymykały się spod kontroli, a w tym wszystkim były jeszcze zmienne humory Poli i niezmienne potrzeby Uli.

Kolejny raz Pola wyjechała na ferie ze swoim ojcem i wróciła do nowego domu. Podobnie jak rok temu Grzesiek odwiózł ją, ale tym razem zachowywał się już jak cywilizowany człowiek, przywitał się normalnie z Marcinem, dał się namówić na herbatę, a nawet obejrzał z Polą jej nowy pokój, wierną replikę poprzedniego. Uważnie przyjrzał się Uli, coś nawet miłego powiedział.

Za to Pola przyjechała jakaś przygaszona i smutna, choć zwykle z wyjazdów z ojcem wracała w świetnej formie. Nawet nie musiałam specjalnie wyciągać z niej, co się stało, sama mi to powiedziała, zanim Grzegorz zdążył dojechać do końca naszej ulicy.

– Co słychać, córeczko? Gdzie twój humorek – zagadnęłam, widząc, że siedzi na łóżku i machinalnie przeczesuje palcami włosy, które wreszcie dorosły do pożądanej długości, za łopatki.

Za odpowiedź miało mi starczyć wzruszenie ramion.

– Pokłóciłaś się z tatą? – badałam dalej.

– Nie.

– To co się stało?

– Jagoda spodziewa się dziecka.

No tak, po latach problemów, poronień i depresji, wreszcie im się udało.

Biedna Pola, pojechała do ojca, żeby bez przeszkód i wyrzutów sumienia ponarzekać na niemowlaka, który jak nożem uciął zakończył jej niczym niezmącone jedynactwo, a na pocieszenie dostała radosną wiadomość o kolejnym, który odbierze jej wyłączność na ojca.

– Rozumiem, jeszcze jeden niemowlak... – zaczęłam.

– Mamo, nie o to chodzi – przerwała mi Pola ze zniecierpliwieniem. – Dwa lata temu tata powiedział, że nie możemy jechać nad morze, bo Jagodzie właśnie wycięli macicę czy coś i są jakieś komplikacje.

Zamarłam. Niby coś się zmieniało, a nic się nie zmieniło.

– Dlaczego mi o tym nie powiedziałaś, córeczko?

– Bo tata powiedział mi to w głębokiej tajemnicy.

Nie wiedziałam, jak zareagować. Płakać mi się chciało na myśl, że ten głupek okłamuje jedyną na świecie kobietę, która kocha go za to, że jest, nie przejmując się wcale tym, jaki jest. Żeby chociaż miał jakieś poważne powody! Ale nie, kłamał z nawyku, bo po co miałby mówić prawdę, po co przyznawać, że, nie wiem, nie ma pieniędzy na wyjazd z córką, skoro zawsze można wymyślić powód dramatyczny i niepodważalny.

Tyle że nigdy nie nauczył się zapamiętywać tych swoich kolejnych wersji. Albo zawsze miał ich tyle, że nad nimi nie panował!

– No, niestety. Tata już taki jest – bąknęłam, wściekła na niego i na siebie, że to mówię.

Jak to się dzieje? Dlaczego jedni całe życie starają się być wobec wszystkich w porządku i nieustannie się ich rozlicza z jakichś wpadek, a innych, tych, którzy od zawsze mają wszystkich gdzieś i zajmują się wyłącznie grzebaniem we własnym nosie, za każdym razem rozgrzesza się magicznym „On już taki jest"? Jakby to wystarczyło za całe usprawiedliwienie!

– Ciebie też oszukiwał? – zapytała Pola.

Pokiwałam głową. Ciebie pewnie też, córeczko, pomyślałam. Tylko dłużej mu się udawało.

– Więc nie poznał Jagody na szlaku z Gąsienicowej?

Pokręciłam głową.

– Poznał ją w teatrze, była dziennikarką radiową, przychodziła na wszystkie nasze premiery.

– Dlaczego mnie to nie dziwi? – prychnęła Pola.

Grzesiek kochał Polę, tego byłam pewna. Chciałam być tego pewna. Był z nią blisko – w granicach swoich możliwości. Chyba jednak niewielkich.

Może przez to, a może przez codzienne wspólne dojazdy kolejką i metrem, dość że ku mojej radości stosunki Marcina z Polą weszły w kolejną fazę, której nie wahałabym się nazwać komitywą. On podśmiewał się z rytualnych poszukiwań jakiejkolwiek dolegliwości, która pozwoliłaby jej choć na trochę uniknąć szkoły. Ona kpiła z jego pracy, namawiając, żeby bardziej twórczo wykorzystał hakerskie umiejętności i poprawił jej oceny w szkolnym komputerze.

Na poważnie ścięli się tylko raz, na parę tygodni przed testami kończącymi naukę w gimnazjum. Od ich wyniku zależało przyjęcie do lepszego lub gorszego liceum, o czym Pola doskonale wiedziała. Wybrałyśmy już trzy szkoły, do których mogłaby pójść, do jednej z nich trzeba było zdać dodatkowy egzamin. Mimo to od wiosny jej podręczniki pokrywały się kurzem, a ona opowiadała bez przerwy, jaka jest przemęczona i przepracowana. W końcu, na moją stanowczą prośbę, Marcin profilaktycznie odłączył jej Internet. Zapowiedziałam wtedy, że tak zostanie do egzaminów, bo co jak co, ale zmęczenie oczu, którym się ciągle wymigiwała od nauki, było prostą konsekwencją choroby zwanej Gadu-Gadu.

Chyba wtedy nastąpiła ostatnia wielka awantura, w której Pola użyła przeciwko Marcinowi swojego koronnego argumentu:

– Nie masz prawa! Nie jesteś moim ojcem!

Na co Marcin przerwał porządkowanie kabli, wychylił się spod jej biurka i powiedział:

– Wiem. Wszyscy znamy twojego ojca. Ja to robię bezprawnie.

Pola zamrugała niepewnie, jakby ta nieoczekiwanie bezczelna odpowiedź rozsadziła jej sprawdzony scenariusz. Zazwyczaj wykrzykiwała: „Nie jesteś moim ojcem!" i wychodziła, trzaskając drzwiami, co uniemożliwiało jakikolwiek dalszy ciąg.

Teraz też wyszła, ale jakoś tak bez impetu. Właściwie dla zasady. A ja, pomagając Marcinowi otrzepać się z kurzu, powiedziałam:

– Już wiem, po co jest okres dojrzewania.

– No?

– Żeby nieszczęsny rodzic zaczął z nadzieją myśleć o dniu, kiedy dziecko wreszcie wyprowadzi się z domu i zacznie sobie szkodzić na własny rachunek.

Kurz opadł i w ciągu jednego weekendu Pola przeszła do porządku dziennego nad tym, że została odcięta od prawdziwego świata. Była to zresztą oczywista nieprawda, o czym przekonaliśmy się, kiedy przyszedł rachunek za jej telefon. Gigantyczny. To z kolei – jak sądziliśmy – pozostawało w ścisłym związku z niejakim Michałem, metalowcem z Milanówka, ze wszystkimi tego atrybutami i nieodłączną gitarą. Marcin spotykał go regularnie na peronie kolejki, którą rano przyjeżdżali z Polą z Michałowic. Nie wypytywałam jej, ale wiem, że sporo wtedy rozmawiała z Marcinem o tym, jacy faceci są bez sensu i jak nic nie rozumieją.

Parę dni przed majowym weekendem zadzwoniła Elka.

– Co robicie w przyszłą sobotę?

– Siedzimy na tarasie i pijemy szampana – odpowiedziałam zgodnie z prawdą, bo tak właśnie zamierzałam święcić drugą rocznicę naszego osobistego przewrotu majowego.

– To bierzcie tego szampana w teczkę i przyjeżdżajcie do Bączyna.

– Ale my…

– Dasza, jest siedlisko do kupienia. Tam za kapliczką.

Poczułam zew. Od tylu lat powtarzałam, że Bączyn, gdzie nie ma sklepu, tylko taki z ciężarówki, raz na tydzień, nie ma przystanku, ale jest prąd, nawet telefon, kapliczka, ulica brukowana kocimi łbami i kilkanaście gospodarstw, to moje miejsce na ziemi. Chciałam tam być, robić cokolwiek, byle tylko na stare lata mieszkać właśnie tam, w drewnianym domu w Bączynie. Jak pojawił się Marcin, w jednej z pierwszych rozmów powiedziałam mu, że to moje największe marzenie.

I stało się. Znalazł się dom w Bączynie!

Marcin wracał akurat z ciężkiego audytu gdzieś na Pomorzu, roznosiło mnie z entuzjazmu, ale nie chciałam mówić mu o tym przez telefon.

Do wieczora miałam już wszystko przemyślane.

Nie mam pojęcia, jak ja to sobie wyobrażałam, przecież była Pola, była mała Ula, a tam daleko do wszystkiego, wokół las i głusza. Opętało mnie dokumentnie. Wiem, że to miało być później, dużo później, kiedy Marcin już rzuci w cholerę tę swoją pracę. Mieliśmy założyć fundację i w tym pięknym miejscu realizować nasze piękne projekty teatralne, poetyckie, muzyczne, wszystkie pomysły, jakie od roku przychodziły mi do głowy i odchodziły, spłoszone widokiem kury domowej, jaką stałam się nieoczekiwanie dla siebie samej.

Nie pamiętam, jak Marcin miał zarobić pieniądze na odsetki, z których mieliśmy żyć, ale wydawało mi się, że gdy zamieszkamy w Bączynie, to właściwie nie będziemy mieli większych wydatków. Chyba słusznie mi się wydawało?

Z trudem doczekałam późnego wieczoru, kiedy znaleźliśmy się w naszej sypialni.

– Marcin, co byś powiedział na to, żebyśmy kupili dom na wsi? – wypaliłam, choć wydawało mi się to niezwykle dyplomatycznym początkiem.

– A nie kupiliśmy właśnie domu?

– Tak, ale chodzi o dom w Bączynie.

– W twoim mitycznym, bajecznym i wymarzonym Bączynie?

– Ela dzwoniła, jest siedlisko do kupienia. Moglibyśmy tam pojechać w sobotę.

– Nie moglibyśmy.

– Dlaczego?

– Bo jedziemy w podróż przedślubną. Do Pragi. Samolot, hotel, wszystko załatwiłem. Poprosiłem twoją mamę, żeby przyjechała pomieszkać z Polą.

– Do Pragi? Z dzieckiem przy piersi?

Pokiwał głową.

– Jak sobie przypomnę tę drogę do Czarnej Białostockiej i dalej... do Pragi będzie chyba bliżej.

Miałam już na końcu języka, że wolę do Bączyna, że wcale tego ze mną nie uzgadniał, że właściwie po co do Pragi, ale widać entuzjazm nie odebrał mi resztek rozumu.

– Myślę sobie – dodał Marcin, przetaczając się na moją stronę łóżka – że możemy tam za to spokojnie pojechać w podróż poślubną i rzucić okiem na twój domek na kurzej łapce.

– To ja dzwonię do Elki! – chciałam się zerwać.

Marcin przytrzymał mnie obiema rękami.

– Elka nie zając – mruknął – tylko człowiek pracujący. O tej porze przewraca się na drugi bok.

Oprzytomniałam. Było już dobrze po północy.

Praga. Nic nie pamiętam z tamtego wyjazdu. Musiało być pięknie i błogo. Ale nie pamiętam. Dziwne.

Dwa tygodnie później wzięliśmy ślub. Dlaczego? Ze względu na podatki! Marcin omal nie przypłacił atakiem serca swojego pierwszego w Polsce zeznania podatkowego. Powtarzał tylko: „Za co, kurwa, i na co?" Dziwny jakiś. Wszyscy przecież wiedzieli, jak jest.

Moim świadkiem była Elka, przez większą część ceremonii z płaczącą Ulą na rękach, świadkiem Marcina był mąż Jolki, jego siostry. Przyjechała moja mama z siostrami. Nawet rodzice Marcina się pofatygowali, chociaż z ich punktu widzenia ślub cywilny miał tyle powagi, co wizyta na poczcie. Trudno.

Poszliśmy do urzędu na piechotę, w nieco rozwleczonym orszaku, który otwierała Pola, z zadartym nosem krocząca w długiej sukience z konopi. Na zdjęciu, które mąż Jolki cyknął nam po drodze, wygląda jak mistrz ceremonii.

Pobraliśmy się, bo tak chcieliśmy, i całe szczęście, żeśmy się zdecydowali.

Nie pojechaliśmy w podróż poślubną do Bączyna.

Nie kupiliśmy siedliska.

Tydzień po ślubie się zaczęło.

„Pudowy kamień”

czerwiec 2003 – grudzień 2004

1

Cały ten nasz czas romansowo-przedmałżeński wydaje mi się dziś zamazany, niewyraźny. Z trudem wydobywam z pamięci jakieś akcje, działania, epizody. To, co się potem stało, było taką cezurą, że cała reszta odpłynęła. Nawet narodziny Uli... wydaje się, jakby to było w innym życiu.

Zbliżały się wakacje i finał gimnazjum. Pola, po długich wahaniach, jeszcze w maju zdała egzamin do akademicko luźnego, bym powiedział, liceum społecznego, ale tak czy tak nie miała specjalnych ambicji naukowych. Za to najwyraźniej ocknęły się ze snu zimowego jej ambicje artystyczne, bo nie pytając nas o zdanie, zdała również na wydział wokalny w szkole muzycznej. Z wyjaśnień udzielanych niechętnie i półgębkiem domyśliliśmy się, że miało to coś wspólnego z Michałem, który zdał do klasy klarnetu. Czego mógł szukać w tradycyjnej szkole muzycznej znawca metalowego brzmienia, nie udało nam się dowiedzieć. W tej kwestii Pola załatwiła nas odmownie: poszła, zdała, bo chciała doskonalić technikę śpiewu – jej sprawa, więcej nie musimy wiedzieć.

Nie najlepiej się czuła od wiosny, a to w uchu jej szumiało, a to w oku pikało, a to w głowie jej się kręciło. Kładliśmy to na karb egzaminów, jednych, drugich, trzecich i normalnych w takich razach napięć. Parę dni przed naszym ślubem wymiotowała – ja uznałem to za zdrowy objaw nerwów przedślubnych, Dasza się nawet zaniepokoiła, ale w ciągu dwóch dni wszystko wróciło do normy.

Pola wybierała się na obóz wędrowny w góry i trzeba było wypełnić kartę, którą musiał też podpisać lekarz. W gimnazjum był czynny codziennie gabinet lekarski, niestety Pola przez dwa tygodnie nie znalazła chwili, żeby do niego zajrzeć. W końcu Dasza poszła z nią do internisty u nas, w Michałowicach. Pani doktor po rozmowie z Polą nie podpisała karty i powiedziała, że powinniśmy się zgłosić do okulisty. Dasza próbowała się umówić normalnie, w przychodni, okazało się jednak, że na taką wizytę trzeba czekać parę tygodni. Zaproponowałem, że w wolnej chwili pojadę z nią do lecznicy, w której miałem swój firmowy pakiet ubezpieczeniowy.

Następnego dnia z samego rana wybraliśmy się z Polą na wycieczkę rowerową.

W ramach naszej ciężko wywalczonej komitywy jeździliśmy czasami a to w stronę Otrębusów, a to do Żółwina albo zwyczajnie do Lasu Młochowskiego. Tym razem po paruset metrach Pola zawróciła i ruszyła w stronę domu, prowadząc rower.

– Zapomniałaś czegoś? – zapytałem, kiedy udało mi się dowołać psa, który poleciał daleko do przodu, a potem ją dogonić.

– Nie, jakoś źle widzę i kręci mi się w głowie.

Popatrzyłem jej w oczy i... nie pamiętam, co takiego zobaczyłem, ale pomyślałem, że nie ma co zwlekać z okulistą, i oboje zawróciliśmy.

Pojechaliśmy do lecznicy w centrum miasta. Czekaliśmy dosyć długo, bo ktoś pomylił godziny, nie wiem, w każdym razie siedzieliśmy na korytarzu, a ja kontemplowałem nogi pielęgniarek w bardzo krótkich spódniczkach i myślałem sobie, że to taka dziwna specyfika – luksus musi się zawsze wiązać z seksem. Bo to była bardzo porządna przychodnia, a pielęgniarki pomykały w tych spódniczkach jak jakieś hostessy na promocji luksusowego koniaku.

W końcu doczekaliśmy się, Pola wyłuszczyła, o co chodzi.

– Chciałabym podpisać kartę na obóz.

– Ale to chyba do internisty – zdziwiła się lekarka.

– Tak, tylko pani doktor w przychodni powiedziała, że powinien mnie obejrzeć okulista – wyjaśniła Pola.

– A co się dzieje?

– No właśnie nie wiem, trochę źle widzę.

– Co to znaczy? – Okulistka podeszła do tablicy z literami.

– Mam taki jakby czarny pasek przed oczami. Widzę nad nim i pod nim, ale w środku nie widzę.

Trochę się zdziwiłem, bo na nasz użytek tak precyzyjnie tego nie określała. Po prostu narzekała, że oczy ma zmęczone.

Okulistka zbadała jej wzrok, popatrzyła dziwnie na mnie, potem na Polę.

– Nie widzę tu problemu optycznego – powiedziała.

– To chyba dobrze – bąknąłem.

– Cokolwiek się dzieje, problem jest raczej neurologiczny. – Sięgnęła po słuchawkę i dodała: – Wie pan, ja szybko sprawdzę, czy neurolog nie mógłby jej teraz przyjąć.

Trochę się spłoszyłem tym pośpiechem, ale lekarka stanowczo nalegała, żeby to zrobić zaraz. Po półgodzinie przyjęła nas starsza pani. Rzuciła okiem na Polę, przeczytała, co zapisała w karcie okulistka, chwilę się przy niej pokręciła, podrapała w stopy, zrobiła jej prosty test – taki sam robi drogówka w Stanach, żeby ustalić, czy kierowca jest trzeźwy: prawą ręką złapać się za lewe ucho, palcem dotknąć nosa, przejść kilka metrów po linii prostej. To ostatnie zdecydowanie nie wyglądało dobrze.

– Trzeba natychmiast zrobić rezonans magnetyczny – powiedziała.

Zanim udało mi się sformułować jakiekolwiek pytanie, zabrała nas i prawie pobiegliśmy do recepcji. Tu zaczęli dzwonić i szukać, gdzie by to można zrobić jeszcze dzisiaj. Okazało się, że tylko w Centralnym Szpitalu Kolejowym.

W drodze do samochodu zadzwoniłem do Daszy, która siedziała w domu z Ulą.

– Słuchaj, nie wiem, o co chodzi, okulista powiedział, że to nie jest problem z oczami, a neurolog kazał zrobić rezonans magnetyczny.

– Dobrze – odpowiedziała spokojnie – zaraz podzwonię, gdzie to można zrobić.

– Nie dzwoń. Kazali nam jechać natychmiast.

– Gdzie?

– Do szpitala kolejowego czy jakoś tak.

– A gdzie to jest?

– Coś mi tłumaczyli, ale zaraz sprawdzę na mapie.

– Dużo wam to zajmie?

– Skąd mogę wiedzieć?

– Nie, nie, po prostu nie wiem, co z obiadem.

To była nasza ostatnia rozmowa, w której istotny był jakiś obiad.

Jechaliśmy z Polą do tego szpitala, narzekaliśmy na upał, o czymś rozmawialiśmy, nie pamiętam, o czym konkretnie, ale były to jej rozważania z serii: chciałabym, żeby świat był fair, bo wtedy wszystko byłoby prostsze.

Ale świat jest nie fair. I niczego nie upraszcza.

W szpitalu już na nas czekali, bo nie musiałem tłumaczyć, o co chodzi, od razu przeszliśmy do wielkiej sali z całą tą maszynerią i maleńkim pokoikiem operatorki, która ją obsługiwała. Podali kontrast, ułożyli Polę, pouczyli, żeby się nie ruszała, pokazali, co ma przycisnąć, gdyby miała dość i chciała chwilkę odpocząć. Wjechała w sam środek tego dziwnego bolidu z wielkim niebieskim logo GE i tabliczką, że to dar od kogoś tam, a ja – nawet nie pytając, czy mogę, czy nie mogę – wszedłem do pokoju operatorki, usiadłem z tyłu i patrzyłem z nią w ten ekran.

Po chwili kobieta odwróciła się i spojrzała na mnie.

– Pan jest ojcem?

– Nie – powiedziałem – jestem ojczymem.

– To bardzo panu współczuję.

– Ale co się dzieje?

– Niech pan popatrzy. – I pokazała mi na ekranie jasnoszary placek w mózgu Poli. – Ja się na tym aż tak nie znam, musi pan porozmawiać z lekarzem, ale to mi wygląda na guz. Widzi pan?

Chyba byłem w szoku, bo nie zrozumiałem, co jest nie tak, widziałem ten placek, ale jeszcze to do mnie nie docierało. Jeszcze nie zdawałem sobie sprawy z powagi sytuacji, a właściwie zdawałem, tylko mój rozum jeszcze tego nie wiedział. Zaczęło mi szumieć w uszach, nie wiem, w głowie – jakbym odpływał. Nie wierzyłem, nie rozumiałem, nie chciałem zrozumieć, chciałem do domu!

Co ja mam teraz zrobić? Dlaczego ja? Dlaczego ona? Wszystko to naraz tłukło mi się w głowie, byłem zupełnie bezradny. Patrzyłem na Polę, która kompletnie nie zdawała sobie sprawy z sytuacji, i chyba właśnie wtedy myślałem, że wprawdzie nie jestem jej ojcem, ale wiem, co to uczucia ojcowskie.

Zaraz potem rozmawiał ze mną lekarz, ja dzwoniłem do lekarki z mojej lecznicy, a przede wszystkim do Daszy, żeby brała Ulę, jakieś rzeczy dla Poli i przyjeżdżała najszybciej, jak się da.

Poruszałem się jak we mgle, znowu działałem na autopilocie. Ja tak mam, że w naprawdę dużym stresie po prostu realizuję zadanie. Odtąd – dotąd. Kto wie, może jednak sprawdziłbym się w wojsku. Albo w wywiadzie.

2

Odłożyłam słuchawkę i przysiadłam. Coś w tonie Marcina kazało mi nie wypytywać przez telefon, co się właściwie dzieje. Zmieniłam Uli pampersa i koszulkę, posadziłam ją w leżaczku, wyjęłam z garderoby małą granatową torbę podróżną i zaczęłam pakować kapcie, piżamę, cienki szlafrok, książkę Musierowicz, którą Pola właśnie czytała, przybory toaletowe. Nie miotałam się, wszystkie ruchy czułam tak, jakbym wykonywała je w zwolnionym tempie, o niczym nie myślałam, tylko rosło mi napięcie w brzuchu. Jeszcze skarpetki, jedne dla Uli, drugie dla Poli. Zamówiłam taksówkę.

Taksówkarz przez całą drogę narzekał na rząd, Żydów, Arabów, Rosjan i swoje dzieci. Dzięki Bogu nie potrzebował rozmówcy.

Czekali na mnie na parkingu. Pola bawiła się kompozytorem w telefonie. Pewnie jak zwykle bezbłędnie wygrywała na nim linie melodyczne ulubionych piosenek. Marcin podbiegł do mnie, ledwie się wygrzebałam z samochodu, wziął Ulę na ręce i powiedział:

– Pola ma guz w mózgu. Lekarz mówi, że trzeba natychmiast operować. Musimy jechać do szpitala dziecięcego, to prawie po sąsiedzku.

Wiedziałam, jak zagrać szok i przerażenie, ale na tej najprawdziwszej ze scen poczułam się tak, jakby Marcin ugodził mnie nożem. Aż mnie zgięło wpół. Ale zaraz się wyprostowałam.

– Ona wie?

– Nie, jest wściekła, że to tak długo trwa.

Pojechaliśmy do szpitala i poszliśmy prosto na izbę przyjęć. Pokazaliśmy te wszystkie badania. Dopiero wtedy zobaczyłam na zdjęciach guz wielkości małej pomarańczy. Patrzyłam i patrzyłam, a w głowie tłukła mi się tylko jedna myśl: „Dlaczego?".

Lekarz dyżurny przyjął Polę do szpitala. Potem dowiedzieliśmy się, że to był jakiś cud, bo dzieci miesiącami czekają na miejsce i nikt tam nie wchodzi wprost z izby przyjęć. Nie wiem, albo głupi ma szczęście, albo była w nas jakaś straszliwa desperacja, albo stan Poli był taki, że nie było nad czym się zastanawiać.

– Czy chcecie państwo, żeby córka wiedziała, co się dzieje? – zapytał lekarz, kiedy już było postanowione, że Pola tam zostaje.

Chcieliśmy. Zawołaliśmy ją z korytarza. Przyszła mocno zniecierpliwiona. Nie wyłączyła telefonu i przez całą tę rozmowę co rusz odzywał się natrętny sygnał przychodzących SMS-ów.

– Przeszłaś dzisiaj sporo badań – zaczął lekarz – więc pewnie już się domyślasz, że coś się dzieje z twoim zdrowiem.

– No, wiem – mruknęła, spoglądając na mnie triumfalnie.

– Badania wykazały, że masz guz w mózgu, który trzeba szybko usunąć. Będziesz operowana.

A Pola na to:

– W porządku, tylko ja za dwa tygodnie jadę na obóz wędrowny.

Lekarz pokiwał głową.

– Wiesz, ale po operacji bywa różnie, bo to spora rana. Trochę potrwa, zanim się wszystko zagoi.

– Dobrze, miejmy to z głowy – zaproponowała Pola, a ja zamarłam, słysząc ten osobliwy kalambur. – Jak coś tam jest, niech to szybko wycinają. Może się uda przed obozem.

Zupełnie nie zdawała sobie sprawy z sytuacji. Na całe szczęście.

Pamiętam, jak wyszliśmy z windy z poobijanymi drzwiami. Spod mysiej emulsji błyskała stal – porażająco błyskała.

Weszliśmy na oddział, a ja cały czas wbijałam wzrok w ziemię, żeby nie patrzeć na to wszystko dookoła. To był ten inny świat, który nas nie dotyczył. Nie dotyczył! To jakaś pomyłka, my tu tylko przejazdem, na chwilkę.

Jak się nigdy nie było w szpitalu dla dzieci, i to w takim szpitalu... Bo to był moloch, kosmiczna czarna dziura, na milionie pięter skoncentrowane nieszczęście dzieci całego świata, czy raczej całej Polski. Okna, których nie można otworzyć. Czerwiec, gorąco na zewnątrz, żadnej klimatyzacji, nigdzie nawet wiatraczka, ciasno, koszmar!

Lekarz, który przyjmował Polę na oddział, wziął jej zdjęcia: kilkadziesiąt ujęć warstw mózgu z każdej strony pod różnymi kątami. Podniósł je, spojrzał – widział nas jakieś pięć minut – i powiedział:

– No tak, z mojego doświadczenia wynika, że taki guz jest złośliwy.

I wyszedł.

Nie wiem, może pobiegł ratować komuś życie, może kawa mu stygła, ale wyglądało to tak, jakby uciekł – oddał strzał i szybko się ewakuował, żeby nie psuć sobie miłego popołudnia przykrym widokiem naszej reakcji.

Było to równie przerażające jak jego diagnoza.

Nieznany mi zupełnie gatunek człowieka. Naprawdę nie obchodziło go, co my na to!

A my nie wiedzieliśmy, co ze sobą zrobić.

Czułam się tak, jakby w tym ciasnym pokoiku otworzyło się przed nami wielkie, puste po niewidoczny horyzont, przerażające Nic. Nie mam pojęcia, jakim cudem wyszliśmy stamtąd o własnych siłach. Pamiętam tylko, że cały czas kurczowo trzymaliśmy się za ręce. Dłoń Marcina była zimna, mimo upału i wszechobecnej duchoty.

Weszliśmy do sześcioosobowej sali, gdzie Pola bez specjalnych emocji lokowała się przy samych drzwiach. Dobrze, bo przynajmniej miała tam szansę na minimalny przewiew.

– Potrzebujesz jeszcze czegoś? – zapytałam tak nienaturalnie swobodnym tonem, że aż się przestraszyłam.

Ale Pola nic nie zauważyła.

– Dużo picia – mruknęła, wyciągając się z ulgą na swoim nowym łóżku. – Ale nie chce mi się już nigdzie iść. Skoczysz?

– Skoczę – powiedziałam, nie wiedząc, czy śmiać się, czy płakać.

– To może ja – mruknął Marcin i szybko wyszedł.

Nie było go jakieś dziesięć minut. Przez cały ten czas siedziałam na taborecie, wpatrując się w moją córkę, która pracowicie odpowiadała na SMS-y. Zadziwiające, ale w tej akurat czynności nie przeszkadzały jej kłopoty ze wzrokiem. Nie wiedziałam, co powiedzieć. Nie mogłam wylać z siebie tego, co szalało mi w głowie. Dobrze, że Ula spała.

– Co tak patrzysz? – zapytała w końcu podejrzliwie.

– Bo mam oczy – odpowiedziałam jak przedszkolakowi.

– Denerwujesz się – stwierdziła.

Pokiwałam głową.

– Zawsze się denerwujesz, a potem zawsze wychodzi, że nie było czym – pocieszyło mnie moje dziecko.

Uśmiechnęłam się, ale nie miałam siły na nic więcej.

Wrócił Marcin z wodą i sokiem jabłkowym.

Zostawiliśmy Polę i wyszliśmy.

Był wczesny czerwcowy wieczór. Słońce ociągało się z zachodzeniem, upał zelżał, ale nadal nie czuło się najlżejszego powiewu.

Patrzyłam na ludzi siedzących na murku wzdłuż monumentalnych schodów wejściowych, ludzi idących ulicą, wychodzących ze sklepu naprzeciwko. Z zaparkowanego na zakazie stuletniego malucha dobiegało upiorne „uc, uc, uc". Chyba pierwszy raz w życiu nie zirytował mnie ten straszliwy rytm odbijający się czkawką w żołądku.

Patrzyłam na drzewa, bo tam obok jest piękny las, na wierzchołki sosen strzelające w niebo z morza zieleni i czułam się tak, jakby nieodwołalnie i na zawsze oddzieliła mnie od tego wszystkiego niewidzialna szyba.

Usiedliśmy na rozgrzanym murku. Zadzwoniłam do Grzegorza. Powiedziałam, gdzie jest Pola i jaka jest diagnoza, a on się rozłączył. Po chwili zadzwoniła Jagoda, z którą nie zamieniłam ani słowa od czasu tamtej rozmowy, kończącej moje małżeństwo i naszą przyjaźń.

– Czy coś się stało? – spytała. – Bo Grzegorz nie jest w stanie nic z siebie wydusić.

– Tak – powiedziałam. – Pola ma guz mózgu. Właśnie zostawiliśmy ją w szpitalu. W przyszłym tygodniu będzie operowana.

– O Matko Boska! – jęknęła i się rozłączyła.

Cały czas zastanawiałam się gorączkowo, jak o tym powiedzieć mamie, żeby jej za bardzo nie zdenerwować. To był mój największy problem! Odezwała się we mnie mała dziewczynka, która dziurę w nodze, w głowie, w sercu zalepi sobie sama choćby papierem toaletowym, żeby tylko nie zdenerwować mamusi! Jakaś paranoja!

W końcu zadzwoniłam i powiedziałam to samo co Grześkowi, a potem jego żonie.

Mama zareagowała całkowicie w swoim stylu:

– Tylko nikomu o niczym nie mów i nie płacz.

O, tak! Żeby nikt nawet przypadkiem nie zauważył, że cały świat ci się zawalił, córko. Bo to jest najważniejsze! Trzymać pion.

Pojechaliśmy do domu. Płakałam tak długo, aż zasnęłam. Tym różniłam się zasadniczo od mojej matki. Ona uważała, że płacz rozkłada i osłabia. Ja wiedziałam, że muszę płakać, by strach i przerażenie, niedowierzanie i bunt, tłukące się po głowie, brzuchu i wszędzie, choć w małej części wypłynęły ze mnie razem ze łzami. Nawet jeśli dawało mi to tylko parę godzin snu.

Tamtej nocy śniła mi się mała, sześcioletnia Pola w czerwonych rajstopkach i granatowej sukience. Stała w uchylonych drzwiach zupełnie pustego pokoju, tylko na środku rosło tam wysokie, srebrzystozielone drzewo.

– Mogę wejść? – zapytałam.

Nie odpowiedziała. Pokręciła głową i nie spuszczając ze mnie wzroku pełnego powagi, powoli zamknęła drzwi.

Chciałam podbiec, zatrzymać ją i te drzwi, ale nie zdążyłam. Zamknęły się, a ja się obudziłam.

Było jasno. Marcin siedział przy komputerze. Chyba w ogóle się nie kładł.

– Co robisz?

– Czytam o guzach mózgu.

– Więc to wszystko prawda? – zapytałam bardziej samą siebie niż jego.

Podszedł do mnie i nic nie mówiąc, przytulił.

Był czerwiec, kolejny piękny, gorący dzień początku lata. Gałązka jaśminu zaglądała przez okno jak co ranek. W ogrodzie tak jak wczoraj i przedwczoraj świergoliły ptaki, pies skrobał w drzwi, żeby go wypuścić. Razem ze mną obudził się świat i to, co się stało, i wszystko, co jeszcze miało się stać.

Ula obudziła się na poranne karmienie.

Musiałam wstać i żyć dalej.

„Innego końca świata nie będzie"...

3

CBDQ dało mi wolną rękę.

– Bierz tyle czasu, ile ci trzeba – powiedział partner, któremu podlegałem.

To była wielka wspaniałomyślność. Dzięki temu mogliśmy jeździć do Poli codziennie.

Chodziliśmy do niej na zmianę, bo jedno z nas musiało się zajmować Ulą – jeśli padało, to w samochodzie, jeśli była pogoda, to na spacerze po okolicy. Na tyłach szpitala rozciągał się daleko piękny sosnowy las, nieco zaśmiecony na obrzeżach, ale głębiej całkiem w porządku.

Pola czekała na operację jeszcze dziesięć dni. Badali jej stan ogólny, testowali, czy nie jest uczulona na żaden ze składników narkozy i tych wszystkich preparatów, jakich zamierzali użyć przy zabiegu.

Jej największym problemem, co ja mówię – tragedią – było to, że mieli jej ogolić głowę. Była strasznie dumna z tych swoich blond loków. Tak długo męczyła pielęgniarki pytaniami, czy da się to zrobić tak, żeby nic nie było widać, aż w końcu obiecały jej, że podgolą minimalnie z tyłu.

Przyjeżdżamy do szpitala, a Pola siedzi po turecku na łóżku i płacze. Długie kosmyki zakrywają jej twarz, ale widać, że aż się trzęsie.

– Co się stało? – zawołała Dasza przerażona.

Pola bez słowa odwróciła głowę. Patrzymy, a ona ma wygolony cały tył od karku po czubek czaszki, tylko z przodu zostawili jej te długie pasma jak na pośmiewisko.

– Wiesz co, obetnijmy po prostu tę całą resztę – zaproponowała Dasza.

– Na jeża? – zapytała Pola.

– Na przykład.

Poszedłem do pielęgniarek po nożyczki i maszynkę. Dasza i Pola zniknęły w łazience.

Wracają. Pola nadal płacze.

– Na jeża też niedobrze? – zdziwiłem się.

– Nie o to chodzi – mruknęła Dasza.

Od początku nie chodziło tylko o włosy, ale i o to, że nikt uczciwie nie powiedział Poli, że nie da się uniknąć wygolenia głowy. To ją zabolało i długo potem było dla niej najboleśniejsze. Miała prawie szesnaście lat, ale nikt – poza tą rozmową na izbie przyjęć – nie widział powodu, by jej cokolwiek wyjaśniać, o czymkolwiek istotnym informować. Jakby znowu była niemowlęciem.

Jedynym pocieszeniem były jagodzianki w maleńkiej parterowej dobudówce naprzeciwko szpitala. Były pyszne. Przez cały ten czas do operacji to był nasz codzienny rytuał. Braliśmy Polę z oddziału legalnie czy nielegalnie i chodziliśmy do tej cukierenki.

Na chwilę przyjechał jej ojciec. Był ledwie żywy z przerażenia – tak samo jak my, ale w przeciwieństwie do nas nie umiał tego ukryć przed Polą. Właściwie nie, inaczej, nie rozumiał, dlaczego miałby coś ukrywać. Szlag mnie trafiał, jak wchodziłem i widziałem, że Pola trzyma go za rękę. Śmiertelnie chory dzieciak trzyma ojca za rękę, żeby mu dodać otuchy! Bo to taki wrażliwy chłopak!

Prawie nie rozmawiał z Daszą, a w tych rzadkich chwilach, kiedy dochodziło do rozmowy, co i rusz wyłaziła z niego bliżej nieokreślona pretensja. Dasza była wówczas tak skoncentrowana na córce, że chyba w ogóle tego nie dostrzegała, ale ja, owszem. Nic nigdy nie zostało powiedziane wprost, ale w powietrzu, w niedopowiedzeniach, dziwnych pytaniach unosiło się niejasną smugą przekonanie Trześniewskiego, że to Dasza jest osobiście odpowiedzialna za to, że Pola zachorowała na raka.

Dzień przed operacją oświadczył, że musi wracać do pracy, i się zmył.

Niby nie spodziewałem się, że będziemy we trójkę siedzieli, płakali i się pocieszali, ale nie wiedziałem, co o tym myśleć. W końcu z nas dwóch to on był ojcem Poli.

Lekarze powiedzieli nam jasno: dziecko ma widzieć koło siebie twarze spokojne i pogodne. Żadnych płaczów i lamentów – jak rodzic chce przeżywać, to niech sobie przeżywa w domu. Dasza płakała więc przed wejściem do szpitala i po wyjściu, płakała w samochodzie, płakała wieczorami i nad ranem. Nie wiem, jak ona to robiła, ale w obecności Poli i Uli zachowywała się zwyczajnie, choć wyczuwałem w niej jakieś nienaturalne skupienie na każdej wykonywanej czynności.

Ja miałem swojego autopilota, ale nawet ze wspomaganiem nie wykrzesałbym z siebie takiej energii jak moja żona. Nie jadła, nie spała, wracała ze szpitala, układała Ulę do snu i siadała do komputera albo do telefonu. Mówiła, że szuka innych możliwości wsparcia, a ja wiedziałem, że szuka cudu, czegokolwiek, kogokolwiek, kto powiedziałby jej, że teraz jest ciężko, bo Pola poważnie zachorowała, ale zaraz, nie wiem, za tydzień, miesiąc, Pola wyzdrowieje i wszystko wróci do normy.

Trafiła do słynnego w Warszawie lekarza medycyny chińskiej. Wysłuchał jej uważnie i delikatnie, ale stanowczo sprowadził ją na ziemię. Powiedział, że najpierw szpital, neurolog, operacja, potem będziemy się zastanawiać, co dalej. Namówiona przez Elkę zadzwoniła również do Barbary Kowal, bioenergoterapeutki z Olsztyna, która była dla tamtej alfą i omegą. Podobno przedłużyła o dwanaście lat życie jej ojca po operacji nowotworu prostaty. Elka wierzyła jej ślepo i uważała, że ona może wszystko.

Barbara Kowal spytała Daszę o nazwiska lekarzy operujących i zapowiedziała, że będzie w trakcie zabiegu na odległość ich wspomagała i kierowała nimi, żeby zrobili to najlepiej, jak mogą.

Nic nie mówiłem.

Bardzo się bałem tego, co będzie. Ale najbardziej bałem się, że Pola umrze podczas operacji i cały nasz świat runie w gruzy. Zupełnie nie zdawałem sobie sprawy, że już siedzę na ruinach wszystkich swoich wyobrażeń i planów. Może dlatego, że cały czas gdzieś w środku miałem dziecinną, irracjonalną nadzieję, że to wszystko zaraz minie. Pogrzmi, pobłyska, ale przejdzie bokiem.

Cóż, widocznie ja też oczekiwałem na cud.

Przyszedł ten dzień. Przyjechała mama Daszy, bo ktoś musiał zająć się Ulą, a ja nie wyobrażałem sobie, że w takiej chwili miałoby mnie nie być przy mojej żonie. Wsiadaliśmy już do samochodu, kiedy mama Daszy powiedziała:

– Ucałujcie Polę – i się rozpłakała. – Ja już chyba nigdy nie przestanę płakać – potrząsnęła głową i weszła do domu.

A Dasza wsiadła, trzasnęła drzwiami i mruknęła:

– Przestaniesz. Nie da się płakać bez przerwy.

Wiedziała, co mówi. Wtedy już wiedziała. Bo się nie da. Nawet jeśli nadal jest co opłakiwać.

Przez parę nocy czytałem w Internecie wszystko, co się dało, o kraniotomii, czyli operacji otwarcia czaszki. Wiedziałem, że będą ją operowali w pozycji siedzącej, na fotelu trochę przypominającym dentystyczny, ze specjalnym wyciągiem do podtrzymywania głowy, bo guz był z tyłu, u podstawy. Mieli naciąć tylną jamę czaszki, a potem cięciem kopertowym – cokolwiek to znaczy – otworzyć oponę twardą, wydłubać aliena i pobrać z niego wycinki do badań, żeby jeszcze w trakcie operacji wstępnie określić, co to właściwie jest.

Lekarz powiedział, że będą się starali wyciąć guz w całości. Gdyby się to udało, dalsze rokowania byłyby pomyślne. Ale uprzedził nas, że dopóki nie zobaczą na własne oczy, co i jak tam siedzi, z czym i jak dalece jest zrośnięte – może tylko spekulować.

Siedzieliśmy w barze na stacji benzynowej koło torów, piliśmy herbatę, a właściwie siedzieliśmy nad stygnącą herbatą i rogalikami z dżemem. Czekaliśmy. Nie pamiętam, o czym rozmawialiśmy. Po dwóch godzinach zaczęliśmy dzwonić – do pokoju lekarzy, do dyżurki. Nic. Nikt nie odbiera. Nie ma jak zostawić wiadomości. Bujaj się.

Pojechaliśmy do szpitala.

Operacja trwała.

Wróciliśmy na stację benzynową.

Znowu rogaliki i stygnąca herbata.

Po kolejnych dwóch godzinach, po paru beznadziejnych próbach wydzwonienia kogokolwiek wróciliśmy do szpitala.

Staliśmy w tłumie przestraszonych, pokornych rodziców, czekających na bogów lekarzy, którzy przyjdą i ogłoszą wyrok: temu życie, temu śmierć. Staliśmy i stali, nikt nas nie wołał, w końcu sami poszliśmy do neurochirurga, który operował Polę. Bardzo się zdziwił, że nikt z nami jeszcze nie rozmawiał.

– Wszystko przebiegło zgodnie z planem, choć trwało dużo dłużej – powiedział. – Otworzyliśmy czaszkę, bez problemu dotarliśmy do guza. Ma dziewczyna szczęście, to był guz in situ...

– Czyli? – zapytałem.

Spojrzał na mnie ze zdziwieniem. Chyba nie był przyzwyczajony, że mu się przerywa pytaniami.

– Czyli niezdolny się rozprzestrzeniać. Zresztą został usunięty w całości i w zasadzie wszystko jest w porządku...

– Ale jest, to znaczy, był złośliwy czy...

– Pobraliśmy wycinki do histopatologii. Na tyle, na ile patolog mógł to stwierdzić w trakcie operacji, mieliśmy do czynienia z guzem łagodnym.

– Wspaniale! – powiedziała Dasza cichutko.

– Przez jakiś czas będzie jeszcze na lekach, które ją trochę otępią, więc jej świadomość będzie ograniczona – dodał lekarz, jakby na pocieszenie. – Ale proszę się nie obawiać, ośrodkiem refleksji, pamięci, woli i rozróżniania emocji jest płat czołowy. Tam jest wszystko tak jak było, w najlepszym porządku.

Na nasze szczęście nie do końca rozumieliśmy, co do nas mówi. Odebraliśmy to wszystko jako same dobre nowiny.

4

Zjechaliśmy windą na pierwsze piętro na OIOM. Nie chcieli nas wpuścić do środka. Nie pamiętam, jak ubłagałam oddziałową, ale w końcu dała mi fartuch, maseczkę, czepek, nowe ochraniacze.

Weszłam do sali nie z tego świata. Czworo dzieci tam leżało. Wszystkie zaplątane w rurki, przewody od kroplówek i pomrukującej aparatury, wszystkie z ogolonymi głowami i twarzami w kolorze poduszek. Przez sekundę zastanawiałam się w panice, które z nich to moja córka. Ale tylko przez sekundę. Zobaczyłam ją i nogi wrosły mi w ziemię. Nie byłam w stanie ruszyć się z miejsca! Pielęgniarz, widząc mnie, podszedł do łóżka, dotknął jej.

– Zobacz – powiedział – przyszła twoja mama.

Podeszłam, a może się podczołgałam, nie wiem.

Pola otworzyła oczy, a ja zobaczyłam potworny oczopląs. Nie mogła w ogóle skoncentrować wzroku. Była przytomna, próbowała coś powiedzieć, ale z gardła wyszedł jej tylko nieartykułowany bełkot.

Przypomniał mi się mój sen z małą Polą, która zamykała przede mną drzwi.

Stało się. Moja córeczka była gdzieś, gdzie nie miałam wstępu. Nie wiedziałam nawet, czy to jasny pokój ze srebrzystozielonym drzewem, czy ciemność, chaos i lęk. Nie było sposobu, by pójść tam za nią.

Chyba po raz pierwszy w życiu byłam zbyt przerażona, żeby płakać.

Kazali mi wyjść.

– I co? – zapytał Marcin czekający na zewnątrz.

– Nie wiem.

– Jest przytomna?

– Tak, ale nie jest w stanie nic powiedzieć.

– To pewnie te leki uspokajające – mruknął.

– Chyba nie – szepnęłam.

Wyszliśmy. Wsiedliśmy do windy, która jechała na górę, choć chcieliśmy na dół. Byliśmy półprzytomni.

Cały czas miałam w głowie zamykające się ciężkie drzwi ze snu, ale stojąc tam, w tej windzie, widziałam, czułam, jak powoli, nieubłaganie ich kontury się zacierają, rozmywają i drzwi zamieniają się w potworną czarną dziurę, która mnie zasysa. Coś strasznego przenikało mnie do kości, na wylot, jakaś przerażająca wewnętrzna martwica.

I pojedyncze, oderwane myśli, tłukące się w tej pustce i martwocie... Że zlekceważyłam objawy... Że mogłam ją uważniej obserwować... Że gdyby nie Marcin, gdyby nie te wszystkie gwałtowne zmiany, przeprowadzki, nowe szkoły, gdybym nie urodziła Uli...

– Co teraz będzie? – zapytał Marcin.

Przypomniało mi się, jak dzień przed operacją poszłyśmy z Polą do szpitalnej łazienki. Miała już wyraźny kłopot z utrzymaniem równowagi, dlatego chciałam jej pomóc przy wejściu do wanny.

– Daj spokój – rzuciła, gramoląc się samodzielnie. – Po operacji będziesz mi pomagała.

Poczułam, że robi mi się niedobrze.

Wiedziałam, o co pyta Marcin, ale mogłam odpowiedzieć mu tylko:

– Jedziemy do domu.

Pojechaliśmy do Uli, która od kilku tygodni raczkowała jak mała torpeda, wzbudzając entuzjazm Figi i umiarkowany entuzjazm mojej mamy. Dziecko i pies przemieszczali się po całym parterze w zbitym kłębie, siejąc zamęt i spustoszenie. Nie wiem, jakim cudem znajdowałam siłę, żeby się tym cieszyć. Może to była jakaś łagodna odmiana schizofrenii.

Następnego dnia z samego rana zadzwoniła macocha Marcina.

– To co? – powiedziała na dzień dobry – To jesteś zdruzgotana?

– Nie. Wierzę, że wszystko się dobrze skończy – odparłam.

– No, nie wiem, ja bym nie ufała konowałom. Nowotwór to nowotwór.

– To łagodny guz... – sprostowałam nie wiadomo po co. Miałam ochotę odłożyć słuchawkę.

I pewnie trzeba było odłożyć, bo Danka okazała się niezwykle zainteresowana szczegółami operacji. Chciała wiedzieć, czy była trepanacja czaszki, jak rozbijali tę czaszkę, czy Pola zostanie z dziurą w głowie i czy bardzo dużą. Być może miała więcej wnikliwych pytań, ale przerwałam jej niezbyt grzecznie, powiedziałam, że muszę się szykować do szpitala, i oddałam słuchawkę Marcinowi.

Parę dni później Pola wróciła na oddział.

O ile jeszcze na OIOM-ie była przytomna, próbowała i mogła zrobić cokolwiek, o tyle na oddziale cofnęła się właściwie do stanu wegetatywnego. Nie umiała przełykać, trzeba było jej włożyć sondę, cewnikować, ona po prostu nie funkcjonowała sama z siebie. Nie mówiła i wszystko wskazywało na to, że nie widzi. Była kompletnie otumaniona, dostawała silne leki przeciwbólowe. Mogła tylko oddychać.

To było jak codzienna pielgrzymka – trzydzieści kilometrów w jedną stronę. Wstawaliśmy o świcie, szykowaliśmy jedzenie dla Poli, przecierane zupy, kaszę jaglaną, i w samochód. Zbyt krótko mieszkaliśmy w Warszawie, żeby eksperymentować z jakimiś skrótami i objazdami – jechaliśmy trasą, którą Marcin po prostu wyrysował na planie.

Przemierzaliśmy rozprażoną upałem albo zalaną deszczem – i niezależnie od pogody zakorkowaną – Warszawę. Dzień w dzień towarzyszyła nam w tych jazdach obłędnie lansowana wówczas piosenka „The Road to Mandalay". Nie wiedzieliśmy, jak się nazywa, na nasz użytek nazywała się „pampampampara ram pampam". Śpiewaliśmy ją bardzo głośno, to znaczy ja śpiewałam, Marcin buczał w sobie właściwych rejestrach. Zagłuszaliśmy Robbiego Williamsa, nasze lęki, myśli o tym, co nas już spotkało i co nas czeka. Do dziś, kiedy myślę o tamtych przejazdach w tę i z powrotem, słyszę „pampampampara ram pampam".

Za Marysinem miasto przechodziło w senną willową dzielnicę podmiejską. Po obu stronach drogi kłaniały się stare sosny, wszędzie niska zabudowa, domy najwyżej dwupiętrowe, sporadycznie bloki, ale też nie wyższe niż cztery piętra.

Dojeżdżaliśmy do celu, a tam, po zjeździe z ronda, zza zakrętu wyłaniał się Moloch. Z tej perspektywy wyglądał tak, jakby wyrastał na końcu ulicy i zamykał ją swoim wielkim czarnym cielskiem. Patrzyłam na ten żelbetowy gigantyczny meteoryt w środku lasu i robiło mi się słabo.

I znowu trzeba było wejść do środka, kupić w automacie ochraniacze, wjechać na piąte piętro windą z uszkodzonymi drzwiami, przejść się do stołówki po herbatę, postawić kubek na ruchomej taśmie, zupełnie jak kilkanaście lat temu na Dworcu Centralnym – tak samo pięknie i komfortowo.

Wchodziliśmy do Poli i każdego dnia widziałam jakiś okruch, cień poprawy, a lekarz przychodził na obchód, patrzył i rzucał:

– Tutaj bez zmian.

Jasne. Po co dawać znękanym ludziom chociaż odrobinę nadziei? Niby dlaczego mieliby choć przez sekundę poczuć się lepiej? Szpital jest po to, żeby cierpieć, czyż nie?

Marcin patrzył na mnie i pytał:

– Co teraz będzie?

Było mycie, układanie, zmienianie pozycji, karmienie, kiedy już odłączono sondę, no i czytanie. Porozumiewaliśmy się z Polą na zasadzie „tak-nie" – jak mówił Marcin: tylko pytania zamknięte – bo wiedzieliśmy, że nas słyszy i rozumie. Czasami chodziliśmy coś zjeść do szpitalnej stołówki. Koło piątej, szóstej ruszaliśmy w drogę powrotną. Sam powrót zabierał nam ponad godzinę.

Ula miała dziesięć miesięcy. Był środek lata. Rozpaczliwie szukaliśmy opiekunki na stałe. Ale wszystkie polecane nam panie, studentki, dziewczyny z sąsiedztwa mogły zaangażować się dorywczo, jednorazowo, na kilka dni. Nie sposób było znaleźć kogoś na weekend. Ustaliliśmy, że w niedzielę Marcin pojedzie do Poli sam.

Pojechał rano i wrócił wieczorem. Ledwie żywy i wstrząśnięty. Okazało się, że musiał samodzielnie zmienić pampersa i umyć Polę, bo gdyby czekał na pielęgniarki, odparzyłaby się w tym upale.

– Zrobiłem to.

Tyle tylko powiedział, a ja, patrząc na niego, myślałam: „Grzesiek, gdzie jesteś? Dlaczego nie ma cię przy łóżku córki?". Sezon w teatrach skończył się dwa tygodnie temu. Nie wyobrażałam sobie, jakie niby zobowiązania zawodowe mogły być ważniejsze niż to, co działo się tutaj. Próbowałam obliczyć, w którym miesiącu może być teraz jego żona, bo tylko ta ciąża i jakieś związane z nią kłopoty mogły być wytłumaczeniem.

Nie wyobrażałam też sobie, co bym zrobiła bez Marcina. Co by było, gdyby nie te wszystkie gwałtowne zmiany, gdyby nie Marcin... Gdybym przechodziła to samo, ale na czwartym piętrze bloku na Nagórkach, bez samochodu i z pensją aktorki na etacie!

Wracałam często myślami do tych tygodni i miesięcy, kiedy wszystko nam się udawało, wszystko układało się błyskawicznie. Wtedy wydawało mi się, że cały świat nam pomaga, byśmy mogli być razem. Teraz wiedziałam, że cały świat pomagał nam, żebyśmy zdążyli okrzepnąć przed chorobą Poli. Byśmy zdołali ją udźwignąć.

Patrzyłam na Marcina, myślałam o tym, jakie mam nieprawdopodobne szczęście, ale nie miałam odwagi nawet pomyśleć o tym, jakie on...

Początkowo wszystko, co nie dotyczyło bezpośrednio mojej córki, wydawało mi się rozmazaną kolorową plamą, z której od czasu do czasu docierały do mnie jakieś odgłosy. Ale pewnego dnia poczułam, że cały mój świat odwrócił się jak obrotowa scena.

Wszystko, co działo się poza szpitalem, w drodze z domu i do domu, stało się nagle pustką, z którą nie miałam nic wspólnego. Na przeciwległych krańcach tego Wielkiego Nic były moje światy równoległe. Z jednej strony – dom, gdzie czekała na mnie Ula i ogłupiały pies, a z drugiej – szpital i pokój, w którym leżała Pola.

Dopiero wtedy zorientowałam się, że na oddziale są też inne dzieci i inni rodzice.

Pamiętam, jak któregoś dnia, jadąc windą w dół, po raz pierwszy przyjrzałam się ludziom, którzy razem z nami opuszczali oddział. Jedni jechali do domu, inni tylko odprowadzali kogoś i jeszcze wracali. Wszyscy wyglądali podobnie. „Jakie dziwne oczy", pomyślałam wtedy.

Wróciłam do domu, weszłam do łazienki umyć twarz i zobaczyłam oczy kobiety w lustrze. Były takie same, tak samo dziwne. Nie. Już wiedziałam. One nie były dziwne. To były oczy, które codziennie płakały – tygodniami, z przerwą na sen i czas spędzony z dzieckiem w szpitalu. To były moje oczy, a ja byłam jednym z tych śmiertelnie przerażonych, śmiertelnie zmęczonych ludzi, których każdego dnia mijałam na korytarzu.

Czasami najtrudniej jest pogodzić się z prawdą, że to, co nam się przytrafiło – zwłaszcza gdy przytrafiło się nieszczęście – nie jest niczym nadzwyczajnym. Zdarzyło się niezliczonej ilości ludzi przed nami, zdarza się jednocześnie z tym, co sami przeżywamy. Codzienny widok innych, tak samo, a czasami nieporównanie bardziej dramatycznie doświadczonych rodziców nie pozostawiał wyboru. Ci nieszczęśni, złamani, cierpiący, walczący, zrezygnowani i pogodzeni ludzie, oni pierwsi pokazali mi, że wszystko można przeżyć. Że każdy dramat ma swoje fazy, rozgrywa się etapami, które bez względu na okoliczności zawsze układają się podobnie. My jesteśmy podobni. Bo wszyscy jesteśmy ludźmi.

Na szpitalnym korytarzu poznałam mamę chłopca przywiezionego śmigłowcem po wypadku. Z rozległymi obrażeniami wewnętrznymi i niejasnymi rokowaniami. Miła, drobniutka dziewczyna – czytała mu „Harry'ego Pottera". W tym wypadku zginął jej mąż. Powiedziała mi kiedyś:

– Wiesz, ja nawet nie miałam czasu ani siły, żeby go opłakać, nawet pomyśleć o nim. Robię wszystko, żeby wyciągnąć Jacka.

Chyba właśnie wtedy po raz pierwszy mignęła mi myśl, że naprawdę bywa gorzej. Cokolwiek się zdarzy, bywa gorzej.

W tej samej sali leżał mały Mariusz, również po wypadku. Bardzo cierpiał, próbował uciekać, wyrywać kroplówki. Przywiązywali go do łóżka skórzanymi pasami. Mariusz miał matkę narkomankę. Wpadała do niego co jakiś czas i go biła, bo ją wkurzało, że bachor marudzi i płacze. Wiedzieliśmy, kiedy przychodziła, bo słychać ją było na całym oddziale.

Ale najmocniejsze wrażenie wywierali bardzo zajęci lekarze, którzy w przelocie potrafili rzucić rodzicom:

– Dziecko ma złośliwy nowotwór. Musimy przenieść piętro wyżej, na onkologię.

Brzmiało to jak kiepski żart, coś w rodzaju „musi się znaleźć bliżej nieba".

A matka i ojciec, prawie mdlejący na tym korytarzu, to byli jacyś nadzwyczajni ludzie z Gdańska i ich dziecko miało jakąś nadzwyczajną lekarkę, która wykorzystała nadzwyczajne środki, by je tu umieścić.

Jedno zdanie i do widzenia. W tym nadzwyczajnym szpitalu, do którego wejście było dla setek zrozpaczonych rodziców sprawą życia i śmierci! To było coś potwornego. To nie mieściło się w głowie.

– W Stanach jeden z drugim następnego dnia miałby proces – denerwował się ciągle Marcin.

– Dlatego, jak pojadą do Stanów, to będą uważni i pełni współczucia – prychała mama Jacka. – A tu zarabiają grosze i uważają, że to ich ze wszystkiego usprawiedliwia.

Wszyscy pytali, ile i komu zapłaciliśmy za przyjęcie Poli. To było oczywiste, nikt nie wierzył, że po prostu przyszliśmy na izbę przyjęć. A nam nawet w głowie nie postało, że trzeba zrobić coś poza tym. Może jestem niesprawiedliwa, ale pamiętam takie myśli, że może gdybyśmy o tym wiedzieli, gdybyśmy zapłacili, wszystko potoczyłoby się inaczej, lepiej...

Ale moją główną, obsesyjną myślą, gdzieś od trzeciego tygodnia po operacji, było to, żeby Polę zabrać, wyrwać z Molocha, wyciągnąć zza tych drzwi, które każdego dnia bez skutku szturmowałam.

Jestem pewna, że w tamtym czasie wszystkim nam życie uratowała Małgorzata Musierowicz. Przeczytaliśmy prawie nieruchomej i niemej Poli całą „Jeżycjadę". Dzieje książkowej rodziny Borejków stały się naszą pierwszą terapią.

5

Po trzech tygodniach lekarze pozwolili nam wywieźć Polę na balkon przy oddziale. Balustradę balkonu stanowiła bardzo osobliwa konstrukcja z kratami i zaporami na różnych wysokościach. Przychodziło mi wtedy do głowy, że wymyślono je po to, żeby dzieci i rodzice nie wpadli przypadkiem na pomysł szybkiego i definitywnego rozwiązania problemu choroby i... wszystkich innych problemów. Bo to było piąte piętro.

Potem zaczęliśmy ją mniej lub bardziej legalnie zabierać w wózku na szpitalny spacerniak, ale to już było coś, chociaż tych parę kwadransów poza łóżkiem i duszną salą.

Parę dni przed pierwszymi urodzinami Uli przyjechał Grzegorz Trześniewski. Na tydzień. Zachowywał się dziwnie. A może to my byliśmy już w innym miejscu i każdy, kto przybywał z normalnego świata, wydawał nam się dziwny. W każdym razie wszelkimi sposobami zaznaczał swój dystans wobec mnie i Daszy. Zamieszkał u swoich kolegów. Mijaliśmy się codziennie w drzwiach do pokoju Poli, ale ani razu się do siebie nie odezwaliśmy. To było kretyńskie. Ale ja nie miałem siły zastanawiać się nad swoimi relacjami z ojcem Poli.

Trześniewski siedział z nią na swoich dyżurach i próbował ją uczyć mówić. To było jakiś czas po pierwszej i ostatniej konsultacji z logopedą, która nie dała nic. Nie udało się skłonić Poli nawet do tego, żeby powiedziała „A". Nie wiem, może to było za wcześnie, może ta kobieta nie wzbudziła jej zaufania – w każdym razie nie wyszło.

Grzesiek się zawziął. Zaczął od równie prostych dźwięków, łatwych zbitek, na zasadzie: „powiedz mama, powiedz tata".

W dniu pierwszych urodzin Uli, po południu, siedzieliśmy z nią w domu przy wielkiej misce truskawek z jedną świeczką w środku. Zadzwoniła komórka Daszy. Wiedziałem, kto dzwoni, bo podawałem jej aparat. Dasza odebrała, naciskając klawisz głośnego mówienia. Usłyszałem, jak Trześniewski mówi:

– Cześć, Pola chce ci coś powiedzieć.

A po chwili usłyszeliśmy bardzo niewyraźne, nosowe:

– Ja-go-dzian-ka.

Najwyraźniej nie miała cierpliwości do „A, B, C, mama, tata, lala". Odczekała jakiś czas, żeby w granicach swoich aktualnych możliwości powiedzieć to, co chce, a nie to, co może.

Zawsze była przekorna.

Może nie płakaliśmy z radości do nocy. Ale niewiele krócej.

Następnego dnia omal nie uściskałem Trześniewskiego w tych drzwiach, gdzie dotąd mijaliśmy się bez słowa. Być może nawet doszłoby do jakiegoś przełomu w naszych stosunkach, ale na dzień dobry powiedział nam, że musi wracać do Wrocławia.

– Mówiłeś, że zostaniesz przez tydzień – zaprotestowała Dasza. – Nie widzisz, że Pola cię potrzebuje?

– Jagoda jest w szpitalu. Będą prowokować poród. Coś jest nie tak – wyjaśnił spokojnie, jak nie on.

Patrzyłem, jak oddala się długim korytarzem neurologii. Spieszył się. Wyglądało to tak, jakby uciekał.

– Każdy pretekst dobry – mruknąłem.

– Przesadzasz – sprzeciwiła się Dasza. – Przecież się nie rozdwoi.

– A ty możesz? – zapytałem nieprzekonany.

– Ja to co innego, bo... – I nagle zgięło ją wpół. Zupełnie jakby w środku zdania odebrało jej siły, jakby przygięło ją do ziemi jednym mocnym skurczem.

Chwyciłem ją. Drżała na całym ciele, ale już się prostowała, próbowała wyrównać oddech i powstrzymać łzy. Dwie minuty później weszła do szpitalnej sali z niemal naturalnym łagodnym uśmiechem. Tylko ja widziałem, jakim heroicznym wysiłkiem przykleiła go sobie na twarzy.

Pojechaliśmy na konsultację do chińskiego lekarza. On jeden z całego kręgu specjalistów, z którymi mieliśmy do czynienia, zadał sobie trud i wytłumaczył nam, co się stało z Polą.

– Mózg zanurzony jest w płynie mózgowo-rdzeniowym, a ten płyn jest produkowany i rozkładany w czterech, połączonych ze sobą, niewielkich komorach – tłumaczył, pokazując nam palcem to, o czym mówił, na kolorowych wyklejkach wielkiego atlasu anatomicznego. – Wewnętrzne ściany komór pokryte są wyściółką z tkanki nabłonkowej, która wytwarza ten płyn. Komora czwarta znajduje się najniżej, w dolnej, tylnej części mózgu.

Przesunął atlas, rozłożył naszą dokumentację, kilka kartek, które dostaliśmy w szpitalu.

– Z rezonansu magnetycznego wynika, że guz wypełniał tę komorę niemal całkowicie. – Teraz pokazywał ołówkiem na schematycznym rysunku mózgu ludzkiego w jakiejś innej książce. – Oprócz tego wrastał w móżdżek, a także sięgał wypustką, czymś w rodzaju leja, w stronę pnia mózgu, czyli tam, gdzie zaczyna się rdzeń przedłużony i gdzie są jądra wszystkich nerwów przechodzących przez rdzeń kręgowy. Gdyby go zostawić w spokoju, mógłby za jakiś czas – one rosną powoli – dosięgnąć któregoś z ważnych nerwów i go uszkodzić, chociażby tego, który kontroluje oddychanie.

– I udusiłaby się? – zapytałem.

– Nie ma co gdybać – odpowiedział spokojnie i zaczął rysować mózg, teraz już na odwrocie któregoś z naszych papierów. – Guz zabierał miejsce, w którym normalnie znajduje się płyn mózgowo-rdzeniowy. A w mózgu nie ma miejsca na zbyciu. Czaszka ma taką objętość, jaką ma, i nie może powiększyć się jak nadmuchiwany balon. Guz się rozrastał, sprawiał, że rosło ciśnienie płynu. Musiało rosnąć. Stąd zawroty i bóle głowy, a także zaburzenia widzenia. Typowe objawy.

– Dlatego okulistka kazała działać natychmiast – mruknąłem.

– Dobrze – przerwała mi Dasza – ale proszę powiedzieć, czy stan, w jakim teraz jest Pola, spowodował guz, czy operacja, bo nikt nie chce z nami o tym rozmawiać.

Przyglądał nam się chwilę tym swoim pozornie zmęczonym wzrokiem, jakby szacował, ile jesteśmy w stanie przyjąć.

– Tego nie sposób stwierdzić. Nigdy się nie dowiemy – powiedział w końcu. – Guz i nadciśnienie wewnątrz czaszki mogły doprowadzić do uszkodzenia różnych ważnych nerwów i mogły poważnie zaburzyć funkcje móżdżku.

– Wiem – znowu przerwała Dasza – ale co to znaczy?

– To znaczy, że Pola może nie widzieć, może mieć kłopoty z utrzymaniem równowagi, z wykonywaniem rękami precyzyjnych ruchów – wyliczał. – Że może mieć niedowład części twarzy i krtani, a co za tym idzie, zaburzenia mowy i przełykania. Mówię: może. Ale w tej chwili nie ma sposobu, żeby się dowiedzieć, jak poważne są uszkodzenia. Trzeba czekać.

Słuchaliśmy, pytaliśmy i niby przyjmowaliśmy do wiadomości, ale dziś wiem, że kompletnie nie zdawaliśmy sobie sprawy, co to tak naprawdę oznacza – dla Poli, no i dla nas.

Nadal pielęgnowaliśmy złudzenia, że skoro nowotwór został wycięty w całości, to cała reszta, to, co się stało z Polą, wszystko po kolei się odstanie – może nie za miesiąc, ale za pół roku, rok. Nie chcieliśmy wiedzieć, że nic już nie będzie tak jak dawniej.

Niby nie czekaliśmy na wielki cud, ale każde z nas, mniej lub bardziej świadomie nadal miało nadzieję – choćby na całkiem mały, malutki cud – niechby Pola zaczęła trochę widzieć albo trochę chodzić. Nie za dużo, troszeczkę, ale niechby coś takiego się stało, bo przecież tak się staramy.

Od wizyty ojca całkowita afazja zaczęła powolutku ustępować, choć miało minąć jeszcze sporo czasu, zanim nasza córka wyszła poza najprostsze komunikaty.

Mocnym przeżyciem był dzień, kiedy przyszła do niej szpitalna rehabilitantka. Młoda sympatyczna dziewczyna wyjęła Polę z łóżka, a potem… postawiła i kazała iść, zanim Dasza zdążyła zaprotestować.

Chuda jak patyk Pola nie była w stanie utrzymać równowagi, nie panowała nad swoimi kończynami, ręce uciekały jej w jedną, nogi w drugą stronę. Przerażający widok.

– Jak niezsynchronizowana lalka – szepnęła Dasza, kiedy przyglądaliśmy się tej walce o jeden zborny ruch.

Rehabilitantka przychodziła codziennie, miała na każde dziecko jakiś kwadrans, ale nawet to było na pół gwizdka, bo szpitalny oddział rehabilitacyjny właśnie zamykał się na cały sierpień albo i dłużej. Remont.

Po badaniach kontrolnych okazało się, że płyn mózgowo-rdzeniowy w okaleczonym mózgu Poli gromadzi się i wytwarza takie ciśnienie, że grozi to dalszymi uszkodzeniami. Lekarze uznali, że konieczne jest wszczepienie zastawki, która odprowadzałaby nadmiar płynów z komór mózgu do jamy otrzewnej.

W porównaniu z poprzednią operacją to była bułka z masłem, ale w pierwszej chwili poczuliśmy się tak, jakby nam kto znowu dokopał w brzuch za niewinność. Znowu sala operacyjna i narkoza.

Wszczepili Poli rurkę, która wychodzi z okolicy ciemienia, biegnie pod skórą przez obojczyk w dół i wchodzi drenem do jamy otrzewnej. Tym sposobem płyn zaczął spływać do miejsca, w którym nie przeszkadza. Ma ją do dzisiaj. Można ją wyczuć palcem w okolicy obojczyka.

Zaraz po tej dodatkowej operacji nastąpiła kontrola rezonansem magnetycznym, bardzo ważny moment, bo chodziło o jednoznaczne stwierdzenie, że guz został usunięty w całości razem z lejami.

Udało się, usunęli wszystko, co trzeba. Mimo to lekarz prowadzący zalecił Poli radioterapię. Tylko że z jakichś powodów nie można było zrobić tego na miejscu. Mieli ją na te naświetlania wozić gdzieś na drugi koniec miasta.

I wtedy moja żona podjęła odważną, ale mocno kontrowersyjną decyzję.

Nie zgodziła się – po konsultacjach z chińskim lekarzem i onkologami o innych niż oficjalne poglądach na terapię nowotworów. Wszyscy byli zdania, że naświetlanie w niczym Poli nie pomoże, a wręcz przeciwnie. Uważali, że ona musi się z tego wszystkiego sama obudzić, otrząsnąć i nabrać sił.

Nie odzywałem się, bo nikt mnie nie pytał, ale miałem wielkie wątpliwości.

Widziałem w szpitalu, jak bardzo naświetlania osłabiają dzieci. Ale widziałem też innych rodziców, widziałem, z jaką desperacją walczyli o chemię, jeszcze jedną chemię, naświetlania, wszystko co się da, wszystkie możliwe trucizny i lekarstwa, żeby tylko mieć pewność, że zrobili wszystko, co możliwe dla swego dziecka.

W końcu powiedziałem o tym Daszy podczas którejś z codziennych podróży w tę lub z powrotem. A ona przez chwilę patrzyła przez okno, potem odwróciła się do mnie i powiedziała:

– Jeśli jedynym celem naświetlania ma być to, że ja poprawię sobie samopoczucie, to nie widzę w tym sensu.

– Skąd wiesz, że to nie jest błąd?

– Po prostu to wiem – odpowiedziała, co mnie trochę zirytowało, bo po takim tekście nie było o czym dyskutować, ale się przymknąłem.

Dopiero długo potem dowiedziałem się, że nie ma badań, które by rozstrzygały, czy radioterapia jest skuteczna w przypadku wszystkich nowotworów mózgu. Różni onkolodzy różnie mówili o jej stosowaniu tam, gdzie rezonansem magnetycznym dało się potwierdzić całkowite usunięcie guza, a tak właśnie było w przypadku Poli.

Pola była nadal cewnikowana pięć razy dziennie – skoro odpadały naświetlania, cewnik stawał się jedynym powodem trzymania jej w szpitalu. Dasza nauczyła się więc, jak to się robi, i zażądała wypisania córki. Ale się podniósł krzyk!

W końcu prawie porwaliśmy dzieciaka, wsadziliśmy w nie pamiętam gdzie pożyczony wózek, w samochód i do domu.

Nikt nam nie powiedział, co dalej, co mamy robić, czego nie robić. Nikt nic – nie wiem, może za karę, za ten bunt w miejscu, gdzie słowo lekarza było święte. Ale może to była normalna praktyka. W końcu większość informacji musieliśmy niemal wyrywać z gardła lekarzom.

Pierwszą reakcją moich starych na wiadomość o chorobie Poli był szok. Potem ciekawość, taka szczególna mieszanka współczucia i nieskrywanej ekscytacji. Coś się działo! A potem...

Zadzwoniłem do nich na krótko przed powrotem Poli ze szpitala, i tamta rozmowa, w której Danka w ogóle nie dopuściła ojca do głosu, mocno zaważyła na naszych i tak nie najlepszych stosunkach.

Ucieszyła się, kiedy powiedziałem, że zamierzamy zabrać Polę do domu.

– To świetnie – powiedziała. – Skończy się wreszcie twoje jeżdżenie. Ileż można!

– Łatwo nie było – przyznałem.

– Pewnie. I wystarczy. Niech sobie sama dalej wszystko załatwia.

– Danka...

– Ona nie może cię tak dalej wykorzystywać.

– Danka, to jest moja żona.

– Żona! Ale nie twoje dziecko. Ty czas i siły poświęcaj Uli. Musisz myśleć przyszłościowo. Wpadłeś w to wszystko jak śliwka w kompot. Teraz masz dobrą okazję, żeby wyjść z twarzą. Chyba nawet dla tej twojej żony jest jasne, że się nie pisałeś na coś takiego.

Nie wiedziałem, co powiedzieć.

– Dobra. Muszę lecieć, zdzwonimy się jeszcze – wyrecytowałem gładko i rozłączyłem się.

– Co się stało? – zapytała Dasza, która pod koniec rozmowy wyszła na taras z praniem.

– Nic – odpowiedziałem – macocha dawała mi dobre rady.

Ale w środku aż mną telepało.

Nie wierzę, że ktokolwiek przyjąłby z pokorą to, co nas spotkało. Nie wierzyłem nawet, że Dasza przeszła nad całą sytuacją do porządku dziennego, choć na pierwszy rzut oka mogła sprawiać takie wrażenie. Po prostu była tak zmobilizowana, skoncentrowana na kolejnych czynnościach, że nie miała kiedy na spokojnie rozeznać się we własnych uczuciach.

Oboje działaliśmy jak żołnierze, którzy muszą do przodu, przed siebie, bo za nimi tylko pobojowisko i spalona ziemia. Nie byliśmy już romantyczną parą. Byliśmy towarzyszami broni. Żołnierzowi wypchniętemu z okopów nie podpowiada się z boku: „Nie musisz". Bo nie ma dla niego innej drogi.

Właściwie dobrze się stało, że Danka wypowiedziała to na głos, z typową dla siebie delikatnością. Dzięki temu uświadomiłem sobie jasno, że rzeczywiście – nie muszę. Ale muszę.

Trochę było w tamtym czasie dziwnych rozmów, nieoczekiwanych głosów z przeszłości i powrotów. Odzywali się, mocno przestraszeni, nasi szkolni koledzy. Ale było też dużo ciszy, milczenia i pustki tam, skąd spodziewaliśmy się wsparcia. Tak jakby ludzie bali się z nami rozmawiać o tym, co się zdarzyło. Był też – jeden na szczęście – przypadek zainteresowania żywego, ale nieco chorobliwego.

Moja koleżanka z pracy, Amerykanka zresztą, zadzwoniła dzień czy dwa po tym, jak zabraliśmy Polę ze szpitala. Strasznie chciała nas odwiedzić, choć od razu powiedziałem jej, że na razie to nie wchodzi w grę, bo jeszcze nie wiemy, za co się chwycić, bo mamy w domu małe dziecko i dziecko leżące w łóżku, jedno i drugie wymaga całodobowej opieki.

Uparła się i przyjechała, wiedziona, nie wiem, jakąś niemal zwierzęcą ciekawością. Nie wpuściłem jej do domu. Staliśmy na schodach, setny raz tłumaczyłem, że nie przyjmujemy nikogo, a ona wyciągała szyję jak łabędź czy żyrafa, żeby choć trochę, choć kawałek zobaczyć i napaść oczy, skoro już nie można dotknąć i palca wsadzić! Okropność!

Zadzwonił Ian, mój kolega z TGM w San Jose. Nie wypytywał, nie współczuł, tylko zapytał, w czym może pomóc. Nie miałem pojęcia, bo wtedy jeszcze nie zdawałem sobie sprawy, jak bardzo zmieniły się nasze potrzeby. A on posłuchał tego, co byłem w stanie mu opowiedzieć, i parę dni później przysłał link do strony z niezliczonymi modelami wózków inwalidzkich i prośbą, żebyśmy wybrali taki, jakiego potrzebujemy, bo wszyscy znajomi z mojej dawnej pracy postanowili się zrzucić. Powiedziałem o tym Daszy.

– Pamiętasz, Marcin, ten wózek w garażu? – zapytała.

Dopiero wtedy przypomniałem sobie stary wózek inwalidzki, który powitał nas, kiedy przyjechaliśmy tu po wyprowadzce poprzedniego właściciela.

– Kurczę, to był znak – powiedziała.

– Że niby tego będziemy najbardziej potrzebować w tym domu?

Pokiwała głową.

Nigdy nie wierzyłem w takie rzeczy, ale wbrew sobie pomyślałem wtedy, że może to jednak było ostrzeżenie od losu – niestety, przedtem niemożliwe do odczytania, dzisiaj już do niczego niepotrzebne.

– No wiesz – mruknąłem – mnie uczyli, że nie da się zrozumieć znaków, które pojawiają się w nieczytelnym kontekście. Ani dobrych, ani złych.

– I całe szczęście – westchnęła Dasza.

W pierwszym okresie, jeszcze przed operacją, rozesłałem wiadomość o chorobie Poli do wszystkich swoich amerykańskich znajomych, włącznie z Sarą, ostatnią dziewczyną Maziuka. Choć od mojego powrotu do Polski nie utrzymywaliśmy żadnych kontaktów, niemal natychmiast odpowiedziała i odtąd regularnie pisała do mnie, pytając, na czym stoimy.

Kiedy Pola wróciła ze szpitala, Sara nieoczekiwanie zadzwoniła i zapytała, co ona lubi czytać. Trochę zgłupiałem, bo już jasne było, że Pola nie jest w stanie czytać książek, ale odpowiedziałem, że bardzo podobał jej się „Harry Potter", tym bardziej że udało jej się przeczytać go po angielsku. Sara ucieszyła się, a po tygodniu odebraliśmy paczkę z płytami CD. To były wszystkie wydane dotąd tomy „Harry'ego Pottera" i „Władca pierścieni". Zadzwoniłem z podziękowaniami i wtedy się okazało, że przyjaciółka Sary prowadzi w Londynie aptekę ziołową i może bez problemu przesyłać nam mieszanki zaordynowane przez chińskiego lekarza. Poczułem się tak, jakby to Maziuk z zaświatów przysłał mi w zastępstwie swoją dziewczynę.

Zrozumiałem też, że stałem się ojcem ciężko chorej Poli. Nieważne, że ona już miała ojca. Zajęty swoim nowo narodzonym i szczęśliwie zdrowym dzieckiem, Trześniewski ograniczał się do lakonicznych telefonów. Chciał być o wszystkim informowany na bieżąco, gdy tymczasem ja na bieżąco musiałem w tym wszystkim funkcjonować.

I taka była między nami różnica.

6

W ciągu półtora miesiąca moja córka schudła kilkanaście kilogramów. Ważyła teraz trzydzieści sześć kilo. Przestała miesiączkować i nikt nie potrafił powiedzieć, kiedy powróci naturalny cykl.

Leżała. Nie umiała się nawet przewrócić o własnych siłach. Podciągnięta do pozycji siedzącej nie umiała się w niej utrzymać, posadzona na wózku nie potrafiła utrzymać głowy. Wypowiadała tylko pojedyncze wyrazy. Nie miałam pojęcia, co myśli, co czuje, bo nie była w stanie mi tego powiedzieć. Godzinami wpatrywałam się w jej nieruchomą twarz i puste oczy, usiłując cokolwiek z nich wyczytać. Na próżno.

Jedyne, co w tym wszystkim trochę podnosiło mnie na duchu, to wiadomość, że nie utraciła całkowicie wzroku. Pewnie dlatego, że jeszcze nie zdawałam sobie sprawy, że utraciła go w dziewięćdziesięciu procentach…

Pozwoliłam Poli przez miesiąc odpoczywać od wszystkiego, żeby nabrała sił.

Marcin musiał wracać do pracy. Znowu przyjechała moja mama.

Było ciężko. To już nie był ten czas zaraz po operacji, kiedy wszyscy robili swoje i woleli nie zastanawiać się za dużo. Minęło parę tygodni. Świat stanął na głowie i tak pozostał, ale każde z nas – mimo całej niewygody – nawet stojąc na głowie, pozostało sobą.

Moja mama, która wszystko wie najlepiej, zaczęła jak zawsze dążyć do przejęcia sterów. Ja, jak zawsze, wszelkimi możliwymi sposobami unikałam bezpośredniej konfrontacji, przyzwyczajona do tego, że i tak po cichu zrobię po swojemu. To był ten nasz najstarszy układ, przez lata całe wzmacniany jej nawykowym dążeniem do podporządkowywania sobie wszystkich i moją uległością, a tak naprawdę to tchórzostwem.

Tylko że sytuacja, w jakiej się znalazłyśmy, przerastała nas obie. W tej bitwie nie było miejsca na kaprali i szeregowców.

Najpierw były drobiazgi, jakieś drobne spięcia, jej kąśliwe uwagi. Tąpnęło ostro dopiero w któreś niedzielne popołudnie. Z powodu wentylatora. Postawiłam go przy łóżku Poli, żeby owiewał jej ramiona, bo znowu wróciły upały i w pokoju panował zaduch, mimo otwartych okien. Mama weszła i nic nie mówiąc, wyłączyła wentylator. Nie zdążyła wyjść z pokoju, kiedy wróciłam z piciem dla Poli i – pstryk – włączyłam.

– Co ty wyprawiasz? – zawołała mama.

– Włączam, żeby było jej chłodniej – odparłam.

– Ależ on nie może tu stać – powiedziała zniecierpliwiona. – Pola marznie i będzie chora.

– Już jest chora – mruknęłam bez sensu.

– Bo jej nie dopilnowałaś – wypaliła moja matka.

Z automatu. Na odlew. Jak tysiące razy wcześniej. I tak długo wytrzymała.

– Posłuchaj, co ty mówisz! – powiedziałam równie głośno jak ona. To było zaskoczenie, i dla niej, i dla mnie, bo normalnie w takich sytuacjach odchodziłam na stronę i płakałam żałośnie w kąciku. Nad sobą, oczywiście. – Ja jestem winna chorobie Poli?

– Tego nie powiedziałam.

– Właśnie to powiedziałaś.

– No to przepraszam. Może lepiej będzie, jeśli w ogóle nie będę się odzywać – wygłosiła swój ulubiony tekst poprzedzający przejście w stan głębokiej urazy.

– Ale to wcale nie o to chodzi – odezwał się Marcin, który obserwował całą tę sytuację przez okno z tarasu, gdzie bawił się z Ulą.

– Widzę, że ja tu w ogóle nie jestem potrzebna! – zawołała moja mama, wybiegła z pokoju i się rozszlochała.

Musiałam zostać, napoić Polę, przewrócić, natrzeć ją talkiem i potrzymać za rękę, bo chciała. Z tego wszystkiego zamierzałam już wyłączyć ten cholerny wiatraczek!

– Zostaw – powiedziała Pola. – Dobrze.

Kiedy wyszłam z pokoju, mama nadal płakała w kuchni. Już miałam iść do niej, ale Marcin mnie powstrzymał.

– Daj jej spokój, niech się wreszcie wypłacze.

– Ale...

– Zostaw, jak teraz porządnie popłacze, to jej trochę odpuści i już nie będzie musiała nikomu dokopywać.

Powiedział to tak kategorycznym tonem, że aż spojrzałam na niego zdziwiona.

– Usiądź sobie. – Pociągnął mnie na fotel. – Nie musisz cały czas biegać i sprawdzać, czy wszystkim jest dobrze. Odpocznij.

– Maaamooooo! – rozległo się z pokoju Poli.

– Siedź. Ja pójdę.

Tak. Odpocznij. Pampersy, cewnik pięć razy dziennie, pięć półpłynnych posiłków, dwudziestoczterogodzinna walka o to, by nie dopuścić do odleżyn, w sierpniowym upale raczej skazana na przegraną.

Chiński lekarz przepisał Poli specjalną dietę i mieszanki ziołowe, które sprowadzaliśmy za jakieś straszne pieniądze z Londynu. Wszystko to trzeba było odmierzyć, zaparzyć, odcedzić, wystudzić, podawać w odpowiednich porach i dawkach. Do tego normalne zajęcia przy małym dziecku, no i pies, który właściwie zamieszkał w ogrodzie, bo miejscowe krety poświęcały mu więcej uwagi niż jego pani.

Naprawdę nie musiałam w tym wszystkim martwić się jeszcze samopoczuciem mojej mamy. Tym bardziej że poradziła sobie beze mnie. Wypłakała się chyba za ostatnie dziesięciolecie, ale wbrew temu, co tyle razy mówiła, wcale jej to nie osłabiło. Przeciwnie. Od tamtej niedzieli przez dwa tygodnie walczyła z nami ramię w ramię, starając się nie rozstawiać już nikogo po kątach, choć jeszcze różnie bywało, wiadomo, stres.

Postanowiliśmy, że czas już podjąć jakieś nowe działania. Dostałam telefon do bardzo polecanej rehabilitantki. Zgodziła się przyjechać. Młoda, energiczna dziewczyna. Pani Ania o włosach i figurze narzeczonej Robin Hooda.

Weszła do pokoju, zobaczyła Polę, uśmiechnęła się do niej, tu spojrzała, tam dotknęła, o coś ją popytała. Po chwili wyszła do nas – siedzieliśmy w kuchni – ale już bez śladu uśmiechu.

– Jak długo ona tak leży? – zapytała.

– W sumie drugi miesiąc – odpowiedziałam.

– Co? Po takiej operacji rehabilitacja powinna rozpocząć się natychmiast, możliwie intensywnie!

– Nikt nam tego nie powiedział – wymamrotałam i zrobiło mi się zimno ze strachu.

– Niemożliwe!

– Możliwe. Dlatego uznałam, że musi odpoczywać i nabierać sił.

Chciałam dobrze. Nikt mi nie powiedział, że nie ma czasu na odpoczywanie!

– Leżąc bez ruchu? To duży błąd. Nawet zdrowego by to powaliło. A co dopiero tutaj!

Dużo już wtedy przeszłam, ale tę scenę zapamiętam do końca życia.

Chciałam dobrze. Ale dobrymi chęciami piekło brukowane... Moje piekło.

– Widzisz? – włączyła się mama. – Mówiłam, żeby jej dawać chociaż piłeczkę do ściskania.

– Żadnych piłeczek – przerwała jej pani Ania bez ceregieli. – Samo ściskanie pobudza tylko pierwotny odruch chwytny. Zupełnie bezużyteczny, bez możliwości otwarcia dłoni – wyjaśniła, układając dłoń w okropny szpon.

– Przepraszam – powiedziała moja mama.

– Nie ma sprawy – rzuciła rehabilitantka. – Nikt nie zna się na wszystkim.

Ho, ho, pomyślałam.

Ale dziewczyna już wyszła i nie zwracając na nas uwagi, zajęła się Polą. Położyła ją na brzuchu i zaczęła pierwsze ćwiczenie: przekładanie głowy z lewego policzka na prawy i z powrotem. Potem były próby przewracania się na brzuch i z powrotem na plecy. I łagodne ćwiczenia mięśni nóg i rąk.

Po kilkunastu dniach okazało się jednak, że pani Ania nie da rady codziennie przyjeżdżać do Michałowic. Poleciła nam innego fizykoterapeutę.

Od niego zaczęła się czarna seria „ludzi dobrej woli".

Przyjechał, usiadł przy łóżku Poli, uśmiechnął się do niej.

– Ty wiesz, że już nigdy nie wrócisz do takiej formy jak przed operacją? – wypalił na dzień dobry. – To już się skończyło. Zapomnij.

Tak, właśnie tego potrzebowała teraz Pola! Wyceluj i sprawnie dobij! Wspaniale! Miałam ochotę złapać go za blond kudły i wyprowadzić za drzwi, jak to robiłam z Figą, kiedy mocno podpadła.

Nie pamiętam, co mówił dalej, chciałam tylko, żeby jak najszybciej wyszedł z tego domu. W końcu zamknęłam za nim drzwi i poszłam do Poli. Pochyliłam się do niej, ona minimalnie zwróciła głowę w moją stronę.

– Jechało z gęby – powiedziała niewyraźnie, ale zgodnie z prawdą.

Uznałam, że to wystarczający komentarz.

Tego samego dnia sama zaczęłam z nią ćwiczyć to, co zapamiętałam podczas wizyt pani Ani. Niedługo potem przyszedł dzień, w którym Pola samodzielnie przewróciła się na bok przez sen. Niby nic i aż tyle, ale to mógł zrozumieć tylko ktoś, kto zmieniał pozycję chorego co dwie godziny bez względu na porę dnia i nocy.

Nadal rozpaczliwie szukałam cudu. Bardzo, bardzo chciałam wierzyć, że gdzieś na świecie jest jakaś magiczna, nadzwyczajna siła, nie wiem, kwiat paproci, złoty klucz, który zwróci mi moje dziecko w stanie sprzed choroby. Tego chciałam.

Oprócz mieszanek ziołowych z Londynu postanowiłam sprowadzać wzmacniające zastrzyki homeopatyczne z Niemiec. To były zastrzyki w brzuch. Musiałam znaleźć kogoś, kto by je robił, bo to nie taka prosta sprawa.

Po paru telefonach znalazłam w którejś przychodni chętną pielęgniarkę, która przychodziła robić te zastrzyki. Za drugim razem, przy okazji, zapytałam ją o okulistę, bo uznałam, że pora, by ktoś porządnie zbadał Polę pod tym kątem.

– No, niestety – powiedziała. – W naszym ośrodku nie ma okulisty. Trzeba się umawiać aż w Pruszkowie.

Parę dni później musiałam pójść do ortopedy, bo mój kręgosłup, nadwerężony przekładaniem Poli co dwie godziny, błagał o wsparcie. Szukałam możliwie blisko nas. Zapytałam sąsiada z przeciwka, a on powiedział mi, że w budynku tamtej przychodni, w której pracuje nasza dochodząca pielęgniarka, jest jeszcze jedna, konkurencyjna placówka i tam przyjmuje niezły ortopeda.

Poszłam tam, rzeczywiście, jest, prawie przez ścianę. Szybko się umówiłam.

Następnego dnia siedziałam w tej konkurencyjnej przychodni, czekając na wizytę, i nagle patrzę, a na sąsiednich drzwiach wisi wielki napis „Okulista". Aż mnie poderwało. Poleciałam do recepcji.

– Czy ten okulista był tu zawsze? – zapytałam głupio.

– No tak, oczywiście – odpowiedziała recepcjonistka.

Do tej pory nie mieści mi się to w głowie! Żeby pielęgniarka z ośrodka za ścianą wysyłała mnie do okulisty w Pruszkowie! Z niepełnosprawnym dzieckiem po ciężkiej operacji. Co za wierność własnej firmie! A właściwie nie wierność, tylko bezmyślność i całkowity zanik współczucia.

Następny był „nakładacz". Postanowiłam, że zawieziemy Polę do znanego bioenergoterapeuty, który mieszkał niedaleko nas i leczył nakładaniem rąk, a właściwie energią tych rąk. Pojechaliśmy. Przyjmował w dusznym mieszkaniu na czwartym piętrze bloku z lat pięćdziesiątych. W poczekalni kłębiły się tłumy starych kobiet, dzieci. „Nakładacz", malutki, grubiutki, ubrany na czarno, jak czarodziej, przyjął Polę za darmo i poza kolejką.

Staliśmy z Marcinem pod ścianą, a on trzymał nad nią ręce, robił miny, wzdychał – nawet w tym całym amoku widziałam, jaki to teatr – wreszcie skupił się, i... zaczął nadawać na jakiegoś swojego konkurenta, straszne zjadliwości.

Patrzyliśmy po sobie mocno spłoszeni, a on:

– Spokojnie, spokojnie, tu energia leci, możemy sobie porozmawiać.

Postaliśmy, porozmawialiśmy, po wszystkim zapytaliśmy Polę, czy chce jeszcze do niego wrócić. Nie chciała.

– I słusznie – mruknął Marcin. – Następnej wizyty bym nie przeżył.

– Bo co? – nasrożyłam się.

– Nic, zupełnie nic. – Marcin pokręcił głową i wyprowadził wózek na schody.

Ściągał go schodek po schodku, a mnie z każdym półpiętrem robiło się coraz bardziej głupio i wstyd. Nakładacz – czwarte piętro, chiński lekarz raz w tygodniu – drugie piętro. I wszystko Marcin. Nie wiedziałam, co powiedzieć.

Nie mam jasności, w jakim stopniu ziołowe mieszanki i zalecenia dietetyczne chińskiego lekarza pomogły Poli, ale jedno jest dla nas jasne: ten człowiek uratował kręgosłup Marcina. To on dzień później pokazał mu, jak wprowadzać wózek na schody – tyłem, przez wciąganie, a nie tak, jak robił to dotychczas, pchając pod górę. Chyba nie przyszłoby mi to do głowy.

Potem była szpitalna pani logopeda, umówiona prywatnie. Od wyjścia ze szpitala wszystko już było prywatnie – normalnym trybem musielibyśmy czekać ruski rok.

Nie było mowy, żeby pani logopeda pofatygowała się do Michałowic. Marcin pojechał z Polą gdzieś na Ochotę, wciągnął ją na wózku na drugie piętro, ściągnął z powrotem. Wrócił i od progu oznajmił:

– Odpokutowałem za wszystkie swoje grzechy. Zadzwoń do niej.

Zadzwoniłam i znowu pierwsze, co usłyszałam, to było:

– Ale zdaje sobie pani sprawę, że to się już nie cofnie? To są nieodwracalne zmiany w korze mózgowej.

Nie wiem, dlaczego nie zapytałam jej, jakim to magicznym sposobem stwierdziła te zmiany korowe, bo z tego, co mówił Marcin, wynikało, że ograniczyła się do dość pobieżnego wywiadu.

– Trudno, róbmy, co się da – powiedziałam.

– Czy Pola się ślini? – zapytała.

Potwierdziłam. Zapytała jeszcze, czy ma otwarte usta, maskowatą twarz, czy jest w stanie wykonać jakieś ruchy mimiczne. Zupełnie jakby przyjmowała Polę z zamkniętymi oczami. Odpowiedziałam, że tak, i próbowałam umówić się na jakieś następne wizyty.

– Wie pani – przerwała mi – ja mieszkam na drugim piętrze. To takie niewygodne. Nie ma po co, naprawdę. Trzeba się pogodzić. To dziecko nie będzie już mówić.

Zaraz potem nastąpiła kulminacja – pojawiła się Barbara Kowal, olsztyńska sława bioenergoterapii. Zapłaciliśmy jej za podróż pierwszą klasą w obie strony. Marcin przywiózł ją z Dworca Zachodniego.

Otworzyłam drzwi i zobaczyłam, jak wchodzą oboje po schodach. To był niesamowity widok.

Barbara Kowal miała jakieś pięćdziesiąt lat, była bardzo wysoka i chuda. W czarnej powłóczystej indyjskiej sukience, z długimi kruczoczarnymi włosami, wyglądała jak siostra Mortycji Addams. Mimo upału miała bardzo gruby makijaż, czarne buty na koturnie, szyję obwieszoną dziwnymi wisiorkami. Weszła do domu, a ja nie wiedziałam, jak się zachować.

Pola siedziała w wózku na tarasie. Kowal poszła do niej, trochę się tam przy niej pokręciła. Czekaliśmy w jadalni.

– Chcę mówić z matką – oznajmiła po chwili, stając w drzwiach na taras. – Idziemy do kuchni.

Usiadłyśmy naprzeciw siebie. Ja z Ulą na rękach.

– Czy mogę być szczera? – zapytała.

Pokiwałam głową, rzuciłam złe spojrzenie Marcinowi próbującemu nieudolnie podsłuchiwać. Pokręcił nosem i poszedł na taras do Poli.

Zapatrzyłam się w twarz Kowal, która z tej odległości wyglądała jak teatralna maska.

– Nie mam dobrych wiadomości – powiedziała. – Droga Poli się kończy. Operacja niewiele dała, nie wycięli wszystkiego i w tej chwili guz odrasta. Podczas zabiegu jeden z chirurgów bardzo mi się opierał i teraz są konsekwencje. Ona jest bardzo słaba. Najlepsze, co można teraz zrobić, to znaleźć dobrego lekarza, który łagodnie doprowadzi ją do końca.

Patrzyłam na nią jak wróbelek zahipnotyzowany przez kobrę.

– Zdajesz sobie sprawę, że gdybyś nie urodziła jej – ruchem głowy wskazała Ulę – to twoja córka by nie zachorowała?

– Miałam takie myśli – wyszeptałam.

To był dla mnie taki szok, że w pierwszej chwili próbowałam przyjąć te rewelacje do wiadomości i się z nimi pogodzić. Naprawdę.

– Czy jest w domu kreda? – zapytała.

Pokręciłam głową. Nie miałam kredy.

– To mydło.

Wzięła mydło z umywalki w łazience i zaczęłyśmy prawie biegać po całym domu – ja cały czas z Ulą na ręku – a ona rysowała jakieś znaki na wszystkich drzwiach, nawet w piwnicy. Wróciłyśmy do kuchni, stanęłam naprzeciwko Barbary. I nagle Ula złapała jeden z tych jej dziwnych wisiorów, taką metalową tuleję.

Popatrzyła na Ulę z powagą.

– O, to jest stara, mądra dusza, wie, co dobre – powiedziała.

I wyjaśniła, że w tej tulei jest sproszkowany materiał, z którego robiono w starożytnym Egipcie laski kapłanów. Jedną z jego właściwości jest generowanie białej energii. Dlatego mając taki proszek, można bardzo zaoszczędzić.

Zaczęła opowiadać, że w domu ma te tuleje zawieszone na wszystkich licznikach i w ogóle nie płaci za prąd, właściwie to nawet powinni jej dopłacać. Taką samą tuleję załatwiła jakiemuś chłopczykowi spod Iławy, który został potrącony przez samochód i lekarze nie dawali nadziei. Chłopiec żyje i czuje się świetnie.

– Czy mogłaby pani zdobyć taką dla Poli? – poprosiłam.

A ona na to:

– No, nie wiem, czy mi się uda... – pokręciła głową.

Powiedziałam jej jeszcze, że mamy ogromne problemy z pobraniem krwi u Poli.

– Żyły się zapadają – stwierdziła. – To normalne, gdy ktoś umiera.

Pożegnała się ze mną, jakby wychodziła ze stypy. Marcin szedł za nią do samochodu z mordem w oczach. Aż dziw, że zgodziła się z nim jechać, bo właściwie powinna wyczuć jego furię, skoro nawet ja ją wyczuwałam.

Schodząc ze schodów, Barbara Kowal dodała jeszcze:

– Przepraszam, że przywiozłam złe wiadomości, ale tu już nic się nie da zrobić.

Myślałam, że oszaleję, czekając na Marcina. Na szczęście i Pola, i Ula przysnęły, jedna na wózku, druga w wózku. Miałam chwilę, żeby ochłonąć. W końcu Marcin wrócił, a ja opowiedziałam mu całą rozmowę.

Słuchał, nie przerywając, ja też słuchałam sama siebie i docierało do mnie, jak to wszystko brzmi.

Najbardziej mnie uderzyło wcale nie to, że po pięciu minutach obecności w tym domu wydała na moją córkę wyrok śmierci – ale ta tuleja!

Kurde, pomyślałam, ona ratuje ludzi. Gdybym to ja była wielką bioenergoterapeutką, tobym zdjęła z szyi tę cholerną tuleję i powiedziała: masz, ja sobie wezmę inną, z licznika! I w tej samej chwili dotarło do mnie, o co naprawdę chodziło. O, ja naiwna!

Poprosiłam Kowal o tuleję, a ona powiedziała „Nie wiem, czy się uda". I co powinnam była wtedy zrobić? Pobiec po portmonetkę, a nie kiwać głową ze zrozumieniem. Proste jak drut!

– Co my teraz zrobimy? – zapytałam na koniec.

A Marcin objął mnie mocno i powiedział:

– Będziemy robić dla Poli to, co robiliśmy do tej pory. Wszystko, co w naszej mocy.

7

„Będziemy robić wszystko, co w naszej mocy".

OK. To była najbardziej dojrzała odpowiedź w moim życiu. Więcej równie dobrych chyba mi się nie przydarzyło.

Wsiedliśmy do samochodu, a ta pieprznięta baba powiedziała:

– To już długo nie potrwa. Człowiek nie powinien interweniować w wyroki boskie.

Na jej szczęście byłem w jakimś amoku, szoku, nie wiem. Znowu zadziałał autopilot. Miałem za zadanie odwieźć ją na ten cholerny dworzec, żeby spierdalała, koniec, kropka.

Całą drogę do Warszawy Zachodniej jeszcze coś gadała, opowiadała, przechwalała się swoim młodym kochankiem, koszmar! Kupiłem jej bilet, dałem do ręki, nie czekałem, aż pociąg odjedzie. Byłem wściekły.

Wyroki boskie!

Parę dni wcześniej zadzwoniła do mnie matka Maziuka. Wiedziałem, że prędzej czy później wiadomość o chorobie Poli dotrze i do niej, niewykluczone, że jednocześnie z wieścią o tym, że się powtórnie ożeniłem, i to z Daszą. W każdym razie zadzwoniła i pośród tych różnych telefonów, jakich wiele było w tamtym czasie, ten był zdecydowanie z gatunku kondolencyjnych.

– Taka młoda, ty patrz, Marcinek, jaki los okrutny – lamentowała, zupełnie jakby Pola umarła. – Jaki to cios dla matki...

Dużo mówiła o matce. Było dla niej oczywiste, że mnie ta sprawa w ogóle nie dotyczy. A kiedy już wyżaliła się na los jako taki, na swój los i na los Poli, oraz jej matki, powiedziała nagle:

– Tak to jest, widzisz, młodzi jesteście, bez Boga żyjecie. Do kościoła wam zawsze za daleko, a to, Marcinek, Pan Bóg nierychliwy, ale sprawiedliwy. Każdego pokara, jak trzeba.

Słuchałem jej jednym uchem, ale przy tej końcówce zamarłem. Zamarłem na myśl, że komuś – na swój sposób jednak współczującemu i życzliwemu – naprawdę mogło przyjść coś takiego do głowy. Że Pola zachorowała, bo nie chodziła do kościoła. Albo dlatego, że my nie chodziliśmy.

Przez miesiąc po operacji dzień w dzień, świątek czy piątek jeździłem trzydzieści kilometrów w jedną stronę i spędzałem cały dzień pośród nieszczęścia. Przez następny miesiąc miotałem się, próbując jakoś się połapać, zlepić w całość okruchy dawnego życia, pracę zawodową i nieodwołalnie zmienioną sytuację domową. Łatwo mi było ulec złudzeniu, że skoro ja żyję w napięciu, skrajnej mobilizacji i przerażeniu, to cały świat też zamarł ze zgrozy i z drżeniem czeka na to, co dalej.

Ale to było tylko złudzenie. Nie na darmo Maziuk mawiał: „Zawsze znajdziemy w sobie dość siły, żeby znieść cudze nieszczęście".

Podczas gdy ja nie dosypiałem, nie dojadałem i nie myślałem, próbując w codziennych posługach przy Poli znaleźć choćby cień równowagi i nadziei, matka Maziuka, i pewnie nie ona jedna, sformułowała już akt oskarżenia i palcem wskazała winnych.

Bo przecież to jest najważniejsze.

Jeśli ład świata ma trwać niezakłócony, kara musi spotkać tego, kto jest winny – przykład Hioba jakoś mało kogo w tym względzie przekonał.

Choroba jest karą. Pola zachorowała, co oznacza, że musi być winna.

Bóg, który jest miłością, mimo że ma na głowie cały świat, wojny, głód i terroryzm, znalazł czas, żeby ukarać Polę Trześniewską za jej grzechy, a może nawet za grzechy całej jej rodziny – dlatego tak dotkliwie.

Wtedy mało mnie szlag nie trafił. Dzisiaj to rozumiem.

Wskazanie winy i winnych uwalniało Maziukową i takich jak ona od lęku, od tego przerażającego przeczucia, że być może rządzi nami czysty przypadek, a choroba i nieszczęście może się przytrafić każdemu, niezależnie od tego, jaki jest dobry, miły i religijny. Przez przypadek. Naprawdę.

Minęło parę dni od upiornej wizyty Barbary Kowal, zanim Dasza zrozumiała, co się właściwie stało. Nagle wszystko jej się w głowie odwróciło. Przestała szukać cudotwórców i wszechmocnych autorytetów.

Demoniczna bioenergoterapeutka z Olsztyna w jakimś sensie nam pomogła. Gdyby nie ona, być może do tej pory jeździlibyśmy po uzdrowicielach i znachorach. Powinienem być jej wdzięczny. Ale wolałbym nigdy nie mieć z nią do czynienia.

Uparłem się, żeby ponownie pojechać do szpitala, jak już otworzyli po remoncie oddział rehabilitacyjny. Nie wiem, po jaką cholerę tak bardzo chciałem tam wracać, ale wydawało mi się to logiczne – jest skierowanie, trzeba jechać.

Pokłóciliśmy się z Daszą, dojeżdżając do głównego wejścia.

– Marcin, gdzie ty jedziesz?

– Na parking.

– No to pomyśl chwilę. Przecież mamy Polę!

Bo tam jest oddzielny podjazd dla karetek i dzieci na wózku. Podjechałem na pamięć, tak jak zawsze. Zawróciłem, podjechałem jak trzeba, stanąłem.

– Bliżej chodnika! – rozkazała Dasza.

Nigdy nie byłem mistrzem ręcznej skrzyni biegów, tym bardziej w nerwach. Zazgrzytało. Zatrzęsło. Silnik zgasł.

– Zjedź ze środka! Tarasujesz przejazd! – warknęła.

– A możesz przestać mną komenderować? – zapytałem głośniej, niż chciałem. – Na wszystkim się znasz lepiej? Nawet na parkowaniu?

To był celny strzał, bo Dasza nie miała prawa jazdy.

– Nie – powiedziała nieco spokojniej – nie znam się na parkowaniu. Chcę tylko, żeby Poli było wygodniej.

– A ja oczywiście nie – mruknąłem wkurzony. – Tak sobie tylko tu przyjechałem.

W kamiennym milczeniu wydobyliśmy z samochodu Polę i jej wózek.

Była niemal bezwładna, miała sparaliżowaną połowę twarzy, prawie nie widziała, ale wszystko słyszała i rozumiała. Jeszcze więcej wyczuwała w powietrzu.

– W lewo – rzuciła Dasza.

– Jak w lewo, jak tu jest strzałka prosto – powiedziałem, ruszając z wózkiem.

– Ale…

– Koniec – usłyszeliśmy głos Poli. – Koniec.

Oprzytomnieliśmy w sekundę. Ten jej głos, nieodwołalnie zmieniony, nosowy, pozbawiony intonacji, w moich uszach zabrzmiał jak jakaś ponura, beznamiętna przepowiednia.

Ręce mi opadły. Chciało mi się płakać.

Dlaczego ja? Co ja komu, kurwa, złego zrobiłem?

Chciałem się odwrócić na pięcie, wyjść stamtąd i – nie wiem – palnąć sobie w łeb!

– Przepraszam – szepnęła Dasza, podchodząc i obejmując mnie mocno.

Przez chwilę stałem jak słup soli.

– Przepraszam – powtórzyła.

Pocałowałem ją w czoło. Ale gdzieś w tyle głowy mignął mi zjazd z Old La Honda Road w stronę Half Moon Bay w niedzielny chłodny poranek, dwie wieże budynku w centrum San Francisco, gdzie mieszkała Christie, z którą romansowałem niemrawo przed przyjazdem do Polski i spotkaniem z Daszą. Mignęła mi myśl o wolności.

Od razu poczułem się winny.

– Co my robimy? – szepnąłem.

– Pękamy – westchnęła Dasza.

Ruszyliśmy po strzałkach. Doprowadziły nas do schodów w dół. Niedobrze mi się zrobiło na myśl o schodzeniu, a potem wchodzeniu po nich z dziewczyną w wózku. Dasza nic nie powiedziała, zawróciliśmy do wind, tak jak chciała od początku. Zjechaliśmy do podziemia, szliśmy przez jakieś korytarze wyłożone lastryko, jakieś rury wszędzie, ohyda. W końcu dotarliśmy na oddział rehabilitacji.

A tam tłum, tłum nieszczęsnych dzieci na wózkach i tłum nieszczęsnych matek – bo to zawsze są tylko matki – o zaciętych, ściągniętych zmęczeniem i rozpaczą twarzach. Koszmar.

– Nie zostawię tu Poli, w żadnym razie – powiedziała Dasza.

Nie dyskutowałem. Nie pojawiliśmy się tam nigdy więcej. Jeszcze tego samego dnia zaczęliśmy szukać innych ośrodków, gdzie możliwa byłaby stała i systematyczna rehabilitacja.

Był koniec sierpnia. Koledzy i znajomi Poli zaczęli wracać z wakacji. Wszyscy wiedzieli, co się stało, bo nie było jej już na zakończeniu roku szkolnego i nauki w gimnazjum – wychowawca klasy dotarł nawet do szpitala, ale nie wpuścili go na oddział. Przez chwilę dzieciaki dzwoniły, wypytywały, potem się towarzystwo porozjeżdżało.

Najbliższa przyjaciółka Poli, Dorota zwana Doti, wyjechała na dwa miesiące do Anglii. Jej mama dzwoniła do nas co jakiś czas i były to rzadkie w tamtym czasie telefony z gatunku: co słychać u Poli. Dobrze nam robiły, co tylko potwierdzało, że człowiek nigdy nie wie, kto i z której strony go wzmocni. Dobrze pamiętałem głowę Doti skaczącą na boki pod ciosami rozjuszonej matki, a tu, proszę, właśnie ona okazała się tym, kto umie normalnie rozmawiać o ciężkiej chorobie i ciężkiej sytuacji.

Pewnego sobotniego przedpołudnia Doti zadzwoniła do naszej furtki.

– Dzień dobry – zawołała, gdy wyjrzałem mocno zaskoczony, bo nikt nas wtedy nie odwiedzał bez zapowiedzi, a Dasza wyszła właśnie na spacer z Ulą. – Zastałam Polę?

Dostałem ataku nerwowego chichotu, słysząc to pytanie, ale odpowiedziałem zgodnie z prawdą:

– Tak, jest u siebie.

Pola słuchała właśnie piosenek z musicalu „Hair". Siedziała w wózku twarzą do drzwi, więc dostrzegła ruch, wiedziała, że ktoś wchodzi, ale nie wiedziała kto.

– Cześć – mruknęła Doti, jak gdyby nigdy nic. – Niespodzianka!

Pola zbaraniała. A potem… uśmiechnęła się. Leciuteńko i trochę krzywo, bo połową twarzy, ale zawsze. W tym momencie dotarło do mnie, dlaczego parę dni temu stanowczo odmówiła telefonowania do swojej przyjaciółki, chociaż wiedziała, że tamta już wróciła z Anglii – skubana, czekała, aż Doti pojawi się u niej sama z siebie, bez zapraszania, a już tym bardziej bez proszenia.

– Elo – odparła tym swoim nowym dziwnym głosem i wyciągnęła ku Doti jedną ze słuchawek.

Dziewczyna rozejrzała się, wzięła krzesło, przystawiła je do wózka i po chwili obie słuchały „Hair".

To wszystko trwało minutę, nie dłużej, ale myślałem, że mi gały wyjdą na wierzch ze zdziwienia. Po raz pierwszy od tygodni pojawił się w tym domu ktoś, kto nam nie współczuł wylewnie, nie ściszał głosu, rozmawiając ze mną. I to kto? Panna, której w głowie były tylko kluby i markowe ciuchy! O nic nie wypytywała na boku, nie traktowała Poli jak zgniłego jajka. Nie wchodziła do niej na palcach ani nie darła się od progu – z jakichś niepojętych powodów niektórzy ludzie zakładali, że skoro Pola nie widzi, to również nie słyszy, i jak się będzie do niej bardzo głośno mówić, to – nie wiem co – lepiej zobaczy mówiącego?

Nie, nie, nie podejrzewałem Doti o jakąś szczególną premedytację i szlachetne postanowienia. Być może po prostu mimo skończonych piętnastu lat miała jeszcze w sobie tyle z dziecka, by w tej sytuacji zachować się jak dziecko – przyjąć rzeczy takimi, jakimi są. Zrobić to, na co my w tamtym czasie jeszcze nie umieliśmy się zdobyć.

Dzięki ci, Doroto, a nawet Doti, pomyślałem i wycofałem się do kuchni.

Parę dni później Doti przyjechała w towarzystwie metalowego Michała i jego gitary. I to już była zupełnie inna sytuacja. Wróciłem właśnie z pracy. Z pokoju Poli dobiegał łomot aktualnie ukochanego zespołu Doti. Wystrojony na czarno Michał siedział z boku i z wielkim zainteresowaniem oglądał puste kąty pokoju.

– Jak spotkanie na szczycie? – zapytałem Daszę, która w kuchni karmiła Ulę.

– Nijak – mruknęła. – Wszedł, ale jest ciężko przestraszony. Boi się nawet na nią spojrzeć.

– Dziwisz się?

Dasza wypuściła Ulę z wysokiego krzesełka i spojrzała na mnie.

– Tak ją omija wzrokiem, jakby się bał, że się zarazi nowotworem mózgu od patrzenia – powiedziała z goryczą.

– Zawsze może odpukać.

– Pewnie już ze sto razy odpukał w krzesło, żeby mu się nie przytrafiło!

Wtedy jeszcze nie wiedzieliśmy, że to właśnie nasza nowa norma. Wszędzie, gdzie się pojawimy, ludzie, widząc dziewczynę z białą laską i w wózku, będą omijali nas szerokim łukiem, omiatali takim specjalnym spojrzeniem, które woła – nie patrzę! Nie dostrzegać, nie zobaczyć, nie zepsuć sobie dnia tym okropnym widokiem!

Doti głośno opowiadała o mniej więcej pięćdziesiątce nowych znajomych z wakacji. Pola słuchała jej w milczeniu – jak zawsze, choć tak bardzo zmieniły się powody tego milczenia.

– Co ona sobie myśli? – westchnęła Dasza.

– Doti?

– Nie, Pola.

– Może: „Ile jeszcze muszę tego słuchać”?

– A może: „Gdzie oni są? Ci wszyscy moi przyjaciele”?

Michał przyjechał jeszcze dwukrotnie, za każdym razem „doprowadzony” przez Doti, po czym zniknął z życia Poli. To było dla mnie duże rozczarowanie, bo chłopak wydawał się ciepły, spokojny i jako tako poukładany. Rozumiałem go, ale nie umiałem rozgrzeszyć.

Pola milczała, a my nie umieliśmy zapytać, jak się z tym czuje. Nie mieliśmy pojęcia, co naprawdę myśli milcząca dziewczyna na wózku, która niechętnie opuszcza swój pokój.

Jeszcze nie wiedzieliśmy, że tak już zostanie. Że doświadczeniami choroby i niepełnosprawności nie da się podzielić. Nawet z najbardziej kochającą i troskliwą rodziną.

Wiele tygodni później Pola opowiedziała nam sen, jaki przyśnił jej się zaraz po operacji.

– Jestem na statku. Wszyscy tam są ubrani na biało, jest spokojnie i bezpiecznie, choć nikogo z nich nie znam. Nie wiem, co robić. Słyszę głos mamy, że mam tam zostać. Statek odpływa. Widzę mamę. Stoi na brzegu i coś woła, ale już nie słyszę, co...

8

Dorota zaczęła pojawiać się u nas regularnie. Może nie tak często jak wtedy, kiedy mieszkaliśmy na Ursynowie, ale co najmniej dwa razy w tygodniu. To ona pierwsza wpadła na pomysł, żeby wyjść z Polą z domu i z ogrodu. Po prostu pewnego dnia poprosiła o pomoc w zejściu ze schodków frontowych, a potem potoczyła wózek do furtki i dalej – „do miasta".

Nie wiem, czemu do tej pory ani razu nie przyszło nam to do głowy, choć kilka razy dziennie wytaczaliśmy z domu wózek Uli. Może dlatego, że cały czas mniej lub bardziej świadomie traktowaliśmy stan Poli jak chorobę, a gdy dziecko jest chore, to siedzi w domu, aż wyzdrowieje. Proste.

Zachęceni, pojechaliśmy z Polą na wózku do Lasu Młochowskiego. Las oberwał. My też. Obustronne nieprzystosowanie.

Tydzień później pojawiły się u nas dwie koleżanki i kolega Poli z olsztyńskiej szkoły muzycznej. Z instrumentami. Cały wieczór dżemowali w jej pokoju. Spali pokotem na podłodze w jadalni. Coś się działo, prysnął jakiś zaklęty krąg.

Nigdy nie wiadomo, co kogo obudzi, wyrwie ze szczurzego korytarza, w którym biegnie przed siebie, byle szybciej.

Nas przebudziła pierwsza wizyta Doti. Dzieciak przyjechał i zachował się... jak gdyby nigdy nic. To był dla nas szok. Jak machnięcie magiczną pałeczką. Coś zmieniła, coś odczarowała – nie w Poli – w nas, ale i wokół nas. Bo zaraz potem zaczęli się pojawiać ludzie niosący nadzieję.

Pierwszą taką osobą była pani Grażyna z przychodni dla niewidomych i słabowidzących. Trafiłam do niej za pośrednictwem okulisty – tego, którego miało nie być. Pani Grażyna pierwsza rozmawiała ze mną o tym, co zrobić w sytuacji, w jakiej znalazła się Pola, a nie o tym, jak bardzo sytuacja Poli jest beznadziejna.

Dopiero u niej okazało się – „okazało", nikt nam nic wcześniej nie powiedział – że Pola może dostać teleskop, specjalny okular, przez który będzie widzieć, bo ona może widzieć, tylko z bardzo bliska – ma bardzo ograniczone pole widzenia. Dzięki pani Grażynie podjęliśmy próbę zmierzenia jej tego pola, o czym wcześniej nikt się nawet nie zająknął.

Okazało się, że nawet w ramach tego kretyńskiego systemu są możliwości, by pomóc Poli. To było dla mnie jak wypłynięcie na powierzchnię, jak otwarcie drzwi. A tego okularu, który wtedy dostała, Pola używa do dzisiaj.

Potem pojawiła się u nas Zosia, opiekunka do Uli, bo przecież, poza wszystkim innym, cały czas rozpaczliwie szukaliśmy kogoś na stałe.

Najpierw przyjęliśmy na próbę starszą panią, bardzo miłą. Nazywała się Maria, ale nam od razu powiedziała, żeby się do niej zwracać „pani Asia".

– Dzieci tak wolą i tak jest ładniej – wyjaśniła.

Pani Asia napełniła nasz dom radosnym szczebiotem. Zaglądała do Poli i wołała:

– Poleczko, jakiej ładnej muzyczki słuchasz!

A „Poleczka" słuchała właśnie najczarniejszych i najbardziej depresyjnych kawałków Cohena, bo to było zaraz po tej pierwszej, przygnębiającej wizycie Michała.

Pani Asia porywała Ulę na ręce i świergotała:

– Tańczymy, Uleńko, tani, tani, tańczymy!

A dzieciak wył jak zarzynany.

Nie dało się tego wytrzymać dzień w dzień. Naprawdę. Zrezygnowaliśmy.

I wtedy, wracając ze spaceru z Ulą, znalazłam ręcznie napisane ogłoszenie, przyklejone na słupie, niedaleko nas. Natychmiast zadzwoniłam pod podany numer i się umówiłam.

Przyszła Zosia, dziewczyna ze wsi pod Radomiem. Miała dwadzieścia jeden lat i piękną, czystą i dobrą twarz. Opowiedziała nam, jak to jeszcze w zimie przyjechali tu z chłopakiem zdezelowanym małym fiatem. Mieli na spółkę dwieście złotych w kieszeni, chcieli zacząć nowe życie i znaleźć pracę. Imali się wszystkiego, czego się dało. Posłuchałam jej chwilę i już wiedziałam, że to jest to.

Dziewczyna miała czworo młodszego rodzeństwa, a mimo to lubiła małe dzieci. Niczego nie trzeba było jej tłumaczyć. Już po tygodniu Ulka wybuchała płaczem, kiedy Zosia zaczynała po południu zbierać się do wyjścia.

W tym samym czasie znaleźliśmy rehabilitanta i logopedę w Konstancinie.

Pierwszy raz zawiozła mnie tam Elka, która przyjechała do nas na tydzień, korzystając z tego, że jej dzieci pojechały z dziadkami do Rajgrodu. Nieszczęsna, tak długo wypytywała mnie o wizytę cudownej bioenergoterapeutki, błogosławionej Mortycji, aż jej opowiedziałam o energooszczędnych tulejach i wyroku śmierci wydanym na Polę.

Popłakała się, ja razem z nią, ale wtedy już wiedziałam, że w gruncie rzeczy dobrze się stało. Czekałam wprawdzie na cud, a nie na kopa w tyłek, ale nikt nigdy nie wie, czy to, na co czeka, jest na pewno tym, czego potrzebuje. Ja z pewnością potrzebowałam kopa. A ponieważ już go dostałam – zdarzył się cud.

Weszłyśmy z ulicy i trafiłyśmy na cudowną panią doktor! Początkowo, widząc stan Poli, powiedziała, żebyśmy pojechały po sąsiedzku do ośrodka, który był skrzyżowaniem internatu ze szpitalem i przyjmował dzieci nawet w jeszcze cięższym stanie.

Weszłam tam i niemal od progu wiedziałam, że nie, nigdy nie zostawię Poli w tym miejscu.

Nie o to chodzi, że miałam jakieś księżycowe oczekiwania i nie wiedziałam, w jakim kraju żyję. Wiedziałam aż za dobrze, miałam za sobą osiem lat samotnego macierzyństwa. Tylko że od chwili usłyszenia diagnozy, przez cały czas, byłam w stanie takiej koncentracji, skupienia i dyscypliny, że to, jaką energią emanowało jakieś miejsce, co poza słowami przekazywał mi kolejny człowiek w białym fartuchu, to wszystko docierało do mnie przez skórę, od razu.

Nie miałam czasu się zastanawiać. Nie miałam czasu na to, na czym spędziłam większość życia: przeżuwać zdarzeń, rozważać, czy zrobiłam dobrze, czy źle. Działałam. Bez rozpraszania się na drobiazgi.

Dopiero wtedy zrozumiałam tajemnicę wielkich aktorów. Ilekroć spotykałam, prywatnie albo na festiwalach, poza spektaklami, kogoś, kto naprawdę był dobry na scenie, uderzało mnie – często niemile – jak bardzo ci ludzie są zdystansowani, wyciszeni i spokojni. Nie rzucali się nikomu na szyję, nie szaleli w bufetach i festiwalowych klubach, nie tańczyli do rana, nie pchali się w obiektywy. Wtedy myślałam, że to zarozumialstwo i poczucie wyższości. Teraz wiedziałam, że nic z tych rzeczy.

Oni po prostu nie zużywali energii na byle co. Oszczędzali. Na spektakl, na swoją pracę. Tak jak ja teraz oszczędzałam na swoją – na te wszystkie czynności, których od rana do wieczora i w nocy wymagał ode mnie stan Poli i normalne potrzeby Uli.

Dlatego w tym drugim ośrodku-szpitalu nie traciłam energii: weszłam, rozejrzałam się i wyszłam. Od razu wróciłam do pani doktor, z którą rozmawiałam wcześniej. Po dłuższym namyśle zgodziła się pomóc Poli. Zdecydowała się na to, choć w zasadzie nie powinna, bo nie miałam nawet połowy papierków, których egzekwowanie zbyt często uchodzi za opiekę nad chorymi.

Młodzi ludzie przebywali w jej ośrodku jak w internacie, mieli tam szkołę i regularne lekcje. Pola by sobie nie poradziła, bo oni wszyscy się jakoś tam jednak samodzielnie poruszali. Nie mogłam jej tam zostawić. Umówiłam się, że będę z nią przyjeżdżała codziennie, dopóki będzie trzeba.

To było trzydzieści kilometrów w jedną stronę. Marcin pracował. Ja nie miałam prawa jazdy. Przez chwilę zgodził się nam pomóc sąsiad z przeciwka.

Zaczęło się. Pola ćwiczyła każdego dnia od godziny do półtorej. Pani doktor namówiła mnie również, żebym mimo wszystko raz jeszcze zajrzała do ośrodka za płotem i zgłosiła się tam do jej znajomej, logopedy.

I to był kolejny strzał w dziesiątkę.

Pani była dość ostra, preferowała nieco dla mnie szokującą odmianę czarnego humoru i zdaje się, że niewiele już ją w życiu ruszało, ale to nieważne. Bardzo pomogła Poli. Przede wszystkim ona pierwsza dała jej nadzieję, że będzie mówić, że to w ogóle jest możliwe.

Nie znam się i nie wiem, czy rzeczywiście była w stanie tak od razu to stwierdzić. Ale mówiąc Poli coś takiego, zmobilizowała ją do ćwiczeń. Dokonała czegoś, co nie udawało się nikomu, kto zaczynał od uświadamiania jej, że nic albo niewiele da się zrobić, bo tu taka sytuacja, „sama rozumiesz"... I od razu zaczęła z nią pracować.

Dzień w dzień siadałam obok z zeszycikiem i notowałam wszystkie ćwiczenia, jakie jej proponowała.

Pamiętam popołudnie, kiedy Marcin wrócił z pracy i omal nie przewrócił się w progu. Jadalnia pływała w mydlinach, przy stole siedziałam ja, obok Zosia, Pola na wózku i Ula w niemowlęcym krzesełku. Wszystkie, krzycząc albo popiskując, dmuchałyśmy bańki mydlane. Pies latał wokół stołu i chłeptał rozlane mydliny.

– Co tu się dzieje? – zapytał, trochę rozbawiony, a trochę przestraszony. – Mogę z wami?

– No, nie wiem – powiedziałam – bo to są ćwiczenia.

– Lo-go-pe-dycz-ne – dodała Pola.

– To ja też poćwiczę. – Odłożył teczkę i w garniturze usiadł na mokrym krześle dmuchać bańki.

Popatrzyłam i uświadomiłam sobie, jak dawno nie mówiłam mu, że go kocham. Uśmiechnęłam się do niego i wywaliłam jęzor na całą długość.

– Nie rozumiem – zdziwił się i rozejrzał dookoła. Pola i Zosia siedziały każda z językiem na brodzie. – Rozumiesz coś z tego, Ulka?

Ula uśmiechnęła się promiennie i też wywaliła język, z resztkami słomki, którą próbowała cichcem zjeść.

– Ćwiczymy – wyjaśniłam i nadęłam policzki jak balon.

Bo to były bardzo proste rzeczy – wystawianie języka, wypychanie policzków, przesuwanie dmuchnięciem kulek z waty, łapanie słomki ustami i puszczanie baniek mydlanych, zdmuchiwanie świecy, czyli uruchamianie aparatu mowy i artykulacji.

Na następnym etapie Pola zaczęła ćwiczyć wyrazy ze specjalnymi zbitkami liter, uczyła się uśmiechać, żeby uśmiech był równy, bo nadal połowa jej twarzy pozostawała nieczynna, próbowała robić grymasy. Przede wszystkim jednak powoli zaczynała mówić. Coraz więcej.

A my zaczynaliśmy się przyzwyczajać do myśli, że niektórych problemów nie uda nam się rozwiązać.

Wszędzie było bardzo trudno zaparkować samochód z wózkiem, tak żeby było blisko wejścia. Zorientowaliśmy się, że są takie specjalne plakietki do samochodu, które uprawniają do korzystania na parkingach z miejsc dla niepełnosprawnych. Popytałam, gdzie to się załatwia, i pojechałam do Pruszkowa, gdzie komisja, tak, cała komisja, orzekła, że Pola może dostać taką plakietkę. Jeszcze powiedzieli:

– Nie będziemy dawać stałej niepełnosprawności, żeby się dziewczyna nie załamała. Damy na dwa lata!

W porządku. Prawie. Bo kiedy ze świeżutką plakietką na szybie pojechaliśmy z Polą do supermarketu, musieliśmy zaparkować jak zawsze kilometr od wejścia. Idąc do sklepu i wracając, mijaliśmy miejsce dla niepełnosprawnych. Nadal stał na nim miły czerwony samochodzik. Tylko teraz wsiadała do niego miła młoda dziewczyna w ciąży. Spojrzeliśmy po sobie.

Wkrótce się okazało, że to samo jest pod szpitalami, przychodniami, w centrach handlowych i rozrywkowych. Wszędzie miejsca dla niepełnosprawnych regularnie zajmują pełnosprawne kobiety w ciąży. I nikt nie widzi w tym nic niewłaściwego. Wiadomo, życie poczęte rządzi. To narodzone może się już bujać, jak chce. A jak jest niepełnosprawne, to niech siedzi w domu i nie kłuje w oczy!

Szukaliśmy po gazetach ofert w rodzaju: „Samochód, prawo jazdy, do dyspozycji". Mnóstwo tego było. Dzwoniliśmy, wyjaśnialiśmy, jaka jest sytuacja i że potrzebujemy kogoś codziennie, co najmniej na rok.

– A nie, to mi się nie opłaca – słyszeliśmy raz za razem.

Nikogo nie znaleźliśmy.

Pamiętam, jak w zdumieniu odkładałam słuchawkę. Ludzie bez pracy, siedzący w domu – ale się nie opłaca!

Poddałam się.

I wtedy Zosia zaproponowała, że jej chłopak, Paweł, mógłby jeździć. Nie miał pracy, miał czas, wszystko opłacało mu się bardziej niż siedzenie w wynajętym mieszkaniu. Szkopuł w tym, że nie miał samochodu, bo mały fiat, którym się tutaj dotelepali, już dawno poszedł na złom.

Uznaliśmy, że możemy pogadać.

Przyszedł na rozmowę w garniturze i pod krawatem.

– Jestem gotowy na wszystko – oznajmił. – Możecie państwo mną dysponować.

Na pierwszy rzut oka widać było, że to szyty, bity i na klej brany cwaniak, ale w końcu nie szukaliśmy guwernera, tylko kierowcy.

Stanęło na tym, że szukamy samochodu dla Pawła, a Marcin szybko umówił się z nim jeszcze na skręcanie regałów w piwnicy, o co ja od pół roku nie mogłam się doprosić.

9

Miałem służbowego forda mondeo, ale moja praca polegała między innymi na jeżdżeniu do klientów w całej Polsce. Nie zawsze miało sens pchanie się do nich pociągiem. Jeśli rehabilitacja Poli miała się faktycznie odbywać nieprzerwanie, dzień w dzień, potrzebowaliśmy drugiego samochodu. Szybko. No i niedrogo, bo pieniądze szły jak woda.

Chciałem być oszczędny. Kupiłem od znajomych używanego chevy blazera.

Jak się ma mało pieniędzy, nie należy kupować używanego amerykańskiego samochodu, zwłaszcza od znajomych. Ale zrozumiałem to dopiero wtedy, kiedy przejechałem nim z Falenicy do Michałowic. Palił straszne ilości benzyny. Jechałem i patrzyłem, jak wskaźnik poziomu paliwa też jedzie – w dół.

Jakoś zaraz potem musiałem lecieć do Wiednia. Poprosiłem Pawła, żeby mnie odwiózł na lotnisko, bo to było bladym świtem. Pojechaliśmy, poleciałem, wracam, a Dasza pyta:

– Jak wyście się z Pawłem umawiali?

– Nijak. Miał mnie odwieźć i odstawić samochód tutaj.

– No, bo wiesz – zmarszczyła brwi – ja tu czekałam, czekałam, jego nie było. Poprosiłam Zosię, żeby zadzwoniła tam do nich. Dzwoniła, nikt nie odbierał. Przyjechał po czterech godzinach jak gdyby nigdy nic i powiedział, że wpadł do domu się przespać.

– Ale zawiózł was do Konstancina?

– Zawiózł.

– To nie widzę problemu – powiedziałem – może chciał sobie chłopak pojeździć dla szpanu. Ludzka rzecz. A może naprawdę spał w domu i nie słyszał telefonu. Też ludzka rzecz.

Zbagatelizowałem sprawę, ale Daszy nie przekonałem. Nic to.

Jeździli codziennie, sprawy się toczyły. Działało – nie było sensu nic rozgrzebywać.

Któregoś dnia Paweł przyszedł i powiedział, że dzisiaj to on nie może pracować, ale czy mógłbym mu pożyczyć sto złotych i samochód. Do jutra.

– Pieniądze Zosia panu odda – zapewnił.

OK. Pożyczyłem.

Następnego dnia Zosia nie pojawiła się o umówionej godzinie. Miałem tego dnia pracować w domu, więc Dasza zajęła się Ulą, a ja zadzwoniłem zapytać, co się stało. Zosia rozpłakała się przy pierwszym zdaniu.

– Paweł mnie okradł – szlochała. – Wszystkie oszczędności! Całe mieszkanie wyczyścił, wszystko.

– Co znaczy wszystko?

– Wszystko, co dało się wynieść.

– Meble też?

– Nie są nasze. Ale nasz materac zabrał.

– Ale jak on się z tym wszystkim… – zacząłem i odpowiedziałem sobie w myślach.

Pięknie! Samochód był beznadziejny, ale nie zamierzałem go oddawać w prezencie.

Zadzwoniłem na policję. Nie wiem, po jaką cholerę, bo chyba nie z braku dołujących doświadczeń. Pół dnia na posterunku, papiery, zeznania spisywane na maszynie do pisania, wielkie walkie-talkie na biurku – ktoś niemal bez przerwy gadał przez nie jakieś bzdury – oraz samotny policjant, który nie dawał żadnych szans na znalezienie samochodu, dno.

Tymczasem Dasza pojechała do Konstancina taksówką i – jak to się czasami zdarza – był to jeden z tych wspaniałych zbiegów okoliczności, w które aż trudno uwierzyć. Bo taksówkarz okazał się byłym pastorem adwentystów, czy może raczej pastorem w stanie spoczynku. Miał problemy ze strunami głosowymi i musiał zrezygnować z funkcji. Piękny człowiek. Zgodził się wozić Polę. Przez rok, dzień w dzień. Za mniej niż taryfa i koszty benzyny.

A nasz chevy blazer odnalazł się po paru tygodniach. Pewnie dlatego, że nikt go nie szukał. Za to Paweł przepadł bez wieści, choć może to akurat i dobrze.

Długo rozmawialiśmy z Zosią, namawiając ją, żeby zadzwoniła do domu, do rodziców, i zawiadomiła ich, co się stało. Strasznie się tego bała. Bo co też oni powiedzą!

– Im szybciej to zrobisz, tym lepiej – tłumaczyłem.

Zadzwoniła. Jakoś łyknęła wszystko, co jej nawrzucali, a zdaje się, że specjalnie delikatni nie byli. Ale przeżyła. A potem i tak się okazało, że w gruncie rzeczy najbardziej się bała, że ją za to wszystko zwolnimy.

Nie widzieliśmy powodów. Została z nami do końca.

Minęło parę tygodni intensywnej rehabilitacji i pracy z logopedą. Pola, zachęcona pierwszymi sukcesami, zaczęła wyznaczać sobie cele. Mówiła:

– Muszę w ciągu miesiąca nauczyć się chodzić.

Różnie bywało, czasami ćwiczyła z entuzjazmem, czasami narzekała i tylko szukała pretekstu, żeby się wykręcić, ale ćwiczyła. I po miesiącu rzeczywiście zaczęła chodzić... z balkonikiem. Ale sama. Trzymając równowagę. To było coś niesamowitego, nawet dla tej ekipy od rehabilitacji, bo podobno stan, w jakim Dasza przywiozła ją do Konstancina, nie rokował dużych sukcesów. Na szczęście oni również nie zaczęli od uświadamiania mojej żonie sytuacji Poli, bo pewnie stamtąd też by uciekły.

Zachęcona własnymi postępami, Pola postanowiła:

– Za trzy miesiące będę sama chodzić, a za pół roku biegać.

No i ten wyznaczony czas nieubłaganie zaczął się wydłużać.

Kończyła się jesień.

Powoli docierało do niej i do nas, w jakim tempie to się realnie posuwa. Ale nie umieliśmy o tym z nią porozmawiać.

Pola ucinała stanowczo wszelkie nasze nieporadne próby, nie szukała „rozmowy istotnej" ani jej nie prowokowała. Nie mieliśmy pojęcia, jak do niej trafić, może również dlatego, że mimo wszystko sami nie rozstaliśmy się jeszcze z ulubioną myślą, że „będzie dobrze". Wszyscy uciekaliśmy od faktów.

Pomogła nam moja siostra, uwiązana w Zielonej Górze z małym dzieckiem i kolejnym w drodze. Mimo to nadal była psychiatrą i orientowała się w naszej sytuacji. Przerwała mi niemal w pół słowa telefoniczny monolog o tym, jak trudno dogadać się z Polą. Od razu powiedziała, żebyśmy dali dziewczynie spokój, poczekali, aż sama z siebie trochę się otworzy i z góry pogodzili się również z możliwością, że tak się nie stanie. Nigdy.

Zasugerowała, że być może byłoby jej łatwiej porozmawiać z kimś obcym, czy raczej mniej zaangażowanym. No i któryś już raz powiedziała, że nam – mnie i Daszy, razem i osobno – też by się przydało przegadanie sprawy.

Nie było łatwo znaleźć terapeutę, który podjąłby się takiej rozmowy z osobą „niedorosłą", chociaż już nie dzieckiem. W końcu zawieźliśmy ją do starszego, miłego człowieka, który na dzień dobry wyprosił mnie i Daszę z gabinetu.

Długo rozmawiali. Terapeuta powiedział nam potem, że Pola ma pełną świadomość tego, co się z nią stało. Byliśmy tak zaskoczeni, że nie zapytaliśmy, co on, co ona przez to rozumie. Jeżeli tak, to dlaczego... dlaczego nic się nie dzieje? Dlaczego nie załamała się, nie wpadła w depresję, nie histeryzuje, nie płacze, tylko po prostu zamknęła się przed nami na cztery spusty?

Może byłoby lepiej, gdyby trochę pohisteryzowała? Gdyby dała nam szansę wejrzenia w to, co się z nią dzieje. Bo nasza wyobraźnia stawała dęba wobec wszelkich prób wyobrażenia sobie, jak to jest... prawie nie widzieć, poruszać się jak zepsuta zabawka i mówić tylko to, co możliwe do wyartykułowania. I mieć tego świadomość.

Ja bym oszalał. A Pola siedziała w swoim pokoju i słuchała „Władcy pierścieni". Na okrągło.

Terapeuta dał jej wizytówkę i zaproponował, żeby zadzwoniła, jeśli będzie gotowa do dalszej rozmowy, bo on jest do dyspozycji. Ale Pola nigdy do niego nie zadzwoniła. Wszystkie nasze pytania o to, jak było, o czym rozmawiali, zbywała milczeniem albo jakimiś nic nieznaczącymi żartami.

Zostawiła nas wszystkich za drzwiami.

Dosięgło mnie stamtąd, skąd się nie spodziewałem. Jak zawsze.

Miałem jechać służbowo do Wrocławia. Wybrałem się samochodem z Michałowic do Warszawy. Na wiadukcie zatrzymała mnie policja – podobno za szybko jechałem. Dałem im międzynarodowe prawo jazdy, paszport – popatrzyli, podzwonili, w głowy się podrapali, w końcu puścili bez mandatu. Dojechałem do dworca – nie ma gdzie zaparkować. Kwadrans albo i dłużej krążyłem, zanim się gdzieś wepchnąłem. Zaparkowałem, biegnę tunelami na peron i – jak w kinie – widzę, że mój pociąg właśnie odjeżdża.

I wtedy uderzyła mnie myśl, że to moje życie tak odjeżdża, a ja stoję na peronie, nie chcę robić tego, co robię, chciałbym coś innego, ale przecież nie mogę!

Jest źle, pomyślałem wtedy.

Parę tygodni później okazało się, że gorzej niż myślałem. Przy dorocznej ocenie pracowników wyszło na to, że straciłem szansę na awans. Mogłem zostać jednym z partnerów i przeszło mi to koło nosa.

Byłem rozczarowany, wściekły na siebie, na całą sytuację, na swego bezpośredniego przełożonego, o którym wiedziałem, że miał w tej sprawie decydujący głos. Liczyłem na to, że wskoczę na wyższą półkę, przede wszystkim jednak miałem nadzieję na większe pieniądze. Nie rozumiałem, o co im chodzi, a właściwie rozumiałem, ale nie chciałem się z tym pogodzić.

– Obaj wiemy, że twoja misja jest gdzie indziej – powiedział mi szef, tłumacząc, jak wypadła ocena mojej pracy. – Nikt z nas nie ma wątpliwości, że wybrałeś to, co jest dla ciebie najważniejsze.

Patrzyłem na niego kompletnie zaskoczony, bo przecież niczego nie wybierałem. Byłem tak zaabsorbowany ratowaniem Poli wszelkimi możliwymi sposobami, że całą resztę oganiałem, byle szybciej, a już z pewnością poświęcałem swojej pracy nie więcej czasu, niż było to niezbędne. Albo i mniej. Ani przez chwilę się nad tym nie zastanawiałem.

Wydawało mi się, że to oczywiste. Aż do momentu, kiedy okazało się, że ominęło mnie coś, na czym mi zależało, czyli awans, a jednocześnie coś, czego potrzebowała moja rodzina, czyli większe pieniądze. I że wcale tego nie wybrałem.

Nie wiem, czemu nie wcześniej, nie gdzie indziej, tylko właśnie tam, w gabinecie szefa poczułem, jaki bagaż dźwigam na grzbiecie od paru miesięcy. Uświadomiłem to sobie i... nogi mi się rozjechały. Zrozumiałem, że nie daję rady, że od dłuższego czasu nie dawałem sobie rady, ale nie dopuszczałem do siebie nawet myśli o tym, że nie wyrabiam.

Jolka miała rację. Musiałem z kimś pogadać. Nie z tym miłym Amerykaninem, chociaż wiedziałem, że jest mi życzliwy, nie z Daszą, bo była za blisko i sama pewnie potrzebowała pomocy, nie z Maziukiem, bo go nie było, nie ze starymi, bo wiadomo… Od razu zadzwoniłem do mojej siostry.

– I tak długo pociągnąłeś – powiedziała, zaledwie wyłuszczyłem, o co mi chodzi.

Terapeutka, którą mi poleciła, była nieco ode mnie starsza i nie próbowała być sympatyczna, co bardzo mi odpowiadało. Słuchała, nie przerywając, niczego nie zapisywała, może gdzieś to nagrywała, nie wiem. Umówiliśmy się z góry na tak zwaną terapię interwencyjną, nastawioną na rozwiązanie aktualnych problemów, bez wnikania w przeszłość i żmudnych dociekań. I tak dwie sesje zajęło, zanim opowiedziałem jej w miarę zbornie, co mi się przydarzyło. Mówiłem, trochę płakałem, nie wiem, czy z nerwów, czy ze wzruszenia, czy z żalu nad sobą, mówiłem i mówiłem, a ona spokojnie słuchała. Kiedy w końcu zamilkłem zmęczony, spojrzała mi w oczy i zapytała:

– Czy panu się przypadkiem nie pomyliły role życiowe?

– Nie rozumiem.

– Z tego, co pan opowiada, wynika, że jest pan ojcem Poli.

– Nie, skądże, ona ma ojca. Mówiłem o tym.

– To dlaczego tyle wysiłku wkłada pan w odgrywanie roli ojca, którym pan nie jest?

– Bo… wydawało mi się, że… – Nie wiedziałem co dalej, co mi się wydawało. – Bo jej prawdziwy ojciec właściwie uciekł. Cały czas się zasłania swoim małym dzieckiem, ale my wiemy, że po prostu dał dyla od całej tej sytuacji.

– Ale to chyba jest problem Poli i jej ojca?

– No, niezupełnie. To jak najbardziej mój problem, bo na niego nie można liczyć.

– To z kolei chyba problem pana żony.

– Ale to wszystko się dzieje w moim domu.

– Zgoda. Tylko że mieszkanie w jednym domu, i to, że jest pan partnerem matki i dzieli pan z nią życie, nie czyni pana ojcem Poli.

W pierwszej chwili nie zrozumiałem, o co jej chodzi. Byłem zaskoczony i dotknięty. Tyle jej opowiedziałem o swoim nieszczęściu i bohaterstwie, a ona, zamiast mnie wzmocnić i pochwalić, chwyciła za ucho i doprowadziła do lustra, w którym wcale nie miałem ochoty się przeglądać.

– Więc co? Mam się od tego wszystkiego odciąć i zająć czymś weselszym?

– Nie sądzę, żeby to było albo-albo.

– To niby jaka ma być moja rola?

– To już od pana zależy. Ja mówię tylko, że to nie może być rola ojca. Bo pan nie jest i nigdy nie będzie ojcem Poli, żeby nie wiem jak pan tego chciał.

Wyszedłem stamtąd mocno poruszony. Wróciłem do domu, opowiedziałem wszystko Daszy, a ona na to:

– Kiedy następna sesja?

– We wtorek.

– To idę z tobą.

Zatkało mnie. Całą drogę zastanawiałem się, jak jej powiedzieć, że terapeutka zaproponowała, żebyśmy następnym razem przyszli do niej we dwoje.

10

Trudno powiedzieć, o czym myślałam, wybierając się do terapeutki Marcina. Zaniepokoiła mnie ta dziwna rozmowa o ojcostwie. Niby wiedziałam, że to Marcin zarabia na nas wszystkich i na wszystko. Niby widziałam, że ledwie żyje, ciągle z czymś spóźniony, ciągle coś nadrabiający, z pracy do domu, z domu do pracy, tu Rzym, tu Krym, a w domu zawsze to samo. Ale ja też ledwie ciągnęłam. Ja też ze wszystkiego zrezygnowałam. Ja też nie miałam czasu dla siebie. Dlatego w pierwszej chwili odebrałam tę rozmowę raczej jako przyzwolenie, zachętę do tego, żeby Marcin się ode mnie oddalił. Może więc chciałam ocenić skalę zagrożenia, nie wiem.

Jechałam do niej trochę nastroszona, ale już w trakcie pierwszej rozmowy zrozumiałam, że się mylę.

To nie ja wiem lepiej, to nie ja widzę więcej – z tego prostego powodu, że jestem częścią naszego układu i naszej sytuacji. Ona, ta spokojna i wyciszona kobieta, widzi nas jak na dłoni, co więcej, dla niej jesteśmy jedną z wielu rodzin dotkniętych takim czy innym kryzysem. Może nas porównać z innymi – bez oceniania – po to, żeby pokazać nam, jak wyglądamy widziani oczami kogoś z zewnątrz.

Początkowo irytowały mnie jej ciągłe pytania o to, co Pola dziś zrobiła, czego się nauczyła w tym tygodniu, co my robiliśmy i jak się z tym czujemy. Dopiero po kolejnym spotkaniu zrozumiałam, o co jej chodzi.

Żeby odpowiedzieć sensownie na takie pytania, musieliśmy się zmusić do wyłuskiwania z pamięci zmian i nowości, które umykały nam w codziennym kontakcie i mechanicznych posługach. A przecież, może nie z dnia na dzień, ale z tygodnia na tydzień coś tam się zmieniało, a to Poli udało się przejść samodzielnie parę kroków, trzymając się poręczy, a to włosy zaczynały odrastać śmiesznymi loczkami jak po trwałej, a to słów przybywało i Pola zaczynała coraz więcej mówić. Śmialiśmy się nawet, że jej słownik już teraz jest bogatszy od tego, którym dysponują całkowicie zdrowi bywalcy nocnych kursów WKD.

Dużo rozmawialiśmy o normie, o powrocie do normy, o normalności i o tym, że teraz walczymy, ale kiedyś, potem, za jakiś czas wszystko będzie dobrze.

– Co to znaczy? – zapytała za którymś razem terapeutka.

Zaskoczyła mnie, przez chwilę musiałam zbierać myśli. Tyle razy od czerwca powtarzałam sobie i innym, że „wszystko będzie dobrze”... że już dawno przestałam się zastanawiać, co to znaczy. Tak jak nikt się nie zastanawia, co to znaczy „czary-mary”.

Terapeutka milczała, a ja patrzyłam na nią i na swoje myśli. Już wiedziałam.

„Wszystko będzie dobrze" oznaczało, że pewnego dnia obudzę się, a Pola zbiegnie ze schodów i będzie śpiewać w kuchni przy obieraniu ziemniaków.

– To znaczy... – potrząsnęłam głową i zaczęłam płakać. Marcin przysunął się z krzesłem, chciał wziąć mnie za rękę, ale ja zacisnęłam dłonie jedna w drugiej i płakałam.

Płakałam ze złości. Płakałam z bezsiły.

„Tak się nie robi! " – tłukło mi się w głowie. Nie ściąga się ludzi na siłę do rzeczywistości! Tak nie wolno!

A jednak z każdą wypłakaną łzą docierała do mnie prawda, z której zdawałam sobie sprawę, ale – jak dziecku – wydawało mi się, że jeśli nie będę na nią patrzeć, nie będę zwracać uwagi, sama zniknie, wyparuje, ulotni się.

Uświadomiłam sobie z całą – tak, tak – „z całą jaskrawością", że moja córka już nigdy nie zbiegnie z żadnych schodów, bo nowotwór nieodwołalnie zniszczył tę część jej mózgu, która odpowiada za utrzymywanie równowagi.

Nigdy nie będzie obierać ziemniaków, bo jej dłonie nie wiedzą, jak wykonywać tak precyzyjne ruchy.

No i nigdy, Boże kochany, nigdy nie będzie już śpiewać, bo nie odzyska pełnego panowania nad mięśniami aparatu głosowego, głos jej będzie drżał, nie będzie trafiać w dźwięki. Co z tego, że nadal będzie umiała je nazwać jeden po drugim, skoro nie da rady utrzymać linii melodycznej.

Nigdy! Drzwi zamknięte.

Płakałam i nie mogłam przestać, zużyłam połowę chustek z pudełka, które stało na stoliku koło mojego fotela. Marcin siedział nieruchomo z twarzą zakrytą ręką.

Terapeutka czekała cierpliwie, aż się trochę uspokoję, a potem powiedziała coś, co trawiłam przez parę następnych tygodni, ale kiedy w końcu to zrozumiałam, wszystko inne powoli mi się poukładało.

– Na to, co się stało – powiedziała – trzeba spojrzeć jak na zmianę. Nieodwołalną zmianę, coś, co się nie odstanie. Jest inaczej i tak już będzie. Nie gorzej, nie tragicznie, nie potwornie, tylko inaczej.

Nie wiem, może użyła innych słów, może nie powiedziała tego tak wprost, ale ja tak to zapamiętałam. Że się zmieniło i muszę się z tą zmianą pogodzić. Nie wywalczę powrotu do poprzedniej sytuacji, choćbym nie wiem jak tego chciała.

Wszystko będzie dobrze, ale dopiero wtedy, kiedy ja, Marcin, Pola, pogodzimy się z tym, że wszystko się nieodwołalnie zmieniło. Każde z nas musi to zrobić po swojemu, we własnym tempie, na swój sposób. A ja muszę odpuścić najpierw sobie, potem Marcinowi, a na końcu reszcie świata.

Muszę „pogodzić się ze światem".

Nie mam innego wyjścia.

Zajęło mi to dużo, dużo czasu. Być może w jakimś sensie zajmie mi to resztę życia, ale zaczęło się tam, w ciasnawym gabinecie tej kobiety, która powiedziała mi coś, co od początku powtarzało mi mnóstwo ludzi. Ale dopiero ją usłyszałam. Uwierzyłam, że już zrobiłam wszystko, co w mojej mocy, wywalczyłam, co dało się wywalczyć. A teraz muszę pogodzić się z tym, co mam.

Tak to działa.

11

Rozkładało mnie. Chwilami traciłem pewność, czy zaczynanie tych rozmów z terapeutką miało sens. Ale z drugiej strony, z kim miałem rozmawiać? Z macochą? Dzwoniła co jakiś czas i sączyła teksty w rodzaju: „To nie twoja sprawa, nic do tego nie masz". Nie, żebym miał się znowu rozwodzić, ale właściwie czemu ja się w ogóle zajmuję cudzym dzieciakiem? Może mógłbym na przykład znowu wyjechać do Stanów? Sam.

Komu miałem się przyznać, że tak, owszem, nieustannie chodzą mi po głowie fantazje o ucieczce, o wolności, o beztrosce, o chwili wolnego czasu. Powiedziałem to podczas którejś z sesji, a terapeutka zapytała jak zawsze:

– No i co pan czuje, fantazjując o tym wszystkim?

– Straszliwe poczucie winy.

– Uważa pan, że nie ma pan prawa do takich myśli?

– Myślę, że to nie fair wobec mojej żony.

– A pytał pan ją o to?

– Jak pani to sobie wyobraża?

– Zwyczajnie. Może się okazać, że ona też miewa takie myśli. Żona, zdaje się, była aktorką?

Pokiwałem głową.

– Skąd pan wie, że nie fantazjuje o powrocie do pracy? O ciekawych projektach, na których mogłaby się skupić w stu procentach, o wspaniałych kreacjach, które pokazywałaby na festiwalach…

– Rozumiem – przerwałem jej.

Musiałem jakoś maniakalnie nawracać do sprawy Trześniewskiego. Podczas kolejnej sesji terapeutka zaproponowała, żebym napisał list do ojca Poli.

– Po co? – zdziwiłem się.

– Żeby mu powiedzieć, co panu leży na sercu czy na wątrobie.

– Od miesięcy się u nas nie pokazał, co niby mam mu napisać?

Popatrzyła na mnie, uśmiechnęła się lekko.

– Może mu pan na przykład podziękować.

Myślałem, że to żart. Kiepski.

– Za co niby?

– Na przykład za to, że zrezygnował ze swego pierwszego małżeństwa i dzięki temu zrobił miejsce dla pana.

– I ja mam być mu wdzięczny?

– Tak myślę – pokiwała głową. – Może też pan napisać, o co ma pan do niego pretensję.

Żachnąłem się, zmieniłem temat i się pożegnałem, bo czas się kończył. Wróciłem do domu, wykąpałem Ulę, posłuchałem z Polą kawałka płyty, którą Doti przywiozła po południu, a potem, nic nie mówiąc, siadłem przy stole w kuchni i machnąłem list do Trześniewskiego. Podziękowałem, że się zwinął z życia Daszy, ale też napisałem, że nie może być tak, żeby jako ojciec Poli tak po prostu umył ręce od tego wszystkiego.

Dopiero kiedy wrzuciłem list do skrzynki, następnego dnia wieczorem powiedziałem Daszy, co zrobiłem.

Ani trochę się nie przejęła.

– To się chłopak zdziwi – mruknęła, nie patrząc na mnie.

– Co ty robisz? – zapytałem, wietrząc histerię albo coś gorszego, bo Dasza, siedząca przy stole w jadalni, metodycznie przecinała pampersy; jednego po drugim.

– Pola oświadczyła mi właśnie, że nie chce spać z pampersem – powiedziała Dasza, a łzy jej pociekły po obu policzkach.

– I myślisz, że to już?

– Skoro radzi sobie z tym sama za dnia...

– To wspaniale – powiedziałem radośnie, ale westchnęło mi się raczej ciężko.

Przyjrzała mi się przez chwilę, otarła łzy i sięgnęła po kolejnego pampersa.

– Masz już dosyć? – zapytała.

– A ty nie?

– Ciebie pytam.

Pokiwałem głową bez słowa. Zrobiło mi się gorąco.

– Marcin – Dasza jednym cięciem skasowała pampersa – ja wiem, ile zrobiłeś dla Poli i dla mnie. Gdyby nie ty... Nieważne. Nie mam jak odwdzięczyć ci się za to wszystko... Mogę tylko... – Podniosła głowę. – Jeśli chcesz odejść, ja to zrozumiem.

Omal się nie roześmiałem.

Czy ona wiedziała, o czym zdarza mi się rozmyślać? Czy czuła moje wątpliwości, widziała mój strach? Czy przyszło jej do głowy, że tysiąc razy chciałem tym wszystkim walnąć o ziemię i pójść, gdzie oczy poniosą?

– Skończyłaś? – upewniłem się.

– Tak.

– To daj nożyczki. Co tam jeszcze masz?

– Zapasowe cewniki.

– Dawaj gnoje!

– Boże, jak ja czekałam na tę chwilę!

Pocięliśmy wszystko. Psu udało się dorwać i solidnie przeżuć jeden cewnik. Potem pomyślałem, że komuś by się jeszcze mogły przydać te pampersy i te cewniki, ale trudno. Chcieliśmy pociąć to gówno i pocięliśmy. A potem poszliśmy do łóżka. Po raz pierwszy od nie pamiętam kiedy.

Następnego dnia napisałem jeszcze jeden list. Do Helen.

Zupełnie nieoczekiwanie nowa szkoła Poli zachowała się nadzwyczajnie. W maju, zaraz po egzaminie, wpłaciliśmy wpisowe, niemałe zresztą, tym samym deklarując, że od września Pola zacznie tam naukę. Dzień po rozpoczęciu roku szkolnego zadzwoniła do nas wychowawczyni jej klasy. Dopiero wtedy ocknęliśmy się i doszliśmy do wniosku, że trzeba się tam przynajmniej pojawić.

Pojechaliśmy i zobaczyliśmy grupę sympatycznych ludzi, którzy z marszu zaczęli się zastanawiać, jak mogliby pomóc Poli. Dogadaliśmy się w sprawie częściowych opłat i od następnego semestru do Michałowic zaczęli przyjeżdżać nauczyciele: pani od historii, pan od matematyki, polonistka. Próbowali ją uczyć. Dasza nagrywała te lekcje na dyktafon. Pola miała za zadanie się do nich szykować, robiła to rzecz jasna ustnie i rzecz jasna nie zawsze chętnie.

Pierwszy raz pokłóciłem się z nią o historię. Pokłóciłem się z Polą, mimo tego, że przeszła nowotwór mózgu i była niepełnosprawna.

Miała przygotować się do lekcji o Mezopotamii, a ja w środku nocy nagrałem jej film dokumentalny na ten temat z ciekawym komentarzem. Przez dwa dni nie znalazła czasu, żeby się tym zainteresować.

– Kiedy mam to zrobić? – ciskała się, choć w nieco zwolnionym tempie. – Mam rehabilitację!

– No to co? – zapytałem.

– Wiedzą, że jestem chora!

– Wiedzą, że jesteś po chorobie. I co?

– Ja się o chorobę nie prosiłam. To bez sensu!

– Dobrze, powiesz tej kobiecie, która tu do ciebie w środku zimy przyjeżdża kolejką, że może sobie darować, bo dla ciebie to bez sensu! Tak będzie najlepiej.

– Moja wina, że jestem chora?

– Nie o tym rozmawiamy. Choroba nie ma nic wspólnego z tym, że olewasz panią od historii!

– Daj mi spokój!

– Nie mam zamiaru.

– To pożałujesz!

– Oj, dziewczyno, już nie tacy mi grozili.

W tym momencie dotarło do mnie, że dzięki tamtej dziwnej rozmowie z terapeutką o ojcostwie, z poślizgiem, ale mimo wszystko, uwolniłem się od przymusu ratowania Poli. Bo Pola była już uratowana. Była i miała pozostać niepełnosprawna, ale nie groziło jej żadne niebezpieczeństwo. Nie musiałem się z nią cackać ani nad nią trząść.

Nie byłem ojcem Poli, nie musiałem walczyć o to, by zobaczyła we mnie ojca. Byłem mężem jej matki. To ją wspierałem. To dla niej tłukłem te kamienie przy drodze. To dla niej mogłem przywołać do porządku i zmobilizować jej córkę. Po to, żeby Pola nie uznała swojej niepełnosprawności za uniwersalne zwolnienie ze wszystkiego. Bo życie to nie WF, z którego rzeczywiście dożywotnio została zwolniona! Bo bez względu na chorobę, niepełnosprawność i wszystko, co dla niej zrobimy, Pola musi poczuć się choć trochę odpowiedzialna za siebie.

Tak się tym przejąłem, że od razu poleciałem powiedzieć to Daszy. Wróciła właśnie ze szczepienia z Ulą. Ledwie żywa, bo nasza młodsza córka od paru dni stanowczo odmawiała podróżowania wózkiem. Dasza wysłuchała mnie i spojrzała takim wzrokiem, jakim patrzyła na Ulę ćwiczącą zapinanie guzików w sweterku.

– Pamiętasz jeszcze, ile Pola ma lat?

– Prawie szesnaście – odpowiedziałem zdziwiony.

– Znasz jakichś odpowiedzialnych szesnastolatków?

– No... ale ona jest po szczególnych doświadczeniach.

– Tak. Po miesiącach sikania przez cewnik, robienia kupy do pampersa i pełnej zależności od tego, kto ją przełoży na drugi bok.

Przez chwilę poczułem się jak palant. Ale zaraz potem przyszło mi do głowy, że nie muszę się już dłużej zastanawiać, kim mam być dla Poli, skoro nie mogę być ojcem. Już wiem.

Będę jej złym policjantem!

Jakkolwiek to brzmi, to był dla mnie przełom. Zacząłem przyglądać się sytuacji w domu z innej perspektywy. Mniej, by tak rzec, „polocentrycznej".

Zacząłem dostrzegać drobiazgi, które wcześniej zupełnie mi umykały, na przykład to, jak wiele rzeczy Pola umie już zrobić sama, ale nadal automatycznie woła matkę, żeby zrobiła to za nią. A Dasza biegnie jak na gwizdek. Przy kolejnej prośbie o coś do picia nie wytrzymałem.

– Nie możesz sama podjechać do lodówki i sobie wziąć? Nie widzę tu żadnych progów ani barier.

– Mamo! – zawołała Pola płaczliwie.

– Mama zajmuje się Ulą – zełgałem bezwstydnie, bo Ulka spała jak suseł.

Dasza szczęśliwie bez słowa wycofała się do salonu.

Pola przyjechała do kuchni wściekła i zacięta.

– Wiesz, jak w biznesie nazywa się to, co robisz?

– Nie – warknęła.

– Nawykowe delegowanie swoich spraw na resztę zespołu.

– Co?

– Mówiąc prościej, wysługujesz się matką jak służącą.

– Świetnie!

Nie mam pojęcia, co sobie pomyślała. Ale przestałem się tym tak strasznie przejmować.

– Nie wiedziałam, że z ciebie taki sadysta – mruknęła Dasza, wsuwając się do kuchni. Powiedziała to z bardzo pociągającą nutą potępienia i podziwu zarazem.

– Każdy ma takiego rycerza na białym koniu, na jakiego sobie zasłużył – odparłem, całując ją w ucho.

– To wiele tłumaczy – roześmiała się i objęła mnie mocno.

Znowu zaczęliśmy się z Polą ścinać, ale i rozmawiać, również o tym, że nic nie trwa wiecznie, każdy dzień przynosi zmianę, a przede wszystkim my się zmieniamy. Większość tych rozmów była odpowiedzią na jej bunty i obwinianie choroby o wszystko. Bo Pola przyjęła taką postawę, że cała ta sytuacja dzieje się poza nią, ona nie ma z tym nic wspólnego, bo ona się o chorobę nie prosiła i chce, żeby było tak jak kiedyś. Chce włóczyć się z dziewczynami, tutaj po torach w Michałowicach, i gadać, śpiewać, wygłupiać się.

Myślę, że przede wszystkim chodziło o kontakty towarzyskie. To było dla niej najboleśniejsze, że ludzie – nie, że się od niej odwrócili – ale zrezygnowali z niej. Bo tu na początku co jakiś czas ktoś przyjeżdżał, zaglądał, wpadał, odwiedzał, a potem coraz rzadziej, rzadziej. Tylko jedna Doti, niezawodna i wyluzowana, przyjeżdżała regularnie i spędzała z Polą czas, jakby się nic nie zmieniło.

Rozumiałem ją. Wiedziałem, że „zdawać sobie sprawę ze swojej sytuacji” niekoniecznie oznacza „akceptować swoją sytuację”. W końcu my, jej „rodzice i legalni opiekunowie”, przerabialiśmy to z takimi samymi oporami i trudem. Rozumiałem też, że może jej to zabrać o wiele więcej czasu niż nam, bo to jednak ona straciła najwięcej.

12

Na list Marcina Grzegorz odpowiedział listem do mnie.

Daria,
przekroczyłem czterdziestkę, jestem aktorem na państwowym etacie. Nie muszę Ci chyba tłumaczyć, jakie to kokosy. Właśnie rozstałem się z żoną, a właściwie ona rozstała się ze mną. Sam nie wiem dlaczego. Nie mam gdzie mieszkać, wszystko mi się zawaliło.

Pola jest moim dzieckiem. Kocham ją, ale co mogę zrobić? Zabrać tu, do Wrocławia? Do pokoju gościnnego przy teatrze, gdzie pozwolili mi przez chwilę spać? Chyba za karę. Zdaję sobie sprawę, jakie sumy pochłania rehabilitacja i wszystko, co robicie, żeby Pola zaczęła jakoś funkcjonować, ale co ja mogę? Pieniądze nie leżą na ulicy. Mam jeszcze drugie dziecko i zobowiązania.

Twój mąż pracuje i zarabia w międzynarodowej korporacji. Masz szczęście. Masz naprawdę cholerne szczęście, Daria.

Wiem, że się nie sprawdzam, wiem, że nie staję na wysokości zadania. Nie pierwszy raz. Tylko się pochlastać.

To tylko ja

Czytałam to parę razy i oczom nie wierzyłam. Trochę chciało mi się śmiać, a trochę płakać. Pola na wózku inwalidzkim pozostała tą samą dziewczyną, która kochała swojego ojca i lubiła spędzać z nim czas. Co miałam jej teraz powiedzieć? „Ojciec się nie rozerwie, kochanie"? A ja mogłam się rozerwać? A tak, mogłam, bo żyłam za pieniądze Marcina, które spadały z nieba w ilościach dowolnych.

Rzeczywiście miałam cholerne szczęście!

Ktoś chciałby się ze mną zamienić?

Ktoś naprawdę by chciał?

Rozumiałam argumenty Grześka, ale wiedziałam też, że miał wybór. I jednak, kurczę, jakoś wybrał – tamto dziecko i tamte problemy. To dziecko i te problemy zostawił mnie. Bo ja i tak nie miałam wyboru.

Parę dni później listonosz przyniósł przesyłkę poleconą. Zagraniczną. Z Oakland. Od Helen Meyers – najwyraźniej była żona Marcina wróciła do panieńskiego nazwiska.

Jakoś dziwnie mi się zrobiło. Obracałam to w rękach na wszystkie strony, próbowałam nawet wąchać, ale nic nie wywąchałam. Zanim Marcin wrócił z pracy, byłam już nieźle nakręcona.

– Widzę, że odnawiasz stare kontakty – rzuciłam mu, ledwie zdjął płaszcz.

Latał wtedy jak bumerang do Brukseli i z powrotem w sprawie wielkiego audytu jakiejś agencji rolnej na Pomorzu, który zakończył się międzynarodowym skandalem i sprawą o przywłaszczenie unijnych dotacji. Ślimaczyło się to tygodniami.

– Nie wiem, o czym mówisz, ale zaraz zobaczę – powiedział, zdejmując buty.

Rozerwał kopertę. W środku była cienka książka i list.

– Nic nie mówiłeś, że tęsknisz za byłą żoną – nie wytrzymałam.

– Idiotka – stwierdził Marcin spokojnie, podając mi książkę.

– „When Bad Things Happen to Good People" – przeczytałam głośno tytuł. – Kiedy złe rzeczy przydarzają się dobrym ludziom? Prosiłeś ją o tę książkę?

– Nie. Prosiłem ją o to. – Podał mi list, a właściwie dokument.

– Co to takiego?

– Helen zrzeka się swoich alimentów.

– Nie żartuj!

– Wyglądam, jakbym żartował?

– Ale jak to... rozmawiałeś z nią? Nic nie mówiłeś.

– Nie byłem pewien, co z tego wyniknie. Napisałem do niej, że nie dam rady dłużej płacić, bo spotkało mnie to, co spotkało, i zwyczajnie, nie mam z czego. Napisałem, że jak chce, może mnie do sądu... Widać nie chciała.

Wreszcie spojrzałam na niego przytomniejszym okiem. Wyglądał jak z krzyża zdjęty.

– Siusiu, paciorek i spać – zadysponowałam.

– Chyba założę pampersa – ziewnął Marcin.

– To musisz pogadać z Ulą, bo ma na sobie ostatni.

Zasnął, nim zagotowała się woda na herbatę.

Kiedy następnego dnia wszedł rano do kuchni, kończyłam akurat przeglądać książkę od Helen.

– Wiesz, dlaczego złe rzeczy spotykają dobrych ludzi? – zapytałam.

Ziewnął rozdzierająco i pokiwał głową.

– Przez przypadek.

– Czytałeś to już?

– Nie. Sam wymyśliłem.

Ciekawe, zastanawiałam się, dlaczego ten ślepy los, ten bezsensowny przypadek – niech nikt nawet nie próbuje zaczynać ze mną rozmowy na temat sensu cierpienia Poli i naszego cierpienia! – ciekawe, dlaczego uczynił nas kimś w rodzaju trędowatych z kołatką. Dlaczego wszyscy uważali, że skoro dotknęła nas tragedia, trzeba to uszanować, czyli ominąć i przemilczeć.

Bo nie tylko Pola boleśnie odczuwała swoje osamotnienie. Wokół nas też zrobiło się pusto.

Ja wiem, że oboje przenieśliśmy się z miejsc, które przez całe lata były naszym środowiskiem. Wiem, że zamieszkaliśmy w Warszawie, mieście, którego normalny człowiek nigdy nie oswoi, chyba że się w nim urodził i wychował. Ja wiem, że ten nasz wspólny czas przed chorobą Poli to w sumie było półtora roku – może dość długo, żebyśmy się poznali jako para, ale za krótko, żebyśmy wybudowali wokół siebie jakiś krąg wspólnych przyjaciół i znajomych. Ja to wszystko wiem. Ale bywało naprawdę smutno.

Parę miesięcy po operacji Poli przyjechałam do Olsztyna. Elka zadzwoniła i zaprosiła mnie na kilka dni, Marcin kupił mi bilety, zanim zdążyłam się zastanowić, i właściwie wypchnął niemal siłą.

Czułam się okropnie. Co chwila podrywało mnie, że coś muszę, o czymś zapomniałam, albo – co gorsza – o czymś zapomniał Marcin, albo Zosia, albo Pola. Nawet się nie zdziwiłam, kiedy Marcin w końcu wyłączył komórkę, informując Elkę, że zadzwoni do niej, o ile będzie w stanie to uczynić po tym kataklizmie, jaki niechybnie nawiedzi Michałowice pod moją nieobecność.

Elka mieszkała dwa kroki od teatru. Pomyślałam, że głupio byłoby przyjechać i nie zajrzeć. Poszłam. Trafiłam na przedstawienie. Spotkałam wszystkich. Przyjemność była, no, dość umiarkowana.

Właściwie to chyba zepsułam im nastrój swoją wizytą. Nikt ze mną normalnie nie rozmawiał. Nie wiem, bali się mnie, czy co? Ci, którzy się zdecydowali, gadali o wszystkim, tylko nie o chorobie Poli. Sama nie wiedziałam, co było gorsze.

Jak już wychodziłam, podszedł do mnie Petro.

– Dasza, kurwa, ja nie wiem, co mam powiedzieć – jęknął.

Poczułam się tak, jakbyśmy się spotkali na pogrzebie Poli. Oczywiście rozpłakałam się rzewnie, stosownie do okazji.

– No wiesz, to się może każdemu przydarzyć – powiedziałam, nie wiem, po co.

Zabrzmiało tak, jakbym go pocieszała, chociaż to przecież on składał mi kondolencje.

– Nie rozumiem, dlaczego – poskarżyłam się Elce.

– To proste – wzruszyła ramionami. – Nie wiedzą, co powiedzieć. Ja też miałam taką fazę, że się zastanawiałam, czy dzwonić. Bo może przeszkadzam.

– W czym?

– Teraz już nie pamiętam. I ciągle się bałam, że powiem coś, co cię zrani albo dotknie.

– No i co by się stało?

– Właśnie tego nie wiedziałam.

– Powiedziałabym ci: „Nie chcę o tym mówić"? To aż tak boli?

Elka uśmiechnęła się trochę smutno i pokręciła głową.

Nie rozumiałam tych pogrzebowych klimatów. Dzisiaj wiem, że po prostu byłam już gdzie indziej, po drugiej stronie doświadczenia, które nie mieści się w głowie nikomu, kto ma dzieci. Oni, ludzie, którzy znali moją córkę od przedszkola, nadal jeszcze opłakiwali Polę, która zachorowała na raka mózgu. Ja znałam dziewczynkę, która wyszła z raka mózgu i była niepełnosprawna fizycznie. Nie płakałam nad nią. Próbowałam polepszyć jej życie, bo wiedziałam już, że lepsze życie Poli oznacza lepsze życie całej mojej rodziny.

Jak zwykle przez przypadek trafiłam w Michałowicach do pani, która zajmowała się dystrybucją książek na kasetach z biblioteki dla niewidomych. Od niej dowiedzieliśmy się, że jest takie miejsce i możemy tam zapisać dziecko. Pojechaliśmy do Warszawy na Konwiktorską i to było nasze pierwsze spotkanie z ludźmi niewidomymi. Jak oni błyskawicznie przeszukiwali katalogi – kilkaset tysięcy kaset z literaturą polską i światową, książki czytane przez aktorów. Z miejsca pożyczyliśmy parę książek, czyli worek kaset.

Marcin wydziwiał.

– Co za manufaktura! Na świecie robi się to już dawno na płytach CD. Cała książka na jednej płycie.

– Nie marudź – ucięłam. – Lepszy rydz niż nic.

Nie bywałam w świecie. Może i gdzieś było lepiej, ale na mnie ta biblioteka i tak wywarła wielkie wrażenie. Jakie to wszystko było zorganizowane, jaki miało rytm, w jakim tempie oni się tam uwijali. Coś niesamowitego.

Ta wizyta pokazała mi wreszcie, że wszystko, o czym czytałam w Internecie, to nie jakieś bajdy, że ludzie niewidomi i słabowidzący nie muszą wegetować przy radiu.

Pola widzi, tylko trzeba jej wszystko bardzo powiększyć. Szukaliśmy różnych technologicznych rozwiązań, gadżetów, które mogłyby jej pomóc w czytaniu. Zasadniczy zwrot nastąpił, kiedy pani Grażyna powiedziała nam o kamerze, właściwie skanerze do czytania druków na ekranie, w wielokrotnym powiększeniu. Sprowadziliśmy go ze Stanów. Prosta rzecz, ale w Polsce tego nie było. Urządzenie podłączało się do telewizora. Nawet nie było strasznie drogie.

Pola zaczęła znowu czytać książki. Znacznie później ktoś nam powiedział, że z takiego samego urządzenia korzystał Czesław Miłosz.

Dostała promocję do następnej klasy. Oboje z Marcinem doszliśmy do wniosku, że wykorzystaliśmy do cna życzliwość szkoły i nauczycieli, którzy przyjeżdżali do Michałowic na zajęcia, bez względu na pogodę i inne obowiązki. Zaczęliśmy się zastanawiać, co dalej, rozglądać za nową szkołą, za jakimikolwiek możliwościami, czymkolwiek, co Pola mogłaby robić, poza słuchaniem płyt, radia i czytaniem książek. Okazało się, że mogłaby niewiele.

Szkoły integracyjne w Polsce, to znaczy w Warszawie, światłym mieście wielkich możliwości, są przystosowane do jednego rodzaju niepełnosprawności. Albo dziecko jest niewidome, albo na wózku, albo głuchonieme. Ale jak ma kombinację niepełnosprawności, to system jest bezradny. Nie ma w nim miejsca dla takich jak Pola.

Marcin, który nie raz i nie dwa w swoim życiu był zmuszony nauczyć się od podstaw czegoś, o czym nie miał zielonego pojęcia, podszedł do sprawy metodycznie. Usiadł i przeczytał obowiązujące w Polsce ustawy, które dotyczą niepełnosprawnych.

– Bardzo pouczająca lektura – powiedział potem. – Dużo wzniosłych słów o tym, jak państwo dba o niepełnosprawnych, jak dobro niepełnosprawnych leży państwu na sercu i jak wszyscy powinni im pomagać. Ale nic z tego nie wynika. Zupełnie.

Nie wierzyłam. Sama przeczytałam. Przejrzałam listy dyskusyjne, gdzie głos mieli sami niepełnosprawni.

Marcin miał rację.

Większość tych patetycznych aktów prawnych tylko utrwalała okropny stereotyp niepełnosprawnego jako jednostki smętnej, upośledzonej, niezdolnej do samodzielnego życia i pracy. Trzeba takiego pieścić, trzeba mu wszystko dawać i wszystko wybaczać. Nic nie musi, ale i nic nie może.

Przekopywałam się też przez strony internetowe najróżniejszych rad, komisji i komisarzy, szukając jakiejkolwiek wskazówki, pomysłu, konkretu. Dyskusje na forach nie zostawiały na nich suchej nitki. Z punktu widzenia młodych, niepełnosprawnych fizycznie, ale w pełni sprawnych umysłowo ludzi było to jedynie kilkanaście ciepłych stołków dla krewnych i znajomych królika. Jedne instytucje nic nie mogły, inne wywalały miliony właściwie poza jakąkolwiek realną kontrolą.

Większość zajmowała się głównie produkcją sprawozdań i dupokryjek.

Marcin był wtedy w stałym kontakcie z Sarą, o której mówiliśmy: Maziukowa. Bardzo się interesowała sytuacją Poli. Nawet ja, z moim osobliwym angielskim, zmobilizowałam się i zadzwoniłam do niej, żeby podziękować za keyboard, jaki przysłała z własnej inicjatywy. Dzięki temu Pola nie katowała nas więcej melodyjkami z kompozytora w telefonie.

W którymś mailu Marcin opisał jej, jak wygląda przyszłość Poli w Polsce. I wtedy Sara zapytała, czy orientujemy się, czym jest ADA. Nie mieliśmy pojęcia, ale sprawdziliśmy.

Americans with Disabilities Act okazał się aktem prawnym, który nakazywał wszystkim szczeblom administracji państwowej i lokalnej, samorządom, przedsiębiorstwom, wszystkim, również sklepikarzom i właścicielom barów w Stanach, włączanie niepełnosprawnych w normalne życie.

Pamiętam, jak w zdumieniu zapytałam wtedy:

– Kim ona jest z zawodu, ta Maziukowa, że wie takie rzeczy?

– Prawnikiem. Zajmuje się obroną interesów konsumentów – odpowiedział Marcin, nie przerywając czytania, a ja zbaraniałam.

Nie mam pojęcia, czemu wyobrażałam sobie, że te panienki Maziuka, o których tyle słyszałam, to były kasjerki ze stacji benzynowych, hostessy, recepcjonistki – takie tam miłe dziewczęta.

Im więcej czytaliśmy – już nie aktów prawnych, ale list dyskusyjnych na różnych dziwnych amerykańskich forach, dokąd prowadziły różne dziwne linki – tym bardziej docierało do nas, że ten dokument – w odróżnieniu od polskich ustaw – pociąga za sobą lawinę najzupełniej realnych skutków.

Nikt nie zadowalał się wydaniem nakazu zniesienia wszelkich barier architektonicznych. Sami niepełnosprawni skrupulatnie egzekwowali, także w sądach, ich likwidację. Nie wystarczyło napisać, że niepełnosprawni mają być traktowani na równi z pełnosprawnymi w sklepach i urzędach. Wszędzie musiały pojawić się ceny, ogłoszenia i druki dostępne dla każdego, co oznaczało na przykład, że amerykański fiskus musiał przygotować formularze zeznania podatkowego w wersji dźwiękowej, napisane brajlem i takie z dużymi literami.

Czytałam to z dużym zainteresowaniem, ale raczej jako ciekawostkę niż coś, co może dotyczyć Poli.

13

Po długich poszukiwaniach i zabiegach zaproponowano nam, a właściwie Poli terapię zajęciową, która polegała na... zabawach z gliną.

Dasza pojechała się temu przyjrzeć. Wróciła prawie z płaczem.

– Zbieranina dzieci w różnym wieku i z różnymi rodzajami niepełnosprawności stłoczona w jednym pomieszczeniu – opowiadała. – Bardzo mili ludzie to prowadzą, ale wszystko jest pod kątem dzieci upośledzonych umysłowo. Zaprosili nas na piknik swojego stowarzyszenia.

– I to jest właśnie integracja po polsku: niewidomi z tymi na wózku, niepełnosprawni umysłowo z niepełnosprawnymi fizycznie. Niech się integrują i głowy nie zawracają!

– Jesteś niesprawiedliwy!

– Nie, jestem przerażony.

– Ja też – szepnęła Dasza.

Pola nie była i nie jest w żadnym stopniu upośledzona umysłowo. Do dziś nie mogę pojąć, dlaczego tyle razy musieliśmy tłumaczyć, że schorzenie tylnej części mózgu upośledza czynności witalne, ale nie możliwości poznawcze.

Choroba i operacja nic nie zmieniły, powiedziałbym nawet, że wyostrzyły intelekt, a już na pewno język Poli.

– Masz rację – powiedziała Dasza, kiedy już trochę ochłonęła. – Nie chcę, żeby moja córka lepiła z gliny, od czasu do czasu jeździła na imprezy integracyjne, choćby najmilsze, i wegetowała z dnia na dzień. Chcę, żeby skończyła liceum i poszła na studia, po których znajdzie pracę – wyliczała zrezygnowanym tonem, jak ktoś, kto doskonale wie, że prosi o gwiazdkę z nieba.

Nie mogłem jej dać gwiazdki z nieba. Ale mogłem sprawić, by to Pola własnymi rękami jej tę gwiazdkę zdjęła. O ile tylko zechce.

Byliśmy małżeństwem, a ja byłem obywatelem amerykańskim. W Polsce, gdzie kwestia kształcenia i życiowych szans osoby niepełnosprawnej była jej prywatną sprawą i kłopotem co najwyżej rodzinnym, doszliśmy do ściany.

– Emigrować? – Dasza spojrzała na mnie tak, jakbym jej zaproponował wspólne katapultowanie się w kosmos. – Do Stanów? Ja nie chcę.

– Ja też nie, dopiero co wróciłem z emigracji – odparłem spokojnie. – Od ponad roku nie ma znaczenia, czego my chcemy, Dasza. Ważne jest to, czego potrzebuje Pola.

Patrzyła na mnie ze łzami w oczach. Nie miała żadnych argumentów i wiedziała o tym.

– To może do Szwecji. – A jednak miała! – Czytałam, że tam też…

Zamilkła. Nic nie mówiłem. Już widziałem tych Szwedów i może jeszcze Finów – też mają niezłe ustawy – jak na wyścigi przyznają nam swoje obywatelstwo i swój socjal.

– Ja mam obywatelstwo amerykańskie, Ula też, ty jesteś moją żoną… – wyliczałem.

– Może, nie wiem, za parę lat? – przerwała mi.

– Pola nie ma osiemnastu lat i nie podlega jeszcze normalnym procedurom imigracyjnym – ciągnąłem.

– Ty i ten twój pieprzony amerykański raj! – przerwała mi znowu, zniecierpliwiona.

– Dasza, ja ci nie proponuję raju, tylko wyjazd tam, gdzie

nasze problemy są już dawno rozwiązane. Nie mówię, że w Ameryce nie ma żadnych problemów. Jest ich mnóstwo. Ale my będziemy ich mieli dużo mniej. Wiesz, że tutaj tylko mówią i piszą o integracji, a patrzą na Polę jak na zadżumioną. Może kiedyś to się zmieni, ale my nie potrzebujemy łaski, tylko pomocy od zaraz.

– Wiem – powiedziała głucho. – Beznadzieja.

– Nie, właśnie nadzieja – sprostowałem. – Może się uda, może się nie uda. Ale przynajmniej jest nadzieja, a to, co teraz... sama wiesz.

– Wiem – powtórzyła, chowając twarz w dłoniach.

– Jaja sobie robisz? – powiedziała Pola na dzień dobry. – Nigdzie nie jadę.

Obie się na mnie uwzięły!

– Zaczekaj – przerwałem jej. – Zanim odrzucisz, zastanów się, co odrzucasz.

– Co za różnica?

– No, właśnie dość zasadnicza.

Przerzuciłem na ekran Poli listę dyskusyjną ze strony uczniów Gunn High School w Palo Alto, szkoły, którą Sara wyszukała, żeby dać nam konkretny przykład tego, co w Kalifornii oznacza szkoła integracyjna. Stamtąd Pola trafiła na blog jednego z uczniów, niewidomego chłopaka, który mógł poruszać tylko jednym palcem u ręki.

– Masz coś więcej? – zawołała po godzinie.

– Mam dużo więcej.

Spędziliśmy na tym parę dni.

Właściwie dopiero wtedy udało nam się wreszcie pogadać o tym, co się z nią stało. Wcześniej nie umieliśmy, a i Pola niczego nam nie ułatwiała. Nadal nie miała zamiaru otwierać się przed nami i opowiadać o tym, co czuje, co myśli o sobie, tak nieodwołalnie zmienionej, ale zaczęliśmy normalnie rozmawiać o faktach. Przekłuliśmy wreszcie ten balon, zaczęliśmy nazywać rzeczy po imieniu: jej niepełnosprawność ruchową, jej niedowidzenie, perspektywy dalszej rehabilitacji. Z pomocą Daszy pokazałem Poli, co jest możliwe w Polsce i jak to samo wygląda w Stanach.

W myśl przepisów ADA szkoła musiała stworzyć Poli warunki do normalnego funkcjonowania i nauki, co oznaczało: dostęp do wszystkich tekstów w postaci elektronicznej, narzędzia do czytania i skanowania. No i asystenta do robienia notatek na zajęciach. Znikał problem dojazdu do szkoły, bo Pola z automatu dostałaby elektryczny wózek, a problem barier architektonicznych czy autobusów bez podnośników dla wózków po prostu nie istniał.

Najbardziej przemówił jej do wyobraźni program wychowania fizycznego, realizowany przez specjalnego nauczyciela, plus iluś tam asystentów, którzy zajmują się niepełnosprawnymi uczniami.

Zacząłem jej czytać o dziesiątkach tysięcy spraw o dyskryminację wytaczanych w amerykańskich sądach i wygrywanych przez niepełnosprawnych, poczynając od dostępu do szkoły, a kończąc na dostępie do szlaków turystycznych na Alasce.

Czytałem i śmiać mi się chciało. A potem płakać.

Zbyt długo mieszkałem w Stanach, by idealizować tamten świat. Niedobrze mi się robiło na samą myśl, że znowu będę zaczynać wszystko od początku. Nie byłem już młodym wilkiem, któremu obojętne jest, gdzie szczerzy kły i ostrzy pazury do walki o wyższe miejsce w hierarchii. Myślałem, że czas walki mam za sobą.

Znowu musiałem stawać do zawodów. Znowu wywołali mnie, spoconego ze strachu, do tablicy.

Ile można!

Jeżeli mieliśmy jeszcze jakiekolwiek wątpliwości, to rozwiały się one ostatecznie na schodach kamienicy w centrum, gdzie mieścił się sanepid. Poszliśmy tam na badanie krwi przed złożeniem wniosku o wizę emigracyjną – Dasza i Pola musiały uzyskać zaświadczenie, że są wolne od chorób wenerycznych i AIDS.

Czwarte piętro, bez windy, stara kamienica, wąskie i strome schody.

Myślałem, że ducha tam wyzionę, a byłem wtedy naprawdę w niezłej kondycji fizycznej. W końcu ćwiczyłem wciąganie wózka niemal codziennie. Przeczytałem kilkanaście wzniosłych dokumentów na temat konieczności likwidowania barier architektonicznych, ale na ulicach i w budynkach publicznych było jak było.

Wtaszczyłem wózek z Polą na to czwarte piętro i chyba pierwszy raz w życiu cieszyłem się, że musieliśmy czekać jeszcze pół godziny. Jeżeli wtedy nie ściął mnie nagły zawał ani udar, to chyba – odpukać – długo nic mnie nie powali.

W nagrodę dostałem cztery piętra w dół!

Dowlekliśmy się do parteru, oboje zlani potem. Dasza wytarła czoło i podała mi chusteczkę.

– Pora umierać – mruknęła.

– Pora spierdalać – odburknąłem skonany.

– Nie przy dziecku – włączyła się Pola. – Ale dobrze mówisz.

No tak, czy ktokolwiek wie i w ogóle zastanawia się nad tym, co czuje człowiek na wózku ściągany z czwartego piętra jak mebel?

Spojrzałem na Daszę, która nie patrząc na nas, starannie i bez sensu składała właśnie mocno zużytą chusteczkę. Czekałem jeszcze chwilę, w końcu ująłem ją pod brodę i zmusiłem, żeby na mnie spojrzała.

Miała oczy pełne łez.

Nie drążyłem dalej, bo nie chciałem rozmawiać przy Poli.

– Ciężko ci? – zapytałem Daszę tego samego dnia wieczorem, bo nie mogłem zapomnieć o tych jej wielkich smutnych oczach.

– Nie, czemu? – zapytała bardzo swobodnym tonem.

– Ja nie pytam o pranie. – Właśnie je rozwieszała. – Pytam o wyjazd.

– Jakie to ma znaczenie, czy mi ciężko, czy mi lekko? – westchnęła.

Nie cierpiałem, kiedy wpadała w ten styl.

– Bez znaczenia – odparłem cierpko. – Pytam z czystej ciekawości.

Zaczęła płakać. Płakała i wieszała jakieś cholerne gacie i skarpety.

– Dasza, porozmawiaj ze mną, nie każ mi zgadywać, o co ci chodzi.

Rozpłakała się jeszcze bardziej.

– O to, że tam nie będziesz mogła wrócić do teatru?

Pokręciła głową i siąkając nosem, powiedziała:

– Tutaj też nie mogłabym wrócić, jeszcze dobrych parę lat.

– O domek na kurzej łapce? Ten w Bączynie?

– Coś ty!

– To o co?

– Od początku proponowałeś, żebyśmy zamieszkali w Stanach. Jakbym się zgodziła, to Pola zachorowałaby tam i tam byłaby leczona.

Trawiłem to przez chwilę.

– I myślisz, że jakby była tam leczona, to nie wyszłaby z tego aż tak niepełnosprawna?

Pokiwała głową.

– Tego nie wiemy, Dasza. Nowotwór to nowotwór. Tu i tam.

Biedna Dasza, pomyślałem. Biedna Matka Polka, wszechmocna i wszechmogąca!

Jakimi sposobami wmawia się tu kobietom, że są wiecznie odpowiedzialne za wszystko i winne wszystkiemu, co się wydarza? Matki dosypują im coś do jedzenia? Przerażające!

– Przecież to Pola nie chciała wyjechać – przypomniałem jej.

– Z Olsztyna też nie chciała wyjechać – mruknęła Dasza.

– No to jest remis. Ona nie chciała wyjeżdżać z Olsztyna, ale wyjechała. Teraz ty nie chcesz wyjechać z Polski, ale wyjedziesz.

– Ale wyjadę – powtórzyła i znowu westchnęła, ale już trochę raźniej. – A ty?

– Co: ja?

– Chcesz wyjechać?

– Nie chcem, ale muszem – wyrecytowałem i była to szczera prawda.

Może źle patrzyłem. Ale naprawdę nie widziałem innego wyjścia.

Zacząłem intensywnie szukać pracy w Stanach. Mój kolega z dawnych czasów zaaranżował mi spotkanie w oddziale Toda Global w San Francisco.

– Nie ma problemu – powiedział. – Jakby co, wiem, co umiesz. Przyjeżdżaj. To czysta formalność.

Pojechałem na miesiąc do Kalifornii, biorąc cały urlop z CBDQ. Rozmowy wypadły obiecująco. Wydawało się, że pójdę jeszcze na jedną, drugą, podpiszę umowę, a potem zajmę się szukaniem domu i szkoły dla Poli.

Myślałem, że mnie szlag trafi, jak się dowiedziałem, że mimo wszystko zostałem odrzucony. Uznali, że nie będę zdolny do „prawdziwego zaangażowania". Nieważne, jakie mam doświadczenie, co umiem, gdzie pracowałem. Tak jakby najważniejszym kryterium oceny była gotowość do pracy z pieśnią na ustach.

Początkowo wydawało mi się to jakimś absurdem. Szybko jednak okazało się, że to ten sam kolega, który ściągnął mnie na rozmowy, w ostatniej chwili zablokował mój angaż.

Od początku wiedział, w jakiej jestem sytuacji, bo niby czemu miałem ukrywać, że mam na utrzymaniu rodzinę, w tym niepełnosprawne dziecko po ciężkiej chorobie. Byłem pewien, że powiedział o tym, aranżując moje rozmowy. A ten skurwysyn użył tego jako asa w rękawie. Facet, któremu parę lat temu sam załatwiłem pracę w San Jose.

Nie wiem, o co mu chodziło. Czy się obawiał, że nawalę, a on za to odpowie, bo mnie polecił, czy się przestraszył, że ściąga sobie na kark konkurenta. Nieważne. Dostałem nożem w plecy.

Zacząłem się miotać. Mieszkałem po ludziach, całe dnie krążyłem od rozmowy do rozmowy, dzwoniłem, nocami siedziałem w Internecie, mailowałem. Nic się nie udawało.

Najpierw ograniczałem się do Kalifornii, później szukałem już w całych Stanach.

Próbowałem w moim dawnym oddziale TGM, usłyszałem:

– Jak będziesz w okolicy za miesiąc, to wpadnij, pogadamy.

Próbowałem w Microsofcie i pokonał mnie wewnętrzny kandydat.

Krążyłem jak złoty pieniądz. Wyeksploatowałem do cna wszystkie kontakty. I nic. Kosztowało mnie to czas, nerwy i paru znajomych, którzy „nie czuli się komfortowo", kiedy dzwoniłem z prośbą o pomoc.

Był dwa tysiące czwarty rok. Dotcomy ledwie podniosły się z bolesnego upadku. Chodziłem od drzwi do drzwi i nic.

Wiedziałem, na czym polega mój problem. Stałem się za bardzo managerem, ale nie aż tak bardzo, żeby uważano mnie za wyjątkowo cenny nabytek. Jednocześnie przestałem być techniczny, a to pułapka, bo potencjalni pracodawcy nawet nie brali pod uwagę, że mogę z powrotem zająć się choćby pisaniem programów.

Przypominały mi się pierwsze miesiące poszukiwań i lata najdziwniejszych prac, zaraz po tym, jak przyjechałem do Stanów za Helen. Przypomniało mi się, jak kompletnie zdesperowany poszedłem do lokalnego wydziału zatrudnienia, na rozmowę z doradczynią, bo nie miałem pojęcia, co ze sobą zrobić.

– Może pójść w stronę komputerów? – zapytałem wtedy.

– Komputery? – zdziwiła się. – Ależ tam już zrobiono wszystko, co można było zrobić. Tam nie warto. Ja bym raczej proponowała zająć się stolarstwem.

A to był dziewięćdziesiąty pierwszy rok.

Cóż, nie skorzystałem. Poszedłem na kurs obsługi komputera i pisania prostych programików w dBasie i Basicu.

Może jednak trzeba było wybrać stolarstwo? Kto wie, gdzie byłbym teraz jako stolarz?

Skończył mi się urlop. Wróciłem do Polski z niczym. Niby nie koniec świata, tylko że po otrzymaniu wizy ma się sześć miesięcy na emigrację.

Zapytałem w konsulacie, co robić. Nie ma problemu, trzeba tylko jeszcze raz zapłacić – tyle samo, co przedtem – i wystawią nowe wizy.

To było kilkaset dolarów za osobę.

Nie było wyjścia. Wizy wygasły. Zapłaciliśmy za nowe.

Znowu pojechałem do Kalifornii, już w zupełnej desperacji.

Nigdzie nic.

Odpowiedział mi ktoś z Bostonu:

– Dobrze. Przyjedź na rozmowy, ale na własny koszt.

A mnie nie stać już było na wycieczki do Bostonu! Ani do Kansas City!

Czułem, że mój mózg cały czas przetwarza, jak komputer w backgroundzie, że muszę, że przecież Pola, że Dasza, wszystko zależy ode mnie. Wychodziło mi bokiem moje rycerstwo, wszystkie moje księżniczki i cała ta moja bajka, o którą się nie prosiłem! Gdzieś po drodze były moje urodziny i Danka, składając mi życzenia, zaczęła coś bąkać o krzyżu, co to każdy musi go dźwigać. Może i musi, ale dlaczego ja?

Podczas spotkania z Sarą rozpłakałem się rzewnymi łzami nad swoim ciężkim losem. Ona zniosła to ze spokojem, ale ja następnego dnia wylądowałem u swojego dawnego terapeuty, tego, który pomagał nam z Helen dogadać się przy rozwodzie.

Słuchał uważnie, a potem zaczął mówić o moim bohaterstwie i poświęceniu. Bardzo to było miłe, tylko że ja, siedząc tam u niego, podświadomie oczekiwałem, że ktoś – choćby on – w końcu mnie od tego mojego bohaterstwa uwolni, pozwoli mi odsapnąć.

Nic z tego.

Wróciłem do Polski. Rozsyłałem CV – jak to moja babcia mówiła – na Kraków, Maków i cygańską wieś. Dzień w dzień.

Nikt nie odpowiadał.

Dopiero po miesiącu przyszedł mail z PeopleSoft. Proponowali spotkanie i rozmowę. Nauczony doświadczeniem od razu szczegółowo opisałem swoją sytuację rodzinną. Tego samego dnia odpowiedzieli, że rozumieją i nadal chcą rozmawiać. No to rozmawiamy – mailami, bo nie miałem zamiaru wyrywać się przedwcześnie i znowu wracać na tarczy.

Przez dobry tydzień gadałem z nimi przez całe noce. Szło dobrze, ale chcieli, żebym porozmawiał jeszcze z kimś innym. Niech będzie. Okazało się, że to ktoś, kto stale współpracował ze mną i Maziukiem. Pamiętał mnie.

Sam już nie wiedziałem, czy to dobrze, czy źle.

Było dobrze. Zaproponowali mi przyjazd do Mediolanu na serię rozmów. Tam urzędował szef grupy, w której miałem pracować. Brzmiało to dziwnie – firma była amerykańska, ja się przenosiłem do Kalifornii, a szefa miałem mieć w Mediolanie. Bywa i tak.

Poleciałem. Musiałem zmieścić wszystko w jednym dniu.

Nigdy nie byłem we Włoszech. Amerykanie zabrali mnie na lunch do chińskiej knajpy, przekonani, że jako wegetarianin tylko tam mogę coś zjeść. Być we Włoszech i jeść w chińskiej knajpie! Absurd.

Na pociechę, biegnąc do autobusu na lotnisko, obejrzałem sobie kątem oka strzelającą w niebo sylwetkę Duomo di Milano.

14

Pomiędzy bojowymi wyjazdami Marcina do Stanów toczyła się jeszcze jedna batalia. Również o przyszłość Poli.

Jej ojciec, a mój były mąż, na wiadomość o naszych planach powiedział krótko:

– Po moim trupie. Nie wywieziesz mi dziecka na zatracenie.

I odłożył słuchawkę, nim zdołałam cokolwiek wykrztusić.

Moje kolejne telefony pozostały bez odbioru.

Wszystkiego się spodziewałam, długich przemów o wyższości kultury europejskiej nad amerykańską, dyskusji o tym, czy to naprawdę konieczne, niepokoju o dalsze kontakty z córką i wpływ na jej losy. Ale nie tego. Nie idiotycznego oporu, który nie bawił się w żadne uzasadnienia, nie kretyńskiej demonstracji praw rodzicielskich.

– Wiedziałem – mruknął Marcin, kiedy osłupiała powtórzyłam mu, co usłyszałam.

– Wiedziałeś? – szczerze się zdziwiłam.

– Błąd w założeniu – uśmiechnął się niewesoło. – Ty myślisz, że tu chodzi o dobro Poli, a chodzi o to, żeby pokazać, kto ma władzę nad tobą.

– Jaką... – zaczęłam i urwałam.

Co ja sobie wyobrażam, pomyślałam. Że cokolwiek zostanie odpuszczone? Przecież to oczywiste. Nie kijem ją, to pałką, skoro sama się podkłada. Jest okazja, czemu nie przyłożyć? Pola w tym wszystkim jest najmniej ważna.

– To co robimy? – spytałam, bo przecież nie mogliśmy złożyć wniosku o wizę emigracyjną bez zgody ojca Poli. Nigdy, choćby przez moment, nie przyszło mi do głowy ograniczać ani kwestionować jego praw.

– Mieliśmy jechać do Białegostoku – przypomniał Marcin. – Zaraz zadzwonię i umówię się z siostrą Maziuka.

– Z Lilką? A co ona...

– Jest sędzią sądu rodzinnego.

– Chcesz z tym iść do sądu?

– Nie wiem, chcę ją zapytać, co możemy zrobić. Po co mamy się sami głowić i wyważać otwarte drzwi.

Lilka zgodziła się spotkać z nami w kawiarni przy Rynku Kościuszki.

Słabo ją pamiętałam. Była młodsza o parę lat od Andrzeja i mocno zahukana przez brata. Trzymała się od nas z daleka, a może to Maziuk nie dopuszczał jej do nas, nie wiem, nigdy mnie to nie interesowało.

Długo i serdecznie witała się z Marcinem. Mnie zlustrowała chłodnym wzrokiem i nie siliła się nawet na pozory sympatii, ale wysłuchała z uwagą całej mojej opowieści.

– Wyobrażasz sobie coś takiego? – zapytał Marcin, kiedy skończyłam.

– A co ja mam sobie wyobrażać – wzruszyła ramionami. – Jakby ludziom władza rodzicielska rozumu nie odbierała, to moja praca byłaby nikomu niepotrzebna.

Zastanawiała się przez chwilę, popijając kawę. W końcu odstawiła filiżankę, poprawiła się na fikuśnym, ale strasznie niewygodnym krześle i powiedziała:

– Możecie to rozegrać na dwa sposoby. Przewlekle i raczej z gwarancją sukcesu, albo na szybko, ale z pewnym ryzykiem.

– Dawaj – mruknął Marcin. – Najpierw powoli.

– Jak sąd, ociężale – zaśmiała się Lilka. – Składacie wniosek, żeby sąd rodzinny wyraził zgodę na wyjazd dziecka mimo sprzeciwu ojca.

– To jest możliwe? – zapytałam.

– Oczywiście. Sąd kieruje się dobrem dziecka, w tej sytuacji nie ma wątpliwości, co będzie lepsze dla Poli. Tylko że...

– Co znowu? – westchnął Marcin.

– To będzie trwało. Trudno przewidzieć, jak długo.

– Ale co to znaczy? Miesiąc? Dwa miesiące?

Lilka pokręciła głową.
– Pół roku najmarniej.
– Ja się zastrzelę – jęknęłam.
– Lepiej zastanów się nad drugą opcją.
– Tą ryzykowną.
– I tak, i nie. Jak ktoś nie odróżnia swoich fantazji od rzeczywistości, to nagie fakty działają na niego jak elektrowstrząsy. Może się udać.
– Ale co?
– Zagraj va banque, Dasza. Nie załatwiaj tego przez telefon, umów się z nim i powiedz, że szanujesz jego wolę i decyzję.
– Co? – wybałuszyłam na nią oczy.
– Skoro tak, to ty emigrujesz razem z mężem i waszym wspólnym dzieckiem, a Pola zostanie w Polsce pod jego opieką. Wyłączną.
– Genialne! – parsknął Marcin. – Że też sam na to nie wpadłem! Jeszcze zaproponuj, że będziesz dzwonić raz w tygodniu i pytać, jak sobie radzi. I ochrzaniać. Tak jak on.
– Chce władzy rodzicielskiej? Daj mu ją – dodała Lilka.
– A jeśli on na to pójdzie? – zapytałam.
– Chyba żartujesz! – zawołali równocześnie.
Lilka przyjrzała mi się z powagą.
– Dasza, po tym wszystkim, co przeszłaś, to już naprawdę będzie pryszcz. A jakby co, zawsze będziesz mogła iść z tym do sądu.
Miała rację. Kosztowało mnie to tylko te sześć godzin podróży do Wrocławia i tyleż z powrotem. Sama rozmowa z Grześkiem była tak żałosna, że wolałabym o niej zapomnieć.
Nie musieliśmy iść do sądu.

Wyjeżdżałam tam, gdzie mnie nic nie ciągnęło, ale nie czułam się jakoś specjalnie rozdarta. Moja mama ciągle pytała:

– Ale jak ja tu sobie poradzę?

– Tak samo jak do tej pory – odpowiedziałam za którymś razem, kiedy dotarło do mnie, jak dalece jest to pytanie retoryczne.

Jak by nie było, od półtora roku to ona pomagała mnie.

– Samoloty latają w obie strony, mamo – mówiłam i nie dawałam się wciągać w klimaty rzewne. Miałam wystarczająco własnych powodów, by się rozrzewniać.

Przepłakałam parę nocy, żegnając się z zawodem aktorki lalkowej, z siedliskiem w Bączynie, dawno kupionym przez kogo innego, z moim tutejszym życiem, które było mi piekłem i rajem, żegnałam się z tym wszystkim, co już się nie zdarzy, a jeśli nawet, to mnie tu nie będzie.

Bliżsi i dalsi znajomi powtarzali: „Jedź, nad czym tu się zastanawiać!".

Nad niczym.

– Wyjeżdżacie? Ale po co? – zdziwiła się Danka.

– Wyjeżdżamy, bo nie znaleźliśmy szkoły, która doprowadziłaby Polę do matury... – zaczął Marcin.

– A po co jej matura? Skończyła gimnazjum, nie obejmuje jej obowiązek szkolny – oznajmiła Danka, bądź co bądź niegdysiejszy filar miejscowego kuratorium. – Można ją dać do terminu.

– Gdzie? – jęknęłam.

– A choćby do spółdzielni, pamiętasz, Janek, Walickiego od niewidomych? – krzyknęła do ojca siedzącego przed telewizorem.

– Pamiętam – mruknął.

– O właśnie – uśmiechnęła się. – Nie ma po co jej kształcić za amerykańskie pieniądze. Tutaj może doczekać osiemnastu lat i pójść do pracy.

– Do jakiej pracy? – odetkał się wreszcie Marcin.

– Nie wiem, co oni tam robią. Może szczotki, może koszyki plotą. Jakie to ma znaczenie?

Udało mi się przeżyć tyle lat, nie wiedząc, co to uczucia mordercze. I oto teraz, przy tym stole poczułam, że jeszcze słowo, a wbiję tej kobiecie widelec w aortę.

To było coś niebywałego. Spędziła całe przedpołudnie, piekąc kokosanki, bo przy poprzedniej wizycie Pola powiedziała, że to najlepsze ciastka, jakie w życiu jadła. Napiekła cały karton specjalnie dla Poli, a teraz mówi coś takiego! Przy mnie!

– My jednak postanowiliśmy wyjechać – powiedział Marcin, zlepiając okruchy ciastka w kulkę. Bardzo, bardzo starannie.

– No, nie wiem – prychnęła Danka, a potem, wzdychając głośno, patrzyła na Marcina ze współczuciem. Po chwili, zupełnie tak jakby dopiero dotarło do niej, o czym właściwie rozmawiamy, odezwała się mniej pewnie: – Ale wy tak na poważnie?

Marcin bez słowa pokiwał głową.

– I na zawsze?

– Tego nie wiem – mruknął, rzucając mi spojrzenie, w którym były strach, zagubienie i niepewność.

– No, nie wiem – powtórzyła Danka, jakaś zgaszona i zbita z pantałyku.

Wyjeżdżałam do Stanów.

Znowu miałam cholerne szczęście!

Więc chyba z nadmiaru tego szczęścia musiałam powiedzieć moim córkom:

– Nie możemy zabrać Figi.

– A niby dlaczego? – zdziwiła się Pola.

– Bo musimy wynająć mieszkanie, a nie udało nam się znaleźć takiego, żeby właściciele zgodzili się na psa. Zresztą i tak Figa musiałaby najpierw przejść półroczną kwarantannę.

– To ja nie jadę – oznajmiła Pola i się rozpłakała.

Ula spojrzała na mnie, po czym popatrzyła na swoją siostrę.

– Nieeee! – rozdarła się wielkim głosem.

Nie byłam pewna, czy rozumie, o czym mówimy, ale było to jedyne słowo, jakiego ostatnio używała, mimo że jej słownik liczył już kilkadziesiąt wyrazów.

Nic z tego, co ostatnio działo się w domu, ani wyjazdy i długie nieobecności ojca, ani chaos i ciągłe nerwowe rozmowy, nic nie przeszkadzało jej w skrupulatnym realizowaniu powinności „okropnego dwulatka".

Ula była dzieckiem zahartowanym w bojach o swoje. Wiedziała, że czego nie wykrzyczy, tego nie dostanie. Była za mała, by się zastanawiać, czy to normalne. Ja z kolei wolałam nie zastanawiać się nad tym, co za kilkanaście lat będzie opowiadać o swojej rodzinie i dzieciństwie w cieniu choroby przyrodniej siostry. Trudno. Każdy ma własną opowieść.

Teraz miałam szczerą ochotę usiąść i rozpłakać się razem z nimi, ale nie wiem, czy Marcin po powrocie z pracy wytrzymałby jeszcze i to. Widziałam, że jest u kresu sił, bo wszystko szło mu jak po grudzie.

– Córeczko, nie mów jak dziecko – zwróciłam się do Poli.

– To nieludzkie! – zawołała. – Tak po prostu ją porzucimy?

– Nic takiego nie powiedziałam.

– A co zrobimy? Oddamy do schroniska? Przecież ona tam umrze z rozpaczy.

Też tak myślałam.

– Musimy znaleźć jej nowy dom – wyjaśniłam.

– Nie może zostać z babcią?

– Nie.

– Dlaczego?

– Bo nie. Jakby mogła, to nie mówiłabym o nowym domu.

Obdzwoniłam wszystkich, naprawdę wszystkich, alfabetycznie, po kolei, tak jak byli wpisani w moim notesie. Nikt nie chciał na oko czteroletniej suki, która miała sporo z boksera, ale bliżej jej było do wyżła.

Figa była znajdą, nic nie wiedziałam o jej parantelach. Znalazłam ją, zmarzniętą i głodną, na działkach. Towarzyszyła nam wiernie przez ostatnie trudne lata, a w nagrodę miała teraz dostać nowy dom. Szczęściara! Prawie taka jak ja!

Życie jest okropne.

Dałyśmy anons do lokalnych gazet. Wypisałam ogłoszenia, które rozwiesiłyśmy z Ulą, gdzie się da. Po tygodniu zadzwoniła pani mieszkająca w Pruszkowie. Miesiąc temu jej sześcioletnia spanielka została potrącona przez samochód. Jeszcze dziesięć dni pies walczył o życie, ale padł. Kobieta była zrozpaczona.

– Wie pani, ja już nie mam siły na wychowywanie szczeniaka – powiedziała. – Ale bez psa jak bez ręki. Nie mogę sobie miejsca znaleźć. Ciągle nasłuchuję stukania pazurków po podłodze. Albo kroję mięso i rzucam ochłapki, a potem zbieram je z ziemi i płaczę, bo to był straszny, proszę pani, łakomczuch.

Jak jej opowiedziałam, dlaczego musimy rozstać się z psem, umówiła się ze mną w najbliższą sobotę. Poprosiłam Zosię, żeby przyszła do nas mimo soboty i zabrała Ulę. Zadzwoniłam do Doti i poprosiłam, żeby umówiła się z Polą i w tym czasie wyszła z nią z domu pod dowolnym pretekstem. Po paru minutach oddzwoniła jej mama i zaproponowała, że wezmą Polę na cały dzień do dziadków Doti w Falenicy. Marcin musiał jechać do Berlina. Nie było nikogo, kto zabrałby mnie! Dokądkolwiek.

Pani z Pruszkowa okazała się miła, ciepła i spokojna. Dała się Fidze obwąchać bez skrępowania, sama obejrzała ją, podrapała i wygłaskała. Wszystko było dobrze. Tylko ja czułam się jak potwór, który za lata wierności odpłaca podłą zdradą. Straszne uczucie.

Tydzień później Marcin z Zosią odwieźli Figę do jej nowego domu. Nie miałam siły mu towarzyszyć. Pamiętam, że oni odjechali, Ula spała, a my z Polą siedziałyśmy na tarasie, płacząc rzewnymi łzami.

– Może odwiedzimy ją jeszcze przed wyjazdem? – zapytała.

– To dopiero byłoby nieludzkie – powiedziałam. – Pomyśl tylko.

Żadne z pozostałych rozstań nie wydawało mi się tak smutne. Wszyscy inni rozumieli, dlaczego musimy wyjechać. Figa nie miała tej szansy. Rozumiała tyle tylko, że z jakichś niepojętych powodów ją porzuciliśmy.

Wiem, że będzie nam to policzone. Jeszcze i to.

15

Na początku grudnia dostałem e-mail, że moja oferta została podpisana i zatwierdzona. Zrezygnowaliśmy ze szkoły Poli. Złożyłem wymówienie w CBDQ. Spodziewali się tego. Niewykluczone nawet, że przyjęli tę wiadomość z ulgą. Szkoda.

Najbardziej wylewnie żegnali mnie moi konsultanci. Dopiero wtedy poczułem, jak bardzo mnie zmienili. To, że ja miałem na nich wpływ, wiedziałem już od jakiegoś czasu. Obserwowałem, jak wyfruwają spod moich skrzydeł, próbują konstruktywnie dyskutować ze wspólnikami firmy, traktują klienta jak partnera, odchodzą gdzie indziej na dyrektorskie i managerskie stanowiska. Moja rola się skończyła. To był dobry moment, żeby odejść.

Szykowałem się do emigracji z emigracji, do kolejnego powrotu albo wyjazdu.

Znowu kupowałem bilet w jedną stronę. Źle na mnie działają takie dokumenty.

Spakowaliśmy to, co najcenniejsze – książki. Powodowany nagłym atakiem oszczędności, wysłałem je do Redwood Shores pocztą morską. Ludzie w kolejce do okienka pomrukiwali, pocztowiec po drugiej stronie uchylanej szyby dziwnie na mnie popatrywał. Po kilku miesiącach już wiedziałem dlaczego.

Jeśli ktokolwiek musi wysłać coś cennego i chce, by to dotarło do miejsca przeznaczenia, nie powinien tego wysyłać statkiem.

Wysłaliśmy trzynaście paczek. Po roku jedenaście wróciło do Michałowic. Musieliśmy (a raczej mój ojciec) zapłacić drugie tyle, by je odzyskać. Po dwóch latach wróciła jeszcze jedna. Do dzisiaj czekamy na tę ostatnią – z całym Gombrowiczem, Witkacym i albumami zdjęć Poli z dawnych czasów.

Na wigilię pojechaliśmy do Białegostoku. Ostatni raz przed wyjazdem jechaliśmy w tę stronę. Wszystko robiliśmy po raz ostatni. Próbowałem zapamiętać jak najwięcej detali z drogi, gdzie jest jaka stacja benzynowa i gdzie najtańsza benzyna. Jakby to miało jakieś znaczenie.

Był to mało oryginalny dzień, by się wybrać w podróż w rodzinne strony. Wszyscy się spieszyli, wyprzedzali, mrugali światłami porozumiewawczo. Tylko mnie się nigdzie nie paliło. Ula spała, Pola słuchała książki z CD, Dasza hamowała razem ze mną i nie pozwalała wyprzedzać. Mogłem tak jechać do końca świata.

Białystok powitał nas resztką śniegu na chodnikach i popołudniowym, wigilijnym szaleństwem ostatnich przygotowań. Karpie szykowały się na egzekucje, zmielony mak czekał, aż ciasto wyrośnie, choinki zapalały się w oknach jak za dotknięciem różdżki.

Zaparkowaliśmy przed blokiem moich starych. Wydało mi się, że wszystkie okna pałają ciepłem, radością, jednością. Tylko nam, jedynym na całym świecie, nie chciało się ostatni raz wyjść z samochodu. Siedzieliśmy wpatrzeni w okna, wiedząc, że nieprędko będziemy tu znowu o tej porze.

Poczułem się tak, jakbym miał umierać! Strasznie się poczułem. Dasza się popłakała, Pola udała, że nie, a Ula spała w najlepsze, nie zdając sobie sprawy z symboliczności sytuacji.

Po chwili zostaliśmy wypatrzeni z okna. Ojciec wyszedł z klatki. Przywitał się z nami jakby czulej. Pola właśnie siadała na wózku, kiedy zaproponował, że zawiezie ją na górę. Nie wiedział, biedak, co to znaczy, nie miał techniki.

Początkowo chciałem mu wyrwać Polę. Ale widziałem w jego spojrzeniu coś, co mówiło, żeby dać mu szansę. No to dałem, ale pokazałem mu najpierw, jak się wciąga kogoś na wózku po schodach. Całe szczęście, że to była sprawa „tylko" półpiętra. Komuś, kto projektował ten nowy budynek, nawet przez myśl nie przeszło, że mógłby tam mieszkać człowiek na wózku. Oh, well.

Witaliśmy się z Danką, matką Daszy, Jolką i jej mężem zupełnie tak, jakbyśmy się żegnali. Może na zawsze?

Co będzie przy opłatku?

Mój odwieczny sentymentalizm i skłonność do tragizowania wyszły ze mnie boleśnie i bez osłonek.

Każdy trzymał nas w ramionach trochę dłużej, ściskał trochę mocniej. Jakbyśmy się wszyscy spóźnili z takimi gestami o kilka lat i teraz bardzo chcieli to nadrobić.

– Ja chcę śledzia – przerwała czułości Pola, zdrajczyni ideałów bezmięsnych.

Danka rzuciła się do nakładania zwłok śledzia na jej talerz.

Jak skazaniec przed wyrokiem śmierci, Pola zjadła na dzień dobry pół kilo matiasów. Danka i mama Daszy patrzyły na nią z uwielbieniem.

Zaczynało się ściemniać. Pierwsza gwiazda już pewnie świeciła, ukryta pod powłoką granatowych chmur. Jeden z nakrótszych dni w roku powoli przygniatał mnie swoim ciężarem, niepokoił, nękał, na nowo budził wątpliwości.

A może źle robię, znowu stąd wyjeżdżając?

Ja wiem, że z rodziną najlepiej wychodzi się na zdjęciach, ale mimo wszystko... Będzie mi okrutnie brakowało tych świąt, tych ludzi, ich problemów, ich oczywistych wad i mniej oczywistych zalet. I tych śledzi, choć ich nie tykam, odpustowych świec, choinki wreszcie prawdziwej, a nawet telewizora instruującego, jak się szykuje prawdziwie polską wigilię.

Wziąłem kieliszek z winem i wyszedłem na balkon w za dużych kapciach ojca. Stałem tam chwilę, wrastając w ten czas, bez ruchu. Patrzyłem w niebo, pytając sam siebie, czy ta prawda od nieba gwiaździstego jest rzeczywiście we mnie? A jeśli krzywdzę Daszę, wyrywając ją z ciepłego miejsca? Czy rzeczywiście robię to wszystko dla Poli, czy raczej dla siebie? Może ja sam od czegoś uciekam, jak Koziołek Matołek, szukając tego, co jest bardzo blisko? Może nie trzeba? Może mimo wszystko Pola sobie tu jakoś poradzi? Może zostańmy?

Skrzypienie plastikowych drzwi balkonowych nie pozwoliło mi dostrzec jasnej odpowiedzi. Dasza wtuliła się we mnie. Jej brązowy sweter, pachnący smażoną rybą, cukrem pudrem i nią samą, ogrzał plecy, jej ramiona reanimowały przestraszone serce.

Czy wiedziała, o czym myślę?

– Marcin, wszystko będzie dobrze. Poradzimy sobie. – Odwróciłem się do niej. – Przecież to nie na zawsze – szepnęła. – Oni tu na nas poczekają.

Z pokoju dobiegł nas głos Poli uczącej Ulę słowa „Mikołaj". Było już wystarczająco ciemno, by zacząć odliczać godziny do wyjazdu i próbować wstrzymać czas.

Dasza pchnęła drzwi. Odstawiłem kieliszek do skrzynki po stokrotkach. Chwyciłem ją za rękę. Zatrzymałem gwiazdy. Dasza stojąca już po drugiej stronie progu, odwróciła się. Patrzyłem w jej oczy. Jasnobrązowe. Moja babcia mówiła: „oczy piwne – życie dziwne". Patrzyłem i widziałem w nich wiarę, spokój nigdy mi nie dany, dojrzałość, o której mogłem tylko śnić. Coś błysnęło mi w okularach i kapnęło na policzek.

Przestąpiłem próg.

Weszliśmy razem w chmurę majeranku, suszonych śliwek, żurawin, wanilii i maku...

Spis treści

KATARZYNA LEŻEŃSKA

Sądy i osądy (2006)

Agata jest osobą pewną siebie, zdecydowaną i konsekwentną. Nie przejmuje się cudzymi opiniami, a ludzi osądza chłodno – ostatecznie jest sędzią, i to orzekającym w sprawach karnych. Nie wzruszają jej rzewne historyjki oskarżonych, dziecięce histerie i intrygi koleżanek z pracy. Prawdę wali prosto w oczy – nawet swoim najbliższym. I tylko nie może zrozumieć, dlaczego ludzie się od niej odsuwają. Przecież zwykle okazuje się, że to ona miała rację – w sprawie czyjegoś charakteru, wyboru samochodu, głupich plotek. Zwykle, ale nie zawsze...

Co gorsza, Agata właściwie nie wychodzi z sali sądowej. Nawet po godzinach odruchowo zaczyna dochodzenie i szuka winnych. Dlaczego dziecko kłamie? Czy mąż nie wpadł w podejrzane towarzystwo? Z kim miała romans przyjaciółka? Na sali rozpraw potrafi być bezstronna. W życiu prywatnym szybko wydaje wyroki. Z góry odmawia innym prawa do kłamstw i do złudzeń, zapominając, że kłamstwa bywają zbawienne, a złudzenia... nie zawsze są złudzeniami.

KATARZYNA LEŻEŃSKA

Studnia życzeń (2005)

W życiu trzeba o siebie walczyć, a Hanka po prostu trwa. Ma na to solidne usprawiedliwienie: od kilku lat jest wdową, samotnie wychowuje nastolatka i samo przetrwanie wymaga od niej wiele wysiłku.

Nieoczekiwanie Hanka trafia na ślad tajemnicy rodzinnej, który wiedzie ją na kręte ścieżki przeszłości. Dzięki przyjaciółce babci poznaje dzieje kobiet ze swojej rodziny.

W barwnych opowieściach ożywają ludzie mieszkający na Podlasiu w latach międzywojennych. Ich dramatyczne losy, naznaczone przez historię i ukształtowane przez osobiste trudne wybory, sprawiają, że Hanka zaczyna postrzegać swoje życie z zupełnie innej perspektywy.

KATARZYNA LEŻEŃSKA

Ależ Marianno! (2004)

Gdy spotykają się „kobieta z przeszłością i mężczyzna po przejściach", bywa różnie. Czasami jest trudniej, bo każde z nich ma na koncie własne urazy, rozczarowania i wątpliwości. Czasami łatwiej, bo dobrze znają samych siebie i wiedzą, czego chcą, a przynajmniej, czego na pewno nie chcą.

Takie spotkanie może okazać się punktem zwrotnym w ich życiu, rozdrożem, na którym wreszcie dokonają właściwego wyboru. I może wreszcie rozsmakują się w miłości, bo będzie ona jak dobre wino, które – jak wiadomo – musi mieć swoje lata...

KATARZYNA LEŻEŃSKA, EWA MILLIES-LACROIX

Z całego serca (2004)

To był maj, Warszawa, niedziela. Małgośka Rusznikowska, na co dzień dyrektorka osiedlowego domu kultury, zbierała siły, by przetrwać rodzinną uroczystość i przełknąć kolejne kłamstwa męża. Alicja Kranach, luksusowa wdowa z Saskiej Kępy, umawiała się na tenisa z przyjacielem niedawno zmarłego męża. Paweł Radczyński, świeżo rozwiedziony wzięty kardiolog i specjalista od wszelkich spraw sercowych, wprowadzał się do wynajętego mieszkania, a jego brat, Marcin...

Co łączy tych ludzi? Z pozoru niewiele. Okazuje się jednak, że wszyscy z całego serca marzą, by coś się w ich życiu wreszcie zmieniło. Kilka niedzielnych zdarzeń rozpoczyna serię zupełnie nieoczekiwanych, a jakże utęsknionych zmian...